LA DEMEURE
DES PUISSANTS

DU MÊME AUTEUR

Romans

LE CORTÈGE DES VAINQUEURS, Laffont, 1972, et Livre de poche.
UN PAS VERS LA MER, Laffont, 1973, et J'ai Lu.
L'OISEAU DES ORIGINES, Laffont, 1974, et J'ai Lu.
LA BAIE DES ANGES :
   I. LA BAIE DES ANGES, Laffont, 1975, et J'ai Lu.
   II. LE PALAIS DES FÊTES, Laffont, 1976, et J'ai Lu.
   III. LA PROMENADE DES ANGLAIS, Laffont, 1976, et J'ai Lu.
LA BAIE DES ANGES, 1 vol., coll. « Bouquins », Laffont, 1982.
QUE SONT LES SIÈCLES POUR LA MER, Laffont, 1977, et Livre de Poche.
LES HOMMES NAISSENT TOUS LE MÊME JOUR :
   I. AURORE, Laffont, 1978, et Livre de Poche.
   II. CRÉPUSCULE, Laffont, 1979, et Livre de Poche.
UNE AFFAIRE INTIME, Laffont, 1979, et Livre de Poche.
FRANCE, Grasset, 1980, et Livre de Poche.
UN CRIME TRÈS ORDINAIRE, Grasset, 1982.

Histoire, essais

L'ITALIE DE MUSSOLINI, Perrin, 1964 et 1982, et Marabout.
L'AFFAIRE D'ÉTHIOPIE, Le Centurion, 1967.
GAUCHISME, RÉFORMISME ET RÉVOLUTION, Laffont, 1968.
MAXIMILIEN ROBESPIERRE. HISTOIRE D'UNE SOLITUDE, Perrin, 1968, et Livre
   de Poche.
HISTOIRE DE L'ESPAGNE FRANQUISTE, Laffont, 1969, et Marabout.
CINQUIÈME COLONNE 1939-1940, Plon, 1970 et 1980.
TOMBEAU POUR LA COMMUNE, Laffont, 1971.
LA NUIT DES LONGS COUTEAUX, Laffont, 1971.
LA MAFIA, MYTHE ET RÉALITÉS, Seghers, 1972.
L'AFFICHE, MIROIR DE L'HISTOIRE, Laffont, 1973.
LE POUVOIR A VIF, Laffont, 1978.
LE XXᵉ SIÈCLE, Perrin, 1979, et Livre de Poche.
GARIBALDI, LA FORCE D'UN DESTIN, Fayard, 1982.

Politique-Fiction

LA GRANDE PEUR DE 1989, Laffont, 1966.

Conte

LA BAGUE MAGIQUE, Casterman, 1981.

En collaboration

AU NOM DE TOUS LES MIENS, de Martin Gray, Laffont, 1971, et Livre de Poche.

MAX GALLO

LA DEMEURE
DES PUISSANTS

roman

BERNARD GRASSET
PARIS

La Demeure des Puissants poursuit l'entreprise commencée avec *Une affaire intime* et
prolongée par *France* et *Un crime très ordinaire*.

Ces romans, indépendants les uns des autres
mais liés par des personnages secondaires, un
climat et des lieux, mettent en scène (en vie ?)
des hommes ou des femmes, des situations et
des émotions saisis d'abord dans la France de la
décennie 1970-1980. Ces romans sont rassemblés sous le titre d'ensemble de *France*.

Ils obéissent à la loi du roman : celle du
« mentir vrai », et donc toute similitude entre
les situations, les lieux, les personnages qu'ils
évoquent et la réalité est une... illusion.

M. G.

« *It's dangerous when the baser nature comes between the pars and fell incensed points of mighty opposites.* »

« Il y a péril lorsque la racaille intervient entre des pairs et se jette entre les feux des épées croisées de puissants adversaires. »

SHAKESPEARE,
Hamlet, acte V, scène 2.

« Tu sais, pour se mettre à aimer quelqu'un, c'est une entreprise. Il faut avoir une énergie, une générosité, un aveuglement... Il y a même un moment, tout au début, où il faut sauter par-dessus un précipice : si on réfléchit, on ne le fait pas. »

JEAN-PAUL SARTRE,
la Nausée (p. 171, *in* la Pléiade,
Œuvres romanesques).

« La passion
Cet oiseau migrateur
Traverse notre vie
Et trace l'horizon. »

EMMANUEL CHAVES,
les Yeux de vent.

PREMIÈRE PARTIE

LE PROCÈS

1

Mesdames et Messieurs les Jurés,

Depuis cinq jours vous regardez Julien Vanco. Cet homme assis derrière moi entre deux gendarmes, vous devez aujourd'hui le juger et moi le défendre.

Je vous ai vus, tout au long de ces cinq jours, alors que se succédaient les témoins, scruter le visage de Julien Vanco. Je vous ai observés. Je me suis interrogé avec angoisse. Avez-vous compris cet homme ? Avez-vous démêlé les mobiles de son acte ?

Tout homme est un labyrinthe. Julien Vanco l'est pour vous, comme pour moi et sans doute pour lui-même.

Hier, M. l'Avocat Général a déroulé son fil d'Ariane. Mais il ne s'est pas attardé à l'itinéraire. Il avait hâte de parvenir à la dernière étape, à l'acte qui a conduit Julien Vanco devant vous. Il voulait vous raconter ce double meurtre, cette journée du 4 juin 1980 dont rien, prétend-il, n'est demeuré dans l'ombre.

Nous connaissons minute par minute les faits et gestes de Julien Vanco. Mais qui a jamais contesté qu'il ait arrêté sa voiture sur la place de Bergwald, pris à pied la route qui conduit, hors du village, à la maison de repos du Dr Georgewitch ? Qui a nié qu'il savait que séjournaient là Simon Garelli et Thierry de Carouge ?

Ce sont eux que Julien Vanco veut tuer.

Je tiens, en plein accord avec lui, à relire ici un passage de sa déposition enregistrée quelques heures à peine après le meurtre : « Mon intention, a-t-il déclaré, était de tuer Simon Garelli et Thierry de Carouge. Je me suis rendu à Bergwald pour mettre à exécution ce projet. Je regrette d'avoir été contraint d'agir ainsi mais il n'y avait pas d'autre choix possible pour moi. J'accepte par avance le châtiment que la justice m'infligera. »

Julien Vanco revendique donc sa culpabilité.

Mais s'il ne cherche pas d'excuses ou de circonstances atténuantes, pourquoi parler encore et ne pas vous laisser juger ?

Nous savons tous qu'il est entré dans la maison de repos du Dr Georgewitch, que Simon Garelli et Thierry de Carouge qui se trouvaient dans le parc ont accepté de le rencontrer. Les trois hommes se connaissaient bien. Garelli était même — qui l'a démenti ? — l'un des amis d'enfance de Julien Vanco. Ils ont conversé calmement, tous les témoignages le confirment. Puis Vanco a tiré sur l'un et l'autre de ses interlocuteurs et il est demeuré sur place, attendant l'arrivée de la police.

Ces faits, comme semble le croire M. l'Avocat Général, suffisent-ils, parce qu'ils sont vrais, à établir la vérité ?

Si un acte trouvait en lui-même toutes ses causes, si les choix d'un homme ne dépendaient que de lui, nous pourrions répondre oui, nous taire et vous laisser prononcer le verdict sans plus attendre.

Mais la vérité d'un acte tient au monde par mille fibres. Et quand le coupable est un homme à la vie exemplaire, un homme qui fut durant plus de vingt années le collaborateur le plus proche du président-directeur général de la Société Internationale de Banque et d'Industrie, un homme qui à ce titre a conduit des négociations répétées avec le directeur général de la Société Genevoise de Finance ; quand les victimes précisément sont Simon Garelli, président-directeur général de la Société Internationale de Banque et d'Industrie, et Thierry de Carouge, directeur général de la Société Genevoise de Finance, alors on ne peut se contenter de décrire un acte, à moins que l'on ne veuille, en prétendant faire toute la lumière, dissimuler l'essentiel.

Si je plaide au terme de ce procès qui paraît sans mystère, c'est que, à partir de cet acte incontournable, la mort de deux hommes tués par Julien Vanco, je veux faire surgir la vérité avec toutes ses ramifications.

Rappelez-vous certains témoignages qui ont irrité le Ministère public.

Ils étaient, disait-il, hors sujet. Il faut le démontrer.

Mais qui peut contester ce que Clara Becker nous a révélé du passé de Thierry de Carouge ou du rôle de la Société Genevoise de Finance et de la Société Internationale de Banque et d'Industrie, et donc de Thierry de Carouge et de Simon Garelli, dans le continent sud-américain ? Sans conséquences, son témoignage ? Et le double meurtre commis par Julien Vanco est-il sans rapport avec la misère et la mort de ces enfants brésiliens dont le témoin Erica Zorn nous a parlé ? Est-il scandaleux de mentionner ici la disparition du Dr Klaus Stucki, que Clara Becker et Erica Zorn ont évoquée, Stucki qui était de ceux qui attiraient l'attention sur cet « envers du monde » que nous refusons de voir ?

Qu'on ne m'accuse pas de transformer Julien Vanco en justicier ou bien de faire ici le procès de l'exploitation d'une partie du monde par l'autre.

La responsabilité d'un acte individuel ne saurait se dissoudre dans des données générales. Et Julien Vanco ne les a jamais avancées pour sa défense. Mais je montrerai la

chaîne des décisions, prises chaque fois par des hommes —
et, parmi eux, les victimes Simon Garelli et Thierry de
Carouge. Ces décisions expliquent aussi le choix de Julien
Vanco. Et il faudra bien, puisque le coupable et les
victimes appartiennent à ce monde-là, qu'on dise ce que
sont ces organismes mystérieux et respectables, ces empires
qui s'allient ou se livrent des guerres et qui se nomment
Société Genevoise de Finance et Société Internationale de
Banque et d'Industrie.

Je dois m'étonner à ce propos de ce que la Cour, malgré
mes demandes, n'ait pas usé de son pouvoir pour rechercher et entendre Bernard de Carouge, le président du
Groupe Carouge-Mortain, le fils de Thierry de Carouge. Il
eût pu nous parler de l'affrontement qui l'opposa à Simon
Garelli, il y a une dizaine d'années, des raisons de sa
capitulation et de la soumission — que négociait encore
l'année dernière Julien Vanco — du Groupe Carouge-
Mortain à la Société Internationale de Banque et d'Industrie. Ce passé lointain et proche n'a-t-il rien à voir avec le
comportement de Julien Vanco? Je n'en suis pas sûr.

Mais ce ne sont là, Mesdames et Messieurs les Jurés, que
des questions préalables. J'ai voulu les mentionner afin de
vous donner d'emblée le sens de ma plaidoirie.

Avant de tenter d'y répondre, avant de pénétrer dans ce
labyrinthe qu'est, je l'ai dit, une vie, je dois vous avouer
qu'à chaque étape de la constitution de mon dossier je
pensais à ces vers de Shakespeare dans l'acte V d'*Hamlet* :

*« Il y a péril lorsque la racaille intervient entre des pairs et
se jette entre les feux des épées croisées de puissants
adversaires. »*

Et je pensais aussi à ce qu'écrit Eluard :

« Il faut vivre pour rien ou bien dans les tortures. »

Je crois en conscience que les mots de ces deux poètes s'appliquent à Julien Vanco.

2

Avec la plaidoirie de Me Michel Hoffman, du barreau de Paris, le procès de Julien Vanco est entré ce matin dans sa phase décisive.

On connaît la manière du célèbre avocat. Il refuse le pathétique et les effets d'audience. Il préfère affirmer une rigueur morale que son ton monocorde accentue. Sa rhétorique fort habile se dissimule ainsi sous une apparente sobriété. Il ressemble à un pasteur que brûlerait la passion de la vérité. Les jurés — sept hommes et trois femmes — paraissaient fascinés. Quand, détachant chaque mot, Me Hoffman a cité Shakespeare et Paul Eluard, sans élever la voix, ni faire un seul geste, le corps raide, un silence d'église régnait dans la salle du tribunal.

La tâche de Me Michel Hoffman est cependant difficile. Il ne peut contester les faits ni la préméditation. Julien Vanco a reconnu dès son arrestation avoir voulu et préparé le meurtre de Simon Garelli, président de la Société Internationale de Banque et d'Industrie, et celui de Thierry de Carouge, directeur de la Société Genevoise de Finance. Mais Me Hoffman a brandi ces aveux comme une preuve d'honnêteté, s'emparant des arguments de l'accusation pour réduire à une simple péripétie le double meurtre délibéré commis par son client.

On avait d'ailleurs au cours du procès pu noter le début de cette manœuvre et l'avocat général Verdier, en s'en tenant à l'exposé des circonstances du crime, a peut-être affaibli son réquisitoire.

En effet, les témoins cités par la défense, et notamment la journaliste italienne Clara Becker, la sociologue Erica Zorn, ont mis en accusation les banques que dirigeaient les deux victimes. Selon leurs témoignages la Société Internationale de Banque et d'Industrie et la Société Genevoise de Finance avaient en Amérique latine, particulièrement au Brésil, favorisé la politique répressive des gouvernements locaux. Ces deux sociétés étaient ainsi, selon Clara Becker et Erica Zorn, indirectement responsables de plusieurs assassinats et disparitions, perpétrés par des groupes de tueurs liés au pouvoir. Les deux témoins ont évoqué la disparition du médecin suisse Klaus Stucki, dont l'activité d'assistance dans le nord-est du pays, puis les quartiers les plus pauvres de Rio de Janeiro, était tournée vers la protection de l'enfance. Il avait publié plusieurs ouvrages consacrés à ce qu'il appelait l' « envers du monde ». Sa disparition, selon Clara Becker, serait liée aux renseignements qu'il avait rassemblés et qui mettaient en cause l'activité au Brésil de Bernard de Carouge — le fils de Thierry de Carouge —, le président du Groupe Carouge-Mortain.

Ce groupe est passé au terme de négociations conduites par Julien Vanco et Simon Garelli sous le contrôle de la Société Internationale de Banque et d'Industrie.

Dès le début de sa plaidoirie, Mᵉ Michel Hoffman a montré qu'il voulait exploiter ces

témoignages et ainsi déplacer l'objet du procès
de manière à présenter Julien Vanco comme un
justicier agissant au nom d'une morale supérieure.

Certes, Me Hoffman s'est défendu par avance
de cette intention. A plusieurs reprises il a
répété que « la responsabilité d'un acte individuel ne saurait se dissoudre dans des données
générales », et affirmé que son client — et lui-
même — ne recherchaient aucune excuse. Le
meurtre, a-t-il dit, est un « acte incontournable ».

Cependant, en revenant à plusieurs reprises
sur les faits rapportés par Clara Becker et Erica
Zorn, en citant un long passage du journal de
Klaus Stucki consacré au destin d'une petite fille
brésilienne, Me Michel Hoffman a cherché à
l'évidence à émouvoir les jurés et à détourner
leur attention du double meurtre qui est en
question.

Un observateur peu averti, pénétrant dans la
salle d'audience et écoutant Me Hoffman, aurait
pu croire qu'il s'agissait non de juger Julien
Vanco qui avait avoué le meurtre de deux
hommes, l'un son ami d'enfance, l'autre un
vieillard, mais de rechercher les causes des
malheurs d'une fillette brésilienne nommée
Adriana, victime lointaine, peut-être, de ces
deux hommes !

3

Adriana, six ans, jambes arquées, ventre plat, cheveux noirs, maigre mais saine. Elle répète d'une voix trop grave, qui me gêne : « Papai Stucki, Papai do Ceu » — papa Stucki, papa du Ciel.

Sa mère me prend les mains, les embrasse. « Papai Stucki », dit-elle aussi. Puis elle s'étire, montre ses aisselles, pousse Adriana vers moi, dit en me fixant : « Les hommes sont lourds comme des bœufs et ils sentent le chien mouillé. »

Elle se signe : « Papai do Ceu », elle rit, chasse ses enfants de la pièce au sol de terre battue, retient Adriana par le bras.

— Tu l'as sauvée, me dit-elle.

Adriana avait cette maladie qu'on appelle la faim. Je me suis battu. Pour me rendre chez elle, je devais traverser le quartier des bordels. Je croisais sur le côté de la route des hommes qui avançaient en file indienne, silencieux.

J'ai rendu le ventre d'Adriana plat.

Les voisines avaient déjà préparé le cercueil de bois blanc, cette petite boîte qu'on porte sur l'épaule gauche jusqu'au cimetière. Mais j'ai sauvé Adriana et je suis revenu pour surveiller la guérison.

Des chauves-souris voletaient d'une cloison à l'autre, et les enfants se cachaient les yeux avec leurs paumes.

— Papai Stucki, Papai do Ceu.

La mère avait appris à Adriana ces expressions, qu'elle répète maintenant.

La sensiblerie est un péril mortel pour le médecin, m'avait enseigné l'un de mes maîtres. Mais je suis rongé par cette gangrène de l'émotion chaque fois que je vois Adriana. Elle a des yeux de chat, verts dans la peau brune.

— Tu l'as sauvée, me dit une nouvelle fois la mère.

J'ai même envisagé d'adopter Adriana. J'aurais au moins changé une vie. Je l'ai imaginée dans mon village, au milieu des forêts et des alpages. Il me suffisait de faire un geste. Je me le suis interdit et durant plusieurs semaines je n'ai plus vu Adriana.

Je suis resté au centre de la ville, j'ai participé à un congrès médical, assisté à la réception offerte par mon consulat, en l'honneur de la délégation des industriels et des banquiers en visite officielle au Brésil. J'ai frôlé des hommes aux chemises blanches dont les manches courtes laissaient voir les bras musclés. J'ai échangé quelques mots avec le président du Groupe Carouge-Mortain, Bernard de Carouge, auquel le consul m'avait présenté. Il tenait bien sûr à m'expliquer que l'investissement à long terme était la seule méthode de lutte contre la faim. Sa femme, le poignet entouré d'un bracelet tressé de fils d'or, laissait sur le rebord de la coupe qu'elle portait lentement à ses lèvres une trace grenat.

Puis je me suis enfermé chez moi. J'entendais les coups de frein des autobus rouge et jaune. Je remplissais des dossiers, j'établissais mes statistiques annuelles de mortalité infantile.

Adriana ne serait pas l'un des trente-quatre mille enfants qui chaque jour mouraient de faim dans le monde.

Mon ami le poète Ferreira Gullar m'a téléphoné. Il

crevait, disait-il, la chaleur, la mort, et tous ces cons qui continuaient à jouir. « Viens », insistait-il.

Nous avons bu. Encore bu. « Sais-tu — et il riait — que nous allons vers des générations de paysans nains? Des nains et des idiots, à cause de la faim. Il manque aux enfants jusqu'à soixante pour cent de neurones du cerveau. Déficience mentale définitive. »

Nous avons continué à boire, à rire.

— Ecoute-moi, a crié tout à coup Gullar, écoute-moi, docteur Stucki.

Il a pris un feuillet qui était à demi engagé dans sa machine à écrire et s'est mis à déclamer d'une voix hésitante :

> *« J'introduis dans la poésie*
> *le mot diarrhée...*
> *Celui qui ne parle que des fleurs ne dit pas tout...*
> *Le poète devient muet*
> *s'il n'a pas les mots réels*
> *La diarrhée*
> *est une arme qui blesse et tue*
> *Qui tue plus que le couteau*
> *plus que les balles des fusils*
> *Hommes femmes et enfants*
> *de l'intérieur du Brésil*
> *C'est comme une bombe D.*
> *qui explose à l'intérieur de l'homme*
> *quand se déclenche lentement*
> *la mise à feu de la faim*
> *Une bombe placée en lui*
> *par des siècles de faim*
> *et qui explose en diarrhée*
> *dans le corps de celui qui ne mange pas*
> *Ce n'est pas une bombe propre*
> *c'est une bombe sale et molle*
> *qui élimine sans bruit*

> *plusieurs millions d'enfants*
> *On finit par se demander*
> *qui a placé la bombe*
> *dans le cœur de cet homme,*
> *qui vole à cet homme*
> *la céréale qu'il plante...*
> *C'est celui qui transforme le café en dollars*
> *et le riz en faim...* »

Nous étions ivres.

Le lendemain, j'ai traversé le quartier des bordels, j'ai retrouvé la maison — une pièce au sol de terre battue — d'Adriana.

— Papai do Ceu, papai Stucki, a dit la mère en me prenant les mains.

J'ai cherché des yeux Adriana.

Sa mère a ri. D'un signe de tête elle m'a montré la rue.

— Un homme l'a choisie, elle, m'a-t-elle dit.

Elle s'est signée.

— Papai Stucki, béni tu es de l'avoir sauvée.

4

Mesdames et Messieurs les Jurés, si j'ai tenu à citer ce texte du Dr Stucki, ce n'est pas pour chercher une excuse lointaine à l'acte criminel accompli par Julien Vanco.

Mais vous devez le juger, donc le comprendre. Et ma conviction est que le double meurtre qu'il a commis ne peut être enfermé dans les limites du parc de la clinique du Dr Georgewitch à Bergwald. Ses racines sont enfoncées dans la réalité du monde car les décisions de Julien Vanco modifiaient cette réalité.

Un exemple ? J'ai ici le dossier concernant les achats de terre, des centaines de milliers d'hectares, pratiqués au Brésil, par Bernard de Carouge, pour le compte du Groupe Carouge-Mortain, donc aussi pour la Société Internationale de Banque et d'Industrie qui est associée à ce groupe depuis plusieurs années.

Le contrat d'achat est paraphé par Julien Vanco et Simon Garelli.

Acquisition banale ? Si l'on veut. Mais les formules glacées des actes bancaires cachent la disparition des cultures vivrières au bénéfice des champs de canne à sucre ou des périmètres d'exploitation pétrolière et minière. Et cela signifie, comme l'écrit dans l'une de ses études la sociologue Erica Zorn, l'apparition de la « faim moderne et hypocrite. Le ventre des enfants est plein de haricots

noirs et de manioc. On ne voit ni côtes saillantes ni
membres décharnés et pourtant la faim dévore et tue ».

Je ne veux pas conduire ici, je le répète, le procès des lois
économiques et financières qui régissent l'ordre du monde.
L'histoire jugera et je ne suis que l'avocat d'un homme
accusé de meurtre.

Qui pourra pourtant refuser à Adriana et au Dr Stucki le
droit de témoigner dans ce procès ?

Et si nous sommes atteints, à notre tour, comme l'ont été
Stucki et Vanco, par la gangrène de l'émotion, ne nous en
défendons pas.

Cette gangrène-là est la maladie des hommes humains.

5

L'habile plaidoirie de Me Michel Hoffman qui
se poursuit encore n'a pas modifié l'attitude de
Julien Vanco. Les avant-bras appuyés au montant du box, les mains croisées, la tête penchée,
il regarde de temps à autre le public, les
témoins, les jurés et la Cour avec une indifférence affectée que souligne l'expression de son
visage. Les lèvres serrées, il manifeste une sorte
de dégoût hautain, comme s'il tenait à faire
savoir qu'il se considère « hors procès ». Il
indique ainsi que les débats ne le concernent pas
et qu'il ne saurait être touché par le jugement
des hommes. Croit-il convaincre de cette
manière les jurés de son « désintéressement »,
de la morale supérieure qui aurait seule provoqué le crime ?

Il ne peut que les irriter. Me Hoffman lui-
même a manifesté sa mauvaise humeur. Une
certaine vibration dans la voix, un geste esquissé
en direction de Julien Vanco, un haussement
d'épaules vite retenu ne pouvaient tromper ceux
qui connaissent bien l'avocat et savent avec
quelle minutie il prépare et contrôle chaque
détail d'un procès. Julien Vanco a senti ces
reproches et cette colère voilés mais il n'a eu
qu'un sourire ironique, puis, alors que Me Hoff-

man reprenait le cours de sa démonstration, il a
bâillé et a, dans une sorte de défi, enfantin tant il
était exagéré, regardé longuement le plafond
peint de la salle de la cour d'assises.

Ce comportement provocateur ne saurait
étonner. Dès la première minute de ce procès,
Julien Vanco a montré qu'il ne faciliterait pas la
tâche de son avocat. A son entrée dans la salle,
entre les deux gendarmes, il a rejeté les épaules
en arrière, redressant la tête, pareil à un officier
qui s'apprête à passer des troupes en revue.
Vanco a d'ailleurs le physique d'un militaire.
Grand, athlétique, ses cheveux sont coupés ras,
ce qui accuse les traits volontaires du visage. Les
maxillaires sont anormalement forts, la bouche
petite, ce qui donne une impression à la fois
d'avidité, de violence et de réserve. Le front est
haut, ample, élargi par une calvitie qui dégage
les tempes. Vanco a un visage qu'on n'oublie
pas. Il est vêtu depuis le début du procès d'un
costume sombre, presque noir, et d'une chemise
blanche au col empesé. Cette tenue accentue
son côté officier. Les vêtements clairs des jurés
— parmi eux une femme porte une robe blanche
à pois rouges — tranchent avec ceux de l'accusé.
C'est Vanco qui paraît investi d'une mission de
surveillance du jury. Les gendarmes qui l'entourent semblent à ses ordres.

Etrange procès dont il est bien difficile de
prévoir l'issue. On a oublié le plus souvent qu'il
s'agissait de juger un homme reconnu coupable
d'un double assassinat prémédité. Même
l'épouse de l'une des victimes, Marie-France

Garelli, a manifesté peu d'émotion. Cette femme d'une cinquantaine d'années, élégante dans un tailleur estival d'un jaune vif, a évoqué la mémoire de Simon Garelli comme s'il s'était agi non de son mari mais d'une lointaine relation d'affaires. Elle a déclaré tout ignorer des différends qui pouvaient opposer Simon Garelli à Julien Vanco. « Julien Vanco voyait Garelli plus que moi, a-t-elle dit, il m'a toujours semblé un homme dévoué. »

Durant sa déposition Vanco ne lui a même pas accordé un regard. Mᵉ Michel Hoffman a manifesté beaucoup de prévenance pour ce curieux témoin de l'accusation.

Les collaborateurs de Simon Garelli, collègues de Julien Vanco à la Société Internationale de Banque et d'Industrie, ont pour la plupart observé la réserve habituelle des banquiers. MM. Lederman, Rouvet et Gottlieb n'ont même pas caché leur sympathie pour Vanco. Patrice de Sarte et Stanislas de Jeumont, les deux derniers directeurs cités, se sont montrés plus agressifs, mais ils ont autant critiqué Simon Garelli que Julien Vanco. A les entendre, il s'agissait là de deux complices ayant rompu avec les méthodes rigoureuses de la banque française, des parvenus n'appartenant pas à l'establishment traditionnel des milieux financiers. Il ne fallait donc pas être surpris qu'un fait divers vînt terminer les carrières de deux marginaux. Stanislas de Jeumont a même eu ces mots : « Le gouvernement de la banque exige des qualités morales, une éthique qui n'existent, il faut l'admettre, que chez certains hommes issus de milieux sociaux que l'histoire a tamisés. Ni Garelli, ni Vanco ne provenaient de ces cercles

qui ont subi l'épreuve du temps. Qu'ils soient
parvenus au sommet de l'institution bancaire est
significatif de l'évolution des mœurs, je dirai
quant à moi de leur dégradation. Comment
s'étonner que l'un et l'autre aient été emportés
par la violence ? Ils avaient forcé les portes d'un
monde où ils n'auraient jamais dû pénétrer.
Mais Thierry de Carouge a été victime d'un
règlement de compte qui ne le concernait pas,
j'en suis sûr. »

Cette déclaration extraordinaire a été jugée
scandaleuse par Mᵉ Michel Hoffman, qui a
interpellé le témoin. Un court duel oratoire a
opposé les deux hommes. Stanislas de Jeumont,
petit, nerveux, les yeux vifs, la voix saccadée, ne
s'est pas laissé impressionner par l'indignation
de l'avocat. Quand Mᵉ Hoffman l'a accusé de
confondre témoignage et réquisitoire, de Jeumont a rétorqué le bras tendu vers l'avocat qu'il
refusait la politisation du barreau et qu'il se
sentait le droit de défendre une collectivité, un
groupe social et national pour lesquels sa famille
avait accepté de nombreux sacrifices. Ce n'est
pas « un » Mᵉ Michel Hoffman, « un » Julien
Vanco, ni même « un » Simon Garelli qui
réussiraient à dicter leurs lois, à imposer leur
système de valeurs à « un » Stanislas de
Jeumont.

Le public a manifesté, la Cour s'est interpo-
sée, mais on a entendu Mᵉ Hoffman lancer des
accusations d'antisémitisme, de vichysme. Julien
Vanco dans le box est demeuré impassible,
esquissant seulement un sourire de mépris. Puis
il a croisé les bras et fermé les yeux, ne
répondant pas aux questions que Mᵉ Hoffman
lui posait à voix basse.

L'incident une fois clos, le public redevenu silencieux après la menace du président Renouard de faire évacuer la salle, le procès a repris.

Une seule fois Julien Vanco a perdu son sang-froid. On le croyait définitivement insensible et maître de lui. La journaliste Clara Becker, belle encore malgré une certaine lourdeur du corps et des traits marqués avait, sans s'émouvoir, claire-ment reconnu qu'elle avait éprouvé pour Julien Vanco une brève mais véritable passion et qu'elle lui conservait toute son estime, sûre qu'elle était de la noblesse de ses intentions même si, emporté par un moment de folie, il avait poussé jusqu'à l'absurde sa révolte contre un système d'oppression de millions d'hommes qu'elle condamnait comme lui. Garelli et Carouge étaient pour elle des figures symboli-ques de l'exploitation. Clara Becker regrettait qu'il n'existât pas un tribunal de Nuremberg pour juger les hommes qui décidaient du sort des peuples au même titre que les chefs d'Etat.

Le président Renouard a tenté vainement de limiter le témoignage de Clara Becker à l'objet du procès. Mais il n'a pu l'emporter face à une journaliste de télévision usant avec intelligence de son habitude du public et de son charme. Ses déclarations les plus contestables ont été pro-noncées avec un sourire désarmant. Elle a joué, tout au long de sa déposition, de ses mains, les faisant virevolter avec grâce devant son visage, arrêtant d'un geste presque tendre le président Renouard. Cette journaliste italienne est aussi une grande actrice rouée. Vanco ne l'a pas regardée, tenant avec obstination la tête baissée malgré les appels qu'indirectement lui lançait

Clara Becker. On a deviné chez elle, à la fin de
son témoignage, un mélange de satisfaction
intense, car elle savait avoir séduit les journalistes et captivé la Cour et les jurés, et de
déception, car Vanco ne lui avait manifesté
aucune reconnaissance ni fait un signe d'intelligence. Aussi a-t-elle conclu sur un ton sec : « Je
n'ai pas témoigné pour Julien Vanco dont le sort
m'indiffère. Il est aussi un privilégié. Je ne suis
venue à la barre que pour parler d'Adriana et de
mon ami assassiné, le Dr Klaus Stucki. » Mais
même cette conclusion irritée a servi Vanco en
masquant une fois de plus l'objet du procès.

La sociologue Erica Zorn a parlé dans le
même sens que Clara Becker. Elle s'est présen-
tée à la barre serrée dans une longue robe noire,
comme si elle avait voulu par le choix de ce
vêtement austère donner à son témoignage et à
son rôle le ton de la tragédie. Autant Clara
Becker avait paru enjouée, même dans l'évoca-
tion de situations dramatiques, autant Erica
Zorn fut avare de gestes. Elle était Antigone,
ses tresses ramassées, cette coiffure démodée
accentuant la sévérité de son visage. Elle a parlé
d'une voix basse de son expérience brésilienne,
racontant comment on tuait quelquefois les plus
pauvres pour s'emparer des terres qu'ils avaient
défrichées ou les chasser de leurs demeures
quand les quartiers qu'ils habitaient étaient
convoités par de grandes sociétés immobilières
derrière lesquelles parfois on trouvait des financiers européens, tels Simon Garelli ou Thierry et
Bernard de Carouge.
Le président Renouard a tenté de l'interrompre, répétant qu'on ne faisait pas ici le procès
des victimes. En vain. Il était comme les jurés

impressionné par la sincérité dépouillée d'Erica Zorn. Elle a écouté le président avec attention et respect, puis elle a repris sa déposition et une fois encore elle a évoqué la Société Internationale de Banque et d'Industrie et la Société Genevoise de Finance. Sans élever la voix, elle a décrit quelques scènes barbares dont elle avait été le témoin et pas un juré ne pourra oublier au moment de sa décision, ce jeune Noir, qui après avoir été battu, avait été arrosé d'essence. Des hommes de main agissant pour le compte de spéculateurs s'apprêtaient à le brûler. Une Européenne présente sur les lieux l'avait enlacé, prête à mourir avec lui. Les tueurs n'avaient pas osé craquer l'allumette.

— Etiez-vous cette femme ? a demandé Me Michel Hoffman.

Erica Zorn a à peine détourné la tête, murmurant que là n'était pas la question et qu'elle refusait de répondre.

L'effet recherché était atteint. On avait oublié le double meurtre. On s'était apitoyé sur d'autres victimes. Erica Zorn a quitté la barre dans un silence respectueux.

Le plus insensible à cette déposition efficace a paru être Julien Vanco. Il n'a pas daigné regarder Erica Zorn, affectant une indifférence encore plus insolente que lors du témoignage de Clara Becker, comme s'il reprochait aux deux femmes de le justifier, le privant d'une culpabilité qu'il revendiquait et qui l'isolait des autres.

Mais cette façade devait s'effriter lors de l'entrée dans la salle d'audience de Martine Vanco, l'épouse de l'accusé. Cette femme d'une quarantaine d'années s'est avancée d'un pas ferme vers la barre et a prêté serment d'une voix calme et nette. Durant tout sa déposition, elle est restée très droite. Elle était vêtue d'un ensemble de soie sauvage de couleur grise dont les épaules fortement marquées composaient une silhouette fière accordée à sa personnalité. Elle a dévisagé les jurés avec beaucoup d'assurance, repoussant ses cheveux blonds qui parfois retombaient devant ses yeux. Les paupières étaient soulignées par un trait de couleur bleu-noir et les lèvres à peine dessinées d'une légère teinte rose pâle. Martine cherchait à l'évidence à croiser le regard de Julien Vanco, qui se dérobait, obstinément baissé. Mais quand Martine évoqua leurs deux enfants, Nathalie et Serge, Vanco se redressa, serra le rebord du box. « Je crois, disait Martine, que mon mari aimait son fils et sa fille. Il préférait pourtant sa carrière et ses affaires. »

Vanco s'est levé et a crié : « Ne parle pas ici des enfants. » Les gendarmes pesant sur ses épaules l'ont contraint à se rasseoir et Mᵉ Michel Hoffman l'a calmé.

Martine avait à peine tressailli, reprenant sa phrase.

L'incident ne se renouvela pas. Il est en soi d'une grande banalité, mais dans un procès où l'accusé a paru à ce point contrôler ses émotions, il a dévoilé une violence et une hypersensibilité qu'on aurait pu ne pas soupçonner.

Comment les nier alors que Julien Vanco a tué deux fois ?

Ce cri de l'accusé a été comme un aveu.

Julien Vanco qui se présente raidi dans le silence est un homme de passion.

DEUXIÈME PARTIE

LA PASSION

6

J'aime Clara.

Cet aveu qui me trouble, comme une confidence inutile et impudique, j'ai voulu l'éviter.

Je trouve ridicule que les premiers mots d'un récit qui doit rappeler des événements graves, dénoncer les agissements d'hommes puissants dont les décisions ont influencé et continuent de peser sur la vie de plusieurs centaines de milliers d'hommes commencent ainsi par le verbe aimer, un prénom de femme et la mise à nu de sentiments privés.

Je ne crois pas que ma gêne soit provoquée par ma situation personnelle. Je suis marié, il est vrai. Je vis avec Martine, ma femme, depuis près de dix ans et nous avons deux enfants, Serge et Nathalie, âgés de six et huit ans. Ma famille, jusqu'à l'année dernière, a été mon seul univers affectif et j'ai pour les miens un profond attachement.

Mais j'aime Clara.

A nouveau, après seulement quelques lignes, ces mots incongrus s'imposent à moi.

J'ai tenté de les écarter, comme j'avais essayé de ne pas céder à l'attirance qu'avait exercée Clara sur moi à l'instant même où j'avais entendu sa voix.

Elle cherchait à rencontrer Simon Garelli, le président de la Société Internationale de Banque et d'Industrie dont j'étais le collaborateur et, si l'on veut, le confident.

Je connaissais le nom de Clara Becker. Elle l'avait répété comme si j'avais pu ignorer qu'elle réalisait l'émission « Portraits » et qu'elle publiait chaque mois l'interview d'une personnalité internationale dans la presse de plusieurs pays. Son insistance et sa complaisance m'impatientèrent. Je déclarai brutalement que le président Garelli ne recevait jamais les journalistes, même les plus grands. J'ai ajouté, reprenant l'une des formules habituelles de Garelli, que les banquiers n'étaient pas des exhibitionnistes.

Le ton de Clara Becker se durcit. Elle me demanda de lui préciser mon nom et mes fonctions auprès de Simon Garelli et m'assura que, quelles que soient mon opinion et mes affirmations, elle le verrait. Sèchement, elle énuméra les personnalités dont elle avait recueilli les déclarations au cours des derniers mois.

Je ne l'écoutais plus.

Avec une netteté qui me surprenait, je me souvenais de ses mains,. et cette vision, inattendue, me donnait un sentiment de malaise mêlé à une sorte de jubilation. Clara Becker avait des mains libres, orgueilleuses et impérieuses. Durant son émission, elle jouait avec elles. Elles étaient longues et un peu sèches, créant pourtant une impression de douceur. Le poignet était fin, frêle, comme si la force et la détermination qu'exprimait parfois le mouvement des doigts pointés vers la caméra naissaient seulement de la volonté et de la conviction. Mais le corps de Clara Becker, comme le révélaient le poignet, le fuseau gracile des doigts, devait être tendresse et fragilité.

J'avais regardé les mains courtes de ma femme. Elle était assise près de moi devant le téléviseur, ses doigts croisés sur ses genoux. Ses poignets étaient larges et osseux. Ce ne fut à ce moment-là qu'une constatation, une comparaison spontanée à laquelle je ne pris pas garde.

Mais je me souvenais.

Clara Becker avait interprété mon silence comme un signe de faiblesse. Elle redevint aimable et conclut avec une joyeuse ironie et une certitude tranquille que nous étions destinés à nous rencontrer bientôt.

Ainsi je me mis à attendre Clara.

Je n'avais pas l'expérience de l'amour et je me demande aujourd'hui si l'on peut jamais deviner ou prévoir les chemins qu'il prend. Mais je n'étais pas préparé à subir la révolution intime qu'il provoque et qui réordonne le monde suivant de nouvelles lois.

L'amour avait toujours été, à mes yeux, une maladie dont il fallait se protéger par un effort de volonté. Il était aussi pernicieux qu'un vice mais il bénéficiait d'une indulgence générale qu'on n'accordait à aucune autre faiblesse.

J'avais naturellement éprouvé pour telle ou telle de mes amies un penchant parfois vif. J'y avais succombé sans renoncer pour autant à ce qui me semblait la vertu essentielle d'un homme : la maîtrise de soi, que je nommais aussi lucidité. Mes liaisons furent, de ce fait, toujours brèves. Un moment venait où la jeune femme me reprochait de ne jamais « perdre la tête », une expression qui me faisait horreur. Je revendiquais le sang-froid. On m'accusait d'insensibilité. J'exposais alors ma hiérarchie des valeurs, refusant d'admettre qu'une accélération de mon rythme cardiaque, une courte détente comme après un saut incertain, parfois un cri que j'étouffais ou un rire qui naissait malgré moi pussent être considérés comme les sensations les plus importantes de la vie. J'avais d'autres objectifs : la connaissance et l'action. Je me rhabillais rapidement, soucieux de ne pas manquer les exposés des professeurs de l'Institut d'Etudes Politiques. On m'observait avec mépris. On m'accusait de n'être qu'un ambitieux. On me souhaitait le succès aux concours, une brillante carrière et une vie manquée.

Ces querelles de femmes renforcèrent mes convictions.

L'amour n'était que l'alibi de la démission ou de la lâcheté. Je l'abandonnais aux ratés et aux inutiles, et bien sûr aux femmes qui me paraissaient souvent user de lui pour dominer les hommes par des voies détournées.

Je traversai ainsi ma jeunesse sans dommage. J'entrai au service de la Société Internationale de Banque et d'Industrie qu'on désignait dans les milieux financiers et dans la presse sous le nom de Sibani. Je devins le secrétaire privé — le collaborateur direct — de Garelli, qui devait accéder plus tard à la présidence de la Sibani. J'étais à l'abri. L'amour n'est pas coté en Bourse et ne fait l'objet d'aucune convention financière.

Je me mariai à quarante ans sur les conseils de Garelli. Ce fut un honnête contrat passé entre un cadre de la Sibani, proche du président, moi, et une amie de Bernard de Carouge, le directeur du Groupe Carouge-Mortain. La Sibani et le Groupe conclurent un accord d'association — je préciserai dans quelles conditions —, je participai à ma manière, servi par le hasard et l'appui vigoureux de Garelli, au rapprochement des deux sociétés.

J'étais satisfait. Mes activités professionnelles et ma vie privée se rejoignaient et j'évitais le conflit qui souvent oppose les sentiments et les affaires. Je n'aurais pas admis que mon efficacité, le dévouement qu'exigeait Garelli fussent remis en cause par un mariage.

Ma femme fut parfaite. J'avais pour elle une estime chaleureuse et un désir raisonnable. Elle se contenta de ce que Garelli me laissait de vie. Nous eûmes deux enfants et Martine me parut comblée. Je suis sûr que le mot amour ne vint jamais sur nos lèvres. Nous étions mariés, cela nous suffisait.

Ma vie continua donc, calme, agréable et rationnelle, jusqu'à ce que Clara Becker me téléphone et que je me souvienne, tout à coup, de la beauté de ses mains un peu sèches.

Je n'ai pas voulu d'emblée expliquer et raconter le bouleversement qui a suivi cette naissance en moi d'un autre.

J'ai tenté de tenir les mots en laisse et de ne rien dire de mes émotions, de mon amour pour Clara.

Mon récit, imaginai-je, aurait plus de force si j'en étais absent.

Je me suis donc installé avec cette résolution devant ma machine à écrire.

J'occupe depuis plusieurs mois une chambre d'angle dans la villa de Jean Zorn, un médecin de mes amis. Je me suis réfugié chez lui car j'ai imaginé qu'on ne m'y rechercherait pas.

Sa maison est située à l'extrémité d'un cap dont les roches rouges acérées partagent la mer. Ma chambre domine comme une proue un espace plat que les plus hautes vagues balaient les jours de tempête.

Jean Zorn exerce à Paris et je suis seul dans sa maison, mais une ou deux fois par mois il vient y passer quelques jours. A chaque voyage il change de compagne. Ces jeunes femmes, le plus souvent gaies, ne me posent aucune question. Elles sont avides de soleil et je les aperçois nues, allongées dans les anfractuosités des rochers.

Je pense au corps de Clara. Je ne crois pas qu'il soit beau et crée cette harmonie de lignes, cette perfection d'épure que les jeunes femmes font naître en se levant. Elles tendent les bras au-dessus de leur tête, appellent Zorn avec une fausse désinvolture, cambrent le dos, rejettent leurs épaules en arrière afin de dégager leur cou et leurs seins. Je les observe sans désir. Elles sont des formes visibles et absentes. Clara est en moi aussi présente que la mer.

J'ai poussé la table près de la fenêtre. Au-delà de la machine à écrire et de la feuille blanche j'aperçois, à l'est, l'île de Saint-Axès et l'aéroport de Lourciez.

Je commence à écrire.

Je veux dire comment les affaires légales auxquelles j'ai été mêlé plongent leurs racines dans un monde obscur qui suinte souvent le sang. Je veux montrer que les paragraphes anodins et les formules juridiques, que ces textes bancaires qui ont la densité minérale et l'apparence de la matière inerte sont faits de chair broyée. Sans Clara je me serais tu.

Je me persuade que mon récit progresse. Je consulte les archives de la Sibani que j'ai emportées lors de ma fuite. Puis mon élan se brise. Je n'ai écrit que quelques lignes. Le découragement me saisit. J'ai besoin de penser à Clara, d'imaginer son corps de femme mûre, de suivre les rides qui prolongent ses sourcils et auréolent ses paupières. Je voudrais entendre sa voix. Je me lève, je me rapproche sournoisement du téléphone. Clara est sur l'autre rive de l'océan, pour un reportage, dans l'un de ces hôtels où les communications se perdent parmi la multitude des étages et des chambres. J'essaie pourtant de l'atteindre. J'espère.

Il y a deux nuits, j'ai éprouvé que l'amour est une force que ne peuvent réduire ni l'espace ni le temps.

J'avais composé plusieurs fois le numéro de l'hôtel et après d'interminables attentes on m'avertit que le poste de

Clara était occupé. J'avais raccroché. Deux courtes sonne-
ries de téléphone retentirent aussitôt. Clara m'appelait.

Jadis, quand je n'étais que l'homme de Garelli, son
adjoint et son interlocuteur privilégié, cette simultanéité de
désirs m'eût paru n'être qu'une coïncidence.

Aujourd'hui après avoir entendu la voix de Clara je crois
à la puissance créatrice de la passion.

Je forme à nouveau le numéro de l'hôtel puis je mesure
le décalage horaire. Je renonce. Je retourne à ma table
devant la fenêtre. Je regarde la mer, je m'y perds, entraîné
par le mouvement inlassable des vagues. Je retrouve la
fascination qu'enfant la houle moutonneuse exerçait sur
moi.

D'où venaient et où allaient ces crêtes blanches ?

Je courais alors au bord de la mer, porté par la fougue
enfantine, et tout à coup je découvrais un attroupement qui
barrait la piste cavalière. Des chevaux piaffaient et des
hommes les immobilisaient, empoignant les rênes, poussant à pleines mains les poitrails et les flancs. Je réussissais
à me faufiler jusqu'au premier rang. J'apercevais la femme
étendue sur le sable de la piste. J'entendais la voix de ma
mère qui m'appelait et m'ordonnait d'obéir.

Ce souvenir qui me revient déchire des années d'oubli,
restitue les détails, le pied droit déchaussé de la femme
morte, son manteau ouvert, sa robe rose relevée jusqu'aux
cuisses, ses jarretelles noires et son chapeau rond qui a
glissé à quelques centimètres de la tête. La nuque a heurté
le rebord de ciment. Les cheveux blonds sont répandus
autour du visage. Et les cris stridents des mouettes qui
tournoient au-dessus des chevaux font vibrer l'air comme
un cristal.

Comment poursuivre avec détachement mon récit alors
que les mots creusent en moi si profond que je dévoile cette
femme morte, mon premier souvenir ? Je me sens aussi
fissuré que cette roche rouge où les courants et les vagues
ont tracé, millénaire après millénaire, des rainures profondes. Mes sentiments affleurent, les souvenirs jaillissent de
mon enfance comme si la passion était un séisme qui
décape et ouvre des failles.

Je ne peux être absent de ce que j'écris. Clara a fait de
moi une personne.

Cette vérité, précise comme le contour du cap dont la
masse de porphyre tranche la mer sombre, il m'a fallu des
jours et des jours pour l'accepter.

Et, ce matin, brutalement, j'ai choisi pour commencer ce
récit ces mots dont la banalité masque la force de désordre : le verbe aimer et le prénom d'une femme.

Je n'avais plus d'autre issue.

Si je voulais tout dire des autres, il me fallait tout dire de
moi.

7

Et je dois d'abord parler de l'enfance. Simon Garelli y est déjà présent. Il était de dix ans mon aîné. Je l'admirais.

Nos familles habitaient vers l'hippodrome, à l'extrémité de la Promenade du bord de mer, dans ce quartier inachevé de Lourciez où les maisons basses étaient séparées les unes des autres par des champs. Je voyais Simon se perdre dans ces terrains vagues ou bien s'allonger sur cette terre sableuse où poussaient des roseaux dont les feuilles étaient coupantes et la tige flexible et sucrée. Je l'enviais.

Nous étions proches par nos origines.

Les Garelli avaient quitté l'Italie en 1922. Ils venaient de la région de Bologne, chassés par les persécutions fascistes. Le père, Joseph Garelli, avait été bâtonné à plusieurs reprises par des Chemises Noires qui avaient détruit les presses de son imprimerie. Il avait donc émigré, s'installant à Lourciez, la première grande ville après la frontière. Etait-ce le poids de l'exil, ou bien la tristesse de la défaite politique, ou encore les soucis de la pauvreté, cet homme grand aux cheveux blancs ébouriffés ne parlait que par monosyllabes, tenant entre le pouce et le majeur, au coin gauche de sa bouche, un cigare noir qu'il n'allumait jamais. Il m'effrayait et je m'enfuyais dès que je l'apercevais. Il ne pouvait exercer son métier d'imprimeur et, par nostalgie peut-être, ou par amour de l'alphabet, il était devenu

peintre en lettres. Des années durant, je l'ai aperçu,
partant chaque matin, son échelle et ses pots de peinture
arrimés sur un petit chariot qu'il accrochait à sa bicyclette.
Je le suivais du regard, rassuré seulement quand il avait
disparu derrière les roseaux, là-bas, vers le bord de mer.

Mes parents étaient arrivés plus tard, réussissant à sortir
d'Italie en 1932, en pleine célébration de la décennale, le
dixième anniversaire de la fondation du régime de Mussolini. Mon père n'était pas un antifasciste et, bien qu'on ne
me l'avouât jamais, je crois qu'il avait fui Venise menacé
par un mari jaloux. Il n'avait emporté qu'un appareil
photographique lourd et encombrant, un vieux modèle, et
il avait abandonné dans ce qu'il appelait son « studio » ses
cuves et ses agrandisseurs, toute sa fortune.

J'aimais mon père et je le détestais. Il était beau et ne
pouvait s'empêcher de s'immobiliser devant chaque miroir
afin de se peigner ou de lisser sa moustache. Il bombait le
torse, riait de satisfaction et consacrait une partie de son
dimanche à se photographier lui-même dans des poses
avantageuses auxquelles parfois il acceptait de nous asso-
cier, ma mère et moi. Il avait réussi après quelques mois
difficiles à ouvrir une boutique, et c'était Joseph Garelli qui
avait peint sur la devanture, en lettres bleues : « Studio
Robert Vanco, photographe d'art. »

J'étais né à Lourciez à la fin de l'année 1932 et mon
premier souvenir est cette femme morte, renversée sur la
piste cavalière et que des hommes et des chevaux entourent. Depuis que la scène m'est revenue, j'entends encore
le cri strident des mouettes et la voix de ma mère qui me
cherche, saisit mon bras et m'emporte.

C'était une femme impulsive et douce. Elle m'avait
désiré et, dans la cuisine, alors qu'elle me lavait, versant
lentement de l'eau tiède sur mes épaules, elle me disait tout

à coup que j'étais sa seule passion et, me serrant contre elle à m'étouffer, elle répétait que « j'étais sa vie ». Je laissais sur sa robe une traînée humide, plus sombre. Elle me parlait avec enthousiasme : « Toi et moi », disait-elle toujours. L'après-midi elle me conduisait au bord de la mer. Parfois Mme Garelli se joignait à nous. J'entendais les deux femmes bavarder au-dessus de moi : « Votre fils... mon fils... Simon... Julien. » J'éprouvais de l'orgueil à ce que mon prénom fût proche de celui du fils Garelli. Ma mère d'ailleurs m'invitait à ressembler à Simon, que nous voyions sauter sur sa bicyclette, un cartable accroché au cadre. « Mon fils, mon fils », disait sa mère. Il préparait au lycée le baccalauréat, puis, je l'ai compris plus tard, l'Ecole Normale Supérieure. Son père était fier de lui.

Le mien faisait pleurer ma mère. Ils se disputaient avec violence dans leur chambre et tout à coup ma mère sanglotait. Mon père quittait la pièce, s'arrêtait un instant devant le miroir accroché dans le couloir, près de la porte d'entrée. Il me voyait, me faisait un clin d'œil complice et sortait en sifflotant. Je courais chez ma mère, je m'allongeais près d'elle dans la pénombre de la chambre aux volets clos. Les journées sont lentes à s'éteindre dans le Sud. Elle serrait un mouchoir trempé de larmes sur ses lèvres. Elle me demandait en hoquetant s'il était parti. C'était moi qui la berçais quand elle recommençait à pleurer, moi encore qui lui jurais fidélité. Elle se calmait, se levait, m'entraînait dans la cuisine et me préparait un œuf battu, avec une goutte de rhum. Elle me regardait manger, silencieuse, si triste que je lui prenais les mains.

Mon père rentrait au milieu de la nuit.

Parfois ma mère l'excusait. Il est beau, disait-elle. Il ne sait pas résister aux femmes. Elles le séduisent, ce sont des étrangères, des Anglaises ou des Russes. Elles ont le temps, elles sont élégantes. Elles se font photographier et lui, mon Roberto, il cède, il est si faible.

Elle se confiait ainsi à Mme Garelli et je m'enfuyais,

courant devant elle, au bord de la mer, me perdant dans la foule.

C'étaient des journées d'hiver, chaque mouvement paraissait ralenti, retenu, comme si les promeneurs avaient eu l'intuition angoissante que la douceur inattendue de cet après-midi et la luminosité incandescente de la mer et du ciel fussent précaires, que le vent, au moindre désordre, pût se lever, la pluie et la tempête venir. Et tout à coup cette femme qui tombait au milieu des chevaux, ces cris et le vol des mouettes.

J'ai rêvé que je l'avais tuée pour écarter de ma mère une rivale.

Nous rentrions. Les deux femmes chuchotaient. Mon père était amoureux fou — le mot fou, ma mère le répétait plus haut comme si elle avait voulu que je l'entende — d'une Anglaise. Il s'enfermait avec elle dans le studio. Il la photographiait nue. Que faire ? Que faire ?

Patience, disait Mᵐᵉ Garelli. Une autre femme allait venir qui chasserait l'Anglaise. Les hommes, ajoutait-elle sentencieusement, doivent jouer. La politique, les femmes, l'ambition, cela dépend du caractère. Il faut accepter leurs enfantillages. Un jour cela cesse. Ils sont vieux et c'est plus triste encore.

Nous quittions Mᵐᵉ Garelli après le pont.

Parfois son mari nous dépassait sur la route étroite. Il touchait sa femme à l'épaule mais continuait de rouler, levant la main en guise de salut, pédalant vite, ses cheveux blancs repoussés en arrière car le vent, vers le soir, se levait.

Un dimanche, ma famille avait reçu les Garelli à déjeuner.

Je me souviens de mon émotion. J'avais guetté Simon pour courir à sa rencontre dès que je l'aurais aperçu. Il marchait seul, précédant ses parents de quelques pas, lisant un livre dont il tournait les pages rapidement, ne levant jamais la tête, comme s'il n'avait pas eu besoin de se diriger. J'avais sauté autour de lui, essayant d'attirer son attention. Mme Garelli m'avait pris par la main, me chuchotant que Simon était grand, qu'il devait étudier, que plus tard j'apprendrais comme lui toutes ces richesses que les hommes avaient produites. Joseph Garelli, qui parlait si peu, avait interrompu sa femme et dit seulement : « Les hommes ont rêvé, les hommes ont imaginé leurs richesses. »

Je m'étais enfui, poussant la porte de notre maison, criant que Simon arrivait avec ses parents.

Ma mère, plus tard, affirmait que le repas avait eu lieu le 7 décembre 1939, le jour de mon septième anniversaire, en pleine guerre déjà. Cette date avait pris pour elle, lors des dernières années de sa vie, après mon mariage, quand j'étais le plus proche collaborateur de Garelli, une signification magique. Mon destin, disait-elle, s'était joué ce jour-là. Elle assurait qu'elle l'avait pressenti et qu'elle avait voulu pour cela que la réception fût parfaite. Sans doute, avec le temps, avait-elle enrichi de détails imaginés son récit devenu fable. Elle n'avait pu dormir de la nuit, disait-elle. La guerre allait s'étendre, elle le savait, l'Italie entrer dans le conflit contre la France, les hommes partir. Joseph Garelli s'était porté volontaire pour la Légion étrangère, Roberto envisageait de quitter la France pour l'Amérique du Sud, de nous laisser ma mère et moi à Lourciez. Mais ce 7 décembre ma mère avait refusé de céder à la peur. C'était mon anniversaire, la grande fête de son fils, et elle avait deviné, prétendait-elle, que Dieu me protégerait.

Chaque chose qu'elle entreprenait ce jour-là réussissait, les objets dont elle avait besoin se trouvaient naturellement à portée de sa main. La pâte qu'elle étirait ne se déchirait pas et s'amincissait jusqu'à devenir transparente. La sauce de poivrons et de tomates hachés, qui souvent collait au fond de la casserole prenant un goût de brûlé, était douce et onctueuse, la poule tendre, le bouillon à peine gras. Ma mère avait même eu le temps, avant de battre la crème et de frire les gances, de se maquiller d'un peu de poudre et de rouge à lèvres.

A la fin du déjeuner Mme Garelli avait demandé à son fils de réciter un poème. Simon, comme son père, n'avait pas parlé durant tout le repas. J'étais assis près de lui et je l'observais avec avidité. Je l'avais même surpris lisant le livre ouvert sur ses cuisses. Sa mère avait dû insister pour qu'il acceptât de se lever, d'appuyer ses deux paumes sur la table, de réciter enfin. Je le trouvais grand. J'étais incapable de comprendre ce qu'il scandait d'une voix forte et qu'on applaudissait.

Ma mère prenait ma main par-dessus la table. Elle me souriait, radieuse, émue. « Toi aussi, disait-elle, toi aussi, tu sauras. » Simon avait déjà quitté la pièce. Son concours était pour bientôt expliquait Mme Garelli. Elle regardait son mari avec tendresse. Simon ressemblait à son père, murmurait-elle, travailleur et intelligent, têtu, dur comme un arbre.

Je n'ai jamais oublié cette scène.

Quand des années plus tard je suis entré pour la première fois dans le bureau de Garelli au siège de la Société Internationale de Banque et d'Industrie, que j'ai entendu la voix de celui qui n'était alors que l'un des directeurs de la Sibani, il m'a semblé que je retrouvais les années de l'enfance.

Garelli m'a dévisagé, enlevant ses lunettes comme s'il voulait que je reconnaisse sa physionomie d'autrefois. Il m'a interrogé sur les raisons que j'avais de quitter l'administration, si jeune, pour le secteur bancaire. N'étais-je pas tenté par le pouvoir, une carrière politique ? Je ne répondais que par de courtes phrases, qu'il paraissait ne pas écouter.

La seule allusion qu'il fit à notre passé, ce fut, comme s'il le découvrait dans son dossier, de noter que j'avais vécu à Lourciez comme lui.

Je suis sûr pourtant qu'il n'ignorait rien de notre ancien voisinage et qu'il ne m'eût pas convoqué puis accordé sa confiance sans ces origines communes.

Car, dès ce premier jour, il me fit comprendre que mon rôle serait autant celui d'un confident que d'un collaborateur.

Il s'était levé, avait pris un livre dans la bibliothèque qui occupait un mur entier de son bureau. Comme je m'étonnais, il m'expliqua que la banque et la poésie jouaient l'une et l'autre avec les signes. L'inspiration, poursuivait-il, était le bien commun du poète et du banquier, et à l'oublier le banquier devenait un comptable, la forme la plus grise du monde de l'argent. Tout en me raccompagnant, il m'annonça que nous devions, chacun pour notre part, réfléchir encore avant de nous engager mutuellement dans ce qui devait être, disait-il, une association longue, essentielle. Simon Garelli me lut de sa voix forte, inchangée depuis mon enfance, quelques vers d'Emmanuel Chaves, les plus beaux, disait-il, les plus simples.

Je ne savais rien de l'amour à ce moment-là mais je me souviens de ces mots dont je comprends aujourd'hui seulement qu'ils sont vrais.

Emmanuel Chaves avait écrit :

> « *La passion*
> *Cet oiseau migrateur*
> *Traverse notre vie*
> *Et trace l'horizon.* »

Jusqu'à ce que Clara traverse ma vie, je n'eus pas d'horizon.

J'avançais de borne en borne. J'égrenais mon destin pas à pas : lycée, concours, armée. Je suivais Simon Garelli à la trace.

Il était entré à l'Ecole Normale Supérieure dès la fin de sa première année de préparation. On le citait en exemple au lycée mais la guerre et l'Occupation avaient effacé son exploit. Sa famille avait dû, après la défaite, fuir Lourciez. Les polices recherchaient Joseph Garelli. On l'accusait de désertion et de trahison, bientôt de Résistance et de crime. Son fils Simon, murmurait-on, avait lui aussi disparu dans une clandestinité héroïque et rouge.

Des inspecteurs français, italiens, allemands vinrent à tour de rôle interroger ma mère. J'écoutais, tête baissée, n'osant pas regarder ces hommes à la voix insolente qui, après quelques questions sur les Garelli, prononçaient le nom de mon père.

Désormais je haïssais ce bavard, cet infidèle et ce rêveur. Il avait empli notre cuisine de sa grandiloquence. Il avait promis. Il m'avait séduit. Il jonglait avec les mots. Il devait partir, disait-il, mais nous le rejoindrions, ma mère et moi. Il étalait sur la table un plan de Buenos Aires et je me promenais déjà avec lui le long de ces avenues rectilignes où il allait créer le Studio européen, art et photo Robert Vanco. Tout était prêt. Il n'était que notre avant-garde.

Il nous quitta après de grandes embrassades. Nous le vîmes penché dangereusement à la portière du train, agitant son feutre noir à large bord, nous faisant avec ce chapeau d'amples gestes d'adieu.

Ma mère ne pleurait pas et cela me surprit. Nous rentrâmes à pied, chez nous, par la Promenade du bord de mer. Le ciel, après les pluies de la semaine, froides et violentes, paraissait blanc tant la lumière était vive, et les galets encore gris des averses et des vagues longues qui continuaient parfois de les recouvrir.

Ma mère ne me tenait pas la main. Elle marchait les bras croisés sur la poitrine, le visage penché. Elle semblait m'avoir oublié, moi dont à l'habitude elle surveillait chaque mouvement, me poursuivant de sa voix. Je m'accrochai à sa manche, je l'interpellai. Elle me fit lâcher prise et me dit sur un ton que je ne lui connaissais pas de disparaître, de me noyer si je voulais, qu'elle en avait assez de nous, de moi, de sa vie.

Je l'ai laissée marcher seule. Je l'ai vue s'éloigner, voûtée, noire.

Je me suis assis sur le bord de ciment de la piste cavalière et les mouettes au-dessus de moi lançaient leurs cris stridents.

Elle m'a saisi sous les aisselles. Elle était revenue en courant et j'avais entendu ses pas sur l'asphalte et ses appels : Julien, Julien, Julien.

Elle m'a soulevé. Je lui opposais mon poids. Je voulais devenir une pierre, un corps mort. Elle m'a serré. J'avais ma tête contre son ventre chaud. Elle pressait ses mains sur ma nuque. Elle parlait et j'entendais sa voix vibrer en elle. « Nous ne le verrons plus, répétait-elle. Il est parti avec une femme, l'Anglaise. » Elle avait ajouté cette confidence à mi-voix et tout à coup elle s'était mise à pleurer. Je l'avais soutenue, la poussant en avant vers notre maison où nous serions seuls, elle et moi, sans les rires, les éclats de voix, les divagations et les mensonges de cet homme qui était mon père.

Comment aurais-je pu avoir de l'indulgence pour ceux qui cèdent à leurs désirs et se laissent aller à la dérive, rêveurs, lâches, qui dissimulent leurs abandons en invoquant l'amour ou la passion ?

Je choisis un autre chemin.

J'arrachai mon père de moi. Je déchirai les quelques cartes postales qu'il nous envoya dans les semaines qui suivirent son départ. Je dénonçais dès que je le pouvais, avec une hargne qui étonnait les professeurs de français ou de philosophie, les auteurs qui faisaient l'apologie des passions.

On me qualifia quelquefois de fasciste tant je vantais la volonté, la maîtrise de soi et même le cynisme. Je haussais les épaules. Des actes, des faits, des chiffres à la place des mots : tels étaient mes choix.

Je m'enfermai. Je me domptai. Je me cautérisai.

Puis, un jour, Clara a traversé ma vie.

9

Je l'avais attendue, impatient et irritable. Elle avait écrit à Simon Garelli pour solliciter officiellement un entretien. Elle citait les noms de plusieurs banquiers qu'elle avait interviewés, mais elle ne faisait aucune allusion à notre conversation.

Son écriture ressemblait à ses mains, ferme et déliée, les barres des *t* nettement tracées, chaque lettre dessinée avec rigueur, et l'ensemble pourtant n'avait aucune raideur et donnait au contraire une impression de douceur et de beauté. Il me semblait que les phrases, dans la page, composaient une farandole joyeuse et vive et j'y voyais des couleurs.

J'avais conservé longtemps la lettre sur mon bureau, la regardant souvent, répondant sèchement à ma secrétaire Marianne qui m'interrogeait à son sujet et tentait de m'expliquer que Mme Becker avait téléphoné. Je m'emportais et criais qu'on aurait dû me prévenir, je surprenais l'étonnement de Marianne. Je lui tendis la lettre. Qu'elle la remette à la secrétaire du président.

En face de moi il n'y avait plus que ce rectangle vide, cet espace que la lettre avait occupé et qui était redevenu mort.

Peu après, Garelli m'avait fait appeler.

Souvent, à la fin de l'après-midi, il aimait monologuer devant moi. J'attendais cet instant. Nous étions seuls. Rouvet et Lederman, les directeurs généraux, avaient déjà quitté le siège de la Sibani. Elisabeth, la secrétaire de Garelli, savait que quelle que fût l'importance des affaires en cours, Garelli tenait à préserver ces minutes de liberté, il disait « ma respiration ». On me jalousait d'être admis presque chaque jour à partager ces instants.

Il était assis près de la bibliothèque, un livre posé sur ses genoux, un cigare au coin gauche des lèvres, comme son père autrefois. Il m'invitait d'un geste à prendre place en face de lui, tout en me dévisageant en silence, et j'avais la sensation qu'il m'effaçait, comme s'il avait voulu que je sois présent et absent à la fois. Il plaçait, au bout d'un moment, ses lunettes sur son front, se massait avec le majeur et le pouce droit les sourcils, puis prononçait un rituel : « Comment allons-nous, Julien ? »

Je n'avais qu'à hocher la tête. Il pensait à haute voix, jugeait les uns et les autres, Carouge ou Calzi, évoquait la conjoncture politique ou bien la situation monétaire mondiale. Et interrompant ses analyses, il me parlait tout à coup de ce poète italien du XVIe siècle qu'il avait découvert ou bien d'un peintre naïf qui exposait rue de Seine et dont il avait acheté cinq toiles.

— Cinq, mon chiffre, disait-il.

Ce jour-là, il me montra la lettre de Clara. Cork de la City Bank et Jameson de la World Incorporated Company et même Thierry de Carouge de la Société Genevoise de Finance avaient accepté de répondre aux questions de Clara Becker. Il s'étonnait que j'eusse gardé la lettre plusieurs jours. Je répétais que les banquiers ne sont pas des exhibitionnistes. Il plia la lettre, me la remit, m'observant avec ironie.

Après des années de collaboration, il continuait de m'intimider comme un frère aîné, et pourtant, avec le temps, nos âges s'étaient rapprochés. Nous étions lui et moi au-delà du mitan de la vie, dans cette forêt obscure dont parle Dante.

Je devais être plus intuitif, ajoutait Garelli en désignant la lettre. Je m'en tenais trop fidèlement à ses propos. Les temps pouvaient changer, les principes aussi. Le moment était peut-être venu d'une courte exhibition. « Qu'en pensez-vous, Julien ? » J'étais chargé de me renseigner, de savoir ce que voulait, vraiment — Garelli insistait —, Clara Becker. On déciderait alors.

J'aurais pu confier à mon assistant, Denis Rossi, un homme jeune et volontaire que l'ambition d'agir brûlait, cette enquête dont il se serait acquitté en quelques jours. J'hésitais. Je me sentais personnellement mis en cause par l'attitude désinvolte de Clara Becker. Je plaçai à nouveau la lettre sur mon bureau, en face de moi. Je lui téléphonai. Elle séjournait à Cuba pour plusieurs jours. Je laissai mon nom, heureux de ne plus avoir à aller vers elle et déçu de l'avoir manquée.

L'attente, alors, recommença.

J'interrogeais Marianne chaque jour. Je percevais chez elle, après la surprise, une complicité qui me gênait. Qu'imaginait-elle ? Je lui expliquai que Garelli tenait à cette rencontre. Je lui demandai de constituer un dossier qui comporterait tous les renseignements biographiques concernant Clara Becker. A ses questions je répondais aussi avec humeur. Je la priais d'excuser mon impatience que j'attribuais à la fatigue.

Garelli m'avait en effet chargé d'une affaire difficile dont il tenait seul les fils tant elle lui paraissait essentielle. Ni Lederman, ni Rouvet ne participaient à la négociation et j'en ignorais moi-même les termes.

Je ne les ai appris qu'après avoir quitté la Sibani et l'un

des buts de ce récit est de les révéler. Mais le moment n'est
pas encore venu.

Garelli ne m'avait donc rien révélé des secrets de la
guerre qui l'opposait au Groupe Carouge-Mortain. Elle
avait pris l'aspect d'un duel singulier entre lui et Bernard de
Carouge, le directeur général du Groupe.

Notre intermédiaire, dans la négociation, était Thierry
de Carouge, le père de Bernard, qui dirigeait la Société
Genevoise de Finance. Plusieurs fois par mois je me
rendais à Genève, porteur des dernières propositions de
Garelli. Notre ambition — un peu folle, mais que serait la
vie sans folie, avait précisé Garelli — était de nous emparer
du Groupe Carouge-Mortain, cela était manifeste. Comment ? Là commençait l'obscurité.

Garelli, à la veille de chacun de mes départs, me
rappelait que ma mission comportait « un seuil élevé de
risques », puis il me recommandait d'observer le « vieux
Carouge ». « Ecoutez-le respirer, disait-il, ne négligez
rien, même un battement de cils compte. Je veux savoir
comment il feuillette le contrat, il me faut tous les détails.
Soyez un entomologiste, Julien, seulement cela. »

Thierry de Carouge était un septuagénaire maigre au
visage fin et sensible. Il avait des cheveux abondants,
soigneusement peignés et d'un brillant aux reflets bleutés.
Il portait un costume et une chemise noire éclairés par une
cravate blanche. Il s'avançait à ma rencontre, traversant
d'un pas rapide le bureau lumineux où il m'accueillait. De
taille moyenne, légèrement voûté, il me tendait la main en
ébauchant un sourire las. Je lui présentais le dossier que
Garelli m'avait remis. Il m'interrogeait d'un bref regard,
sans s'attarder à une question. « Voyons », murmurait-il
seulement.

Garelli utilisait toutes les cartes.

Je dirai lesquelles.

Il trichait ouvertement ou plutôt jouait des coups qu'on imaginait habituellement réservés à d'autres parties qu'à des négociations entre groupes bancaires. Je m'abstenais avec lui de tout commentaire. D'ailleurs je ne connaissais qu'un aspect de la vérité. Mais je pressentais les zones d'ombre et Garelli avait deviné mes soupçons. Un matin, comme il me remettait un pli pour Thierry de Carouge, il m'avait pris par l'épaule, accompagné jusqu'à la porte du bureau. « Julien, m'avait-il dit, ce qui importe toujours c'est de gagner. Je m'excuse de la banalité du propos, avait-il poursuivi, mais les vainqueurs seuls écrivent l'histoire. »

Je n'étais à ce moment-là qu'un exécutant fidèle. Je ne voulais pas avoir de pensée personnelle. J'ignorais les coulisses criminelles de l'affaire Carouge. Je servais Simon Garelli et la Société Internationale de Banque et d'Industrie.

Ma tâche était difficile. Thierry de Carouge m'entourait de prévenances, m'invitait à déjeuner ou à dîner au bord du lac, me séduisait par son intelligence et sa finesse. En fait il cherchait à me détacher de Garelli, à obtenir de moi, dans la négociation, quelques informations sur les atouts dont nous disposions. Il désirait connaître les intentions ultimes de Garelli, les limites qu'il ne franchirait pas.

Je répondais par des mimiques un peu niaises à ses questions. « Un drôle d'homme, Garelli, me disait alors Thierry de Carouge, fascinant, n'est-ce pas ? On m'assure qu'il est poète, un lettré en tout cas, philosophe de formation, je crois ? »

Je répétais l'un de ces mots, n'ajoutant qu'un prudent : « Si vous voulez. »

Puis je suivais les courtes vagues du lac que le vent montagnard drossait contre les jetées de bois.

J'avais appris à garder le silence, à éteindre les conversations avec naturel, tout en laissant vagabonder en moi la silhouette de Simon Garelli.

J'aurais pu raconter comment il s'enfonçait dans les terrains vagues, parmi les roseaux, dans notre quartier de l'hippodrome, non loin de la mer, à l'extrémité de la Promenade. J'étais fier de cet ancien compagnonnage mais je savais aussi que lorsqu'on veut combattre un homme et le détruire chaque détail de sa vie peut être utilisé contre lui. Je me taisais donc.

J'aurais pu parler aussi de Joseph Garelli, son père, arrêté puis déporté à Buchenwald. Jamais Simon n'avait évoqué devant moi le souvenir de son père, mais sa mère, un jour où elle repassait par Lourciez, s'était confiée à la mienne. Joseph, avait-elle dit, était devenu l'un de ces corps osseux jetés en vrac dans la lumière blafarde, les pommettes si saillantes que la peau tendue, rongée par la faim, en paraissait trouée. Simon avait vu ces amoncellements de vies, ces cous étirés, ces membres démesurés, ces hanches à vif et ces yeux qui emplissaient le visage. Il faisait alors partie des avant-gardes composées de jeunes résistants que le désir de combattre poussait sur les routes d'Allemagne.

Il avait cru qu'il arriverait à temps pour trancher les barbelés du camp. Mais son père n'était plus que l'un de ces pantins fibreux et disloqués que les bulldozers entassaient dans les fosses communes.

Au retour, la paix venue, Simon avait dû rouvrir les livres comme si jamais la cendre des crématoires n'avait été répandue.

Il avait renoncé à la philosophie, déçu ses maîtres, choisi l'Inspection des Finances. Longtemps, alors que je n'étais que son collaborateur, j'ai cru qu'il s'agissait du refus des mots vains et de la sensiblerie.

Aujourd'hui, au point où j'en suis de ma vie, j'y vois l'aveu du désespoir.

Insidieusement, Garelli m'avait incité à faire le même choix que lui.

Je venais de rentrer d'Algérie où j'avais connu une autre guerre et entendu crier dans les baraquements de tôle ondulée les suspects qu'on poussait ensuite, le pistolet mitrailleur contre leurs reins, jusqu'aux bois de chênes verts ou au bord des ravins. Garelli m'avait adressé au secrétariat de l'Ecole une courte lettre qui me convoquait au siège de la Sibani. Il cherchait, disait-il, un jeune collaborateur en qui il pût avoir confiance. L'Ecole était une bonne pépinière et j'étais parmi les premiers du classement.

Il ne donnait aucune explication personnelle à sa lettre. A peine, je l'ai déjà dit, s'il mentionna le nom de Lourciez.

Puis il me lut le poème d'Emmanuel Chaves, habile à faire renaître le souvenir de ce repas d'anniversaire, chez nous, à Lourciez. Il pesait ainsi, tout en me laissant libre, sur ma décision. Les prudences qu'il m'imposait — « Ne vous hâtez pas, Vanco, réfléchissons, vous et moi » —, le refus de rappeler ouvertement notre passé commun m'attachaient plus encore à lui.

Je fus anxieux jusqu'au moment où je reçus un télégramme d'accord quelques jours plus tard. Il m'accueillit à nouveau dans son bureau du premier étage qui donnait sur le boulevard Haussmann et qu'il n'abandonna jamais, même quand il accéda à la présidence de la Sibani.

Il se tenait appuyé à la bibliothèque — je sus plus tard que c'était son habitude —, me recommandant de lire le contrat avec attention et de réfléchir encore. Mais je

paraphai les pages sans hésiter. Il esquissa un sourire.
J'avais la signature ferme, murmura-t-il, nous devrions
nous entendre.

Il m'appela pour la première fois Julien et m'offrit le
recueil de poèmes d'Emmanuel Chaves.

Il était devenu, pour plus de vingt ans, mon maître.

10

Maître : ce mot peut surprendre.

Simon Garelli n'était mon aîné que de dix ans. Mes diplômes (Institut d'Etudes Politiques, Ecole Nationale d'Administration) me permettaient de quitter la Société Internationale de Banque et d'Industrie à ma guise. De plus, après quelques années passées près de Garelli, ma compétence et mon efficacité étaient reconnues. J'étais une valeur sûre, cotée et recherchée. Plusieurs fois par an, on me sollicitait discrètement, on m'offrait gains supérieurs et pouvoir. Thierry ou Bernard de Carouge, mais aussi les représentants de Cork ou de Jameson, les directeurs des grandes banques françaises et même les dirigeants de certaines sociétés industrielles souhaitaient m'engager. Puisque Garelli me possédait, m'arracher à lui c'était l'affaiblir.

Je ne cédais pas. Je n'y avais aucun mérite. Je désirais demeurer au service de Garelli. Il était mon maître. J'avais le dévouement et la fidélité du serviteur qui aime son roi.

Je l'avais d'abord admiré comme un enfant qui suit du regard l'adolescent dont il envie la liberté et l'audace, puis il me fascina par la vigueur et la rapidité de son intelligence, la fantaisie des solutions qu'il improvisait en quelques minutes.

Aux réunions du mardi matin qui rassemblaient l'état-

major de la Sibani — Lederman et Rouvet, Patrice de
Sarte, Stanislas de Jeumont, Gottlieb et moi-même —, il se
montrait toujours éblouissant avec naturel et modestie. Il
n'intervenait que rarement, laissant l'un de nous présenter
le bilan hebdomadaire ou exposer les négociations en
cours.

Nous avions chacun notre style. Lederman était bref et
parlait comme à regret, passant sa main dans ses cheveux
gris. Gottlieb semblait à dessein hésiter sur l'emploi de telle
ou telle expression, utilisant les tournures américaines, puis
s'excusant rituellement de sa maladresse. Il était new-
yorkais, n'est-ce pas ? Il riait seul, indifférent à notre
lassitude.

De Sarte et Jeumont avaient la sobriété efficace de bons
candidats, sûrs de leur réussite et de leurs atouts. Ils
représentaient, dans la direction de la Société Internationale de Banque et d'Industrie, la tradition bancaire et les
milieux gouvernementaux.

Rouvet était méthodique et précis. « Le plus français de
tous », me disait après coup Garelli. Il lisait son rapport
mot à mot, lentement, immobile, ses lèvres seules vivantes
et parfois le regard quand, levant la tête à la fin d'une
phrase, il observait quelques secondes par-dessus la monture de ses lunettes Garelli qui paraissait indifférent,
presque distrait.

Garelli affectait de ne pas être réellement concerné par
nos réunions. Il s'écartait de son bureau, allait jusqu'à la
bibliothèque, revenait au moment où nous hésitions à
poursuivre et d'un geste il nous demandait de continuer
notre discussion. Ses cheveux noirs légèrement bouclés,
mal peignés, un peu longs, sa chemise à larges rayures, sa
veste trop ample, sa cravate de laine accentuaient la
désinvolture de son attitude. Nous étions assis en demi-
cercle, guindés et attentifs. Il nous provoquait par sa
nonchalance et cette manière qu'il avait parfois d'entrou-

vrir la porte de son bureau afin d'échanger quelques mots avec Elisabeth.

Lederman et Gottlieb observaient avec sympathie et tendresse ce comportement. Garelli, selon Lederman, était le « surréaliste des milieux financiers », un ancien élève de l'Ecole Normale qui ne pouvait oublier sa vocation philosophique et littéraire.

Je ne donnais jamais mon sentiment et ma réserve était jugée par Stanislas de Jeumont, Rouvet ou Patrice de Sarte comme une lâcheté. Ils critiquaient Garelli sans nuances, lui reconnaissant le « sens du coup » — l'expression était de Jeumont —, mais un goût pour le risque — un côté « flambeur » disait de Sarte — qui révélait l'origine populaire, l'incapacité à assimiler les règles et même les coutumes vestimentaires de l'establishment bancaire dont ils faisaient eux-mêmes partie depuis plusieurs générations.

Stanislas de Jeumont avait longtemps ambitionné la présidence de la Sibani. Mais le conseil d'administration et surtout l'Elysée lui avaient préféré Garelli. Et Garelli avait survécu aux changements présidentiels.

Il lui suffisait de quelques mots à la fin de nos exposés pour faire éclater sa supériorité. J'étais assis en face de lui. Il écartait ses doigts, nous présentait ses paumes. « Voyons, messieurs, disait-il, si je vous ai bien suivis... » Il ressemblait à ces joueurs d'échecs ou à ces mathématiciens qui refusent les solutions attendues, évitent les démonstrations, inventent, révèlent l'évidence.

Nous nous sentions gauches et lourds. Un coup, deux coups et le Roi adverse était mat. « Voilà, il me semble, concluait Garelli, la direction dans laquelle il faut avancer. » Il se levait, simulait un bâillement, ajoutait parfois qu'il fallait renoncer à être classique, puisque tout le monde l'était. « Attaquons par les ailes, si on nous attend au centre, et bien sûr, n'est-ce pas Rouvet, vice versa. » « Vous êtes notre Bonaparte, monsieur le président », disait Stanislas de Jeumont, avec une pointe d'animosité. « Je ne suis pas Louis XVIII, tout au plus. »

Il me retenait et j'avais devant moi un autre Garelli.

Je découvrais qu'il avait suivi avec attention chacun des rapports, étudié les dossiers et élaboré une stratégie. J'étais fier d'être cet aide de camp admis à l'intimité de la tente impériale. Garelli ne jouait plus. Concis, précis, il me donnait des ordres. « Voyez Carouge. Partez demain pour Genève, Elisabeth vous remettra le projet de contrat ce soir, j'y travaille. »

Puis brusquement la tension se relâchait. Il était allé vite, avait gagné quelques minutes sur son emploi du temps. Il m'observait, m'interrogeait : « Toujours célibataire, Julien ? »

Il éprouvait du plaisir à m'intimider en multipliant les questions indiscrètes. Je répondais par des mimiques ou bien je baissais la tête. « Les banquiers ont des vices, poursuivait-il. L'argent, le pouvoir ne sont que des moyens. Quels sont vos mobiles et vos buts, Julien ? » Il souriait, passait ses doigts sur les reliures des livres de la bibliothèque, lui, la poésie, bien sûr, mais aussi...

Il pointait son index dans ma direction.

— Il ne faut pas avouer, Julien, jamais. Calzi vous le dira.

L'intermède s'achevait, Elisabeth annonçait que Calzi, administrateur général des Jeux Français, venait d'arriver.

— Nous reparlerons de tout cela, Julien. La vie compte aussi et elle passe.

Je quittai le bureau, je croisai Calzi, un homme de haute stature, chauve, le visage rond, les yeux enfoncés et vifs, un diamant piqué dans sa cravate noire.

11

De Dominique Calzi, Clara Becker avait tracé un portrait impitoyable. Il avait été publié dans plusieurs hebdomadaires étrangers dont certains étaient diffusés à Paris, mais aucun périodique français n'avait osé le traduire.

J'ignorais l'existence de cet article vieux d'une dizaine d'années. Clara l'avait écrit au moment où, précisément, Dominique Calzi commençait à rencontrer régulièrement Simon Garelli au siège de la Société Internationale de Banque et d'Industrie. Je ne connaissais pas le passé de Calzi, même si ses fonctions à la tête des Sociétés de Jeux Français me le rendaient suspect.

Mais je n'avais pas alors l'habitude de m'interroger sur les clients de la Sibani. Et d'ailleurs Calzi était un homme respectable qui avait obtenu pour quelques opérations délicates — l'achat de deux immeubles avenue Hoche — la caution de personnalités que nous savions liées au pouvoir politique.

Je découvris l'article dans le dossier qu'à ma demande Marianne avait constitué sur « Clara Becker, journaliste ». Ma secrétaire avait placé au-dessus des renseignements biographiques une chemise bleue qu'elle avait intitulée : « Procès contre Clara Becker, condamnation », comme une mise en garde.

Je feuilletai rapidement le contenu de cette chemise,
désireux de ne pas m'y attarder, soucieux d'abord de savoir
qui était Clara Becker. Mais l'article qu'elle avait consacré
à Calzi me retint. Il était illustré de photos prises dans le
jardin d'un hôtel romain, certaines à l'insu de Calzi. On le
voyait entouré de cinq personnages aux corps massifs,
vêtus avec recherche et que Clara Becker qualifiait dans
l'article « d'hommes d'affaires et de banquiers peu ordinai-
res ». Elle laissait entendre que Calzi était en France l'un
des représentants de la Mafia.

Elle l'avait interviewé avec une affectation de naïveté qui
avait dû tromper Calzi. L'une des photos les représentait
face à face. Elle, menue, tassée dans un fauteuil d'osier, sa
jupe laissant voir ses genoux, souriait, timide. Mais elle
serrait de ses deux mains les bras du fauteuil et cette
attitude me faisait deviner à dix ans de distance la tension à
laquelle elle s'était soumise pour paraître, ainsi, inoffen-
sive. Dominique Calzi rayonnait de suffisance. Le menton
levé, il riait, l'une de ses mains s'approchant du genou de
Clara, peut-être même s'esclaffait-il, sûr de son fait,
ironique et condescendant.

Sa surprise et sa colère n'avaient dû être que plus
grandes quand, l'article lu, il avait compris que Clara
Becker lui avait tendu un piège. Elle avait en effet fait
suivre son interview d'un long commentaire qui dévoilait la
duplicité de Calzi. Dans ses réponses, il se présentait
comme un marchand avisé qui, à force de travail et
d'intelligence, était devenu d'abord un importateur de
produits exotiques, puis un homme d'affaires. Un peu par
hasard, il s'était intéressé au monde des jeux, indirectement, précisait-il. Il avait acheté des immeubles à Paris,
afin de placer son capital, et des cercles de jeux avaient
choisi de s'y installer. Il avait donc été contraint de devenir
l'administrateur général des Jeux Français, dans un souci
de saine gestion de ses biens.

Clara détruisait cette légende. Calzi, écrivait-elle, était

l'homme de tous les trafics : dollars, piastres, fausse monnaie, drogue. Il offrait ses services lors des campagnes électorales et les élus le remerciaient en le protégeant. Elle citait à l'appui de ses affirmations un rapport des services de police américains et les confessions d'un associé de Calzi qu'elle avait retrouvé dans un hôpital de Sicile où il agonisait d'un cancer.

Dominique Calzi avait intenté un procès à Clara, qu'elle avait perdu. Son témoin était mort et la police américaine avait refusé de confirmer l'authenticité du rapport. Clara avait à l'audience fait état de nombreuses menaces qu'elle avait reçues. On avait cambriolé son appartement de Rome, on l'avait suivie et sa voiture avait été détruite par un incendie. Enfin on l'avait avertie que si elle refusait de se déjuger on s'attaquerait à ses deux fils. Mais elle maintenait ses affirmations. Elle accusait Calzi et ses complices italiens de vouloir l'intimider, mais, disait-elle, condamnée ou acquittée elle continuerait à « rechercher et dire la vérité ». Elle ne craignait ni le chantage ni la mort.

Je lisais ces déclarations que je retrouvais dans les nombreuses coupures de presse que Marianne avait rassemblées. Les journaux français avaient rendu compte avec discrétion du procès, mais la solidarité journalistique s'était parfois exprimée et quelques chroniqueurs avaient salué le courage un peu téméraire de Clara Becker, la plupart pourtant regrettaient la passion qui l'entraînait au-delà des limites du vraisemblable.

Je ressentais à la lecture de ces lignes une impression d'écœurement. Je n'avais pas l'habitude de suivre une affaire de presse. Les négociations entre banquiers étaient brutales ou feutrées, mais il était difficile de truquer un bilan. Or, l'attitude des confrères de Clara me paraissait hypocrite et artificielle. Ils donnaient raison à Calzi, prudemment, et gardaient bonne conscience en sollicitant l'indulgence pour une écervelée.

Moi qui ne m'étais jamais interrogé sur ce que pouvait

être le courage, qui n'avais jamais eu à affronter seul un
adversaire, moi qui n'avais jamais parlé en mon nom
personnel, mais toujours comme le représentant de la
Société Internationale de Banque et d'Industrie, cette
organisation qui me donnait sa force et à laquelle je prêtais
mon nom, je relisais avec avidité les déclarations de Clara
Becker. Je l'entendais dire de sa voix nette, si claire qu'elle
en paraissait insensible : « Je n'écris que ce que je sais vrai,
telle est mon éthique de journaliste. Je suis prête à payer de
ma vie cette morale. Les miens, mes enfants qui sont plus
que ma vie, sont décidés eux aussi à subir les conséquences
de mon engagement. Je n'ai jamais varié. Un monsieur
Calzi ne réussira pas là où les nazis et la Gestapo ont
échoué eux aussi. »

Ses confrères souriaient : Clara Becker n'était qu'une
femme excessive qui avait le goût du spectacle ou le sens de
la publicité. Ils étaient protecteurs et me semblaient
odieux. Je craignais de leur ressembler.

Je ne savais pas encore, refermant cette chemise bleue,
que j'aimais Clara. Mais je croyais en son courage.

12

Clara me dit, plus tard, qu'étant née un 27 juillet, elle appartenait au signe du Lion, l'animal du courage.

Lionne, elle l'était, ajoutait-elle.

Elle secouait ses cheveux courts qui avaient la couleur d'un miel à peine roux et me racontait qu'elle pouvait demeurer plusieurs heures allongée sur sa terrasse, à Rome, dans la touffeur de l'été. Elle n'aimait rien tant que la chaleur et l'engourdissement qui en naissait. Elle sentait que peu à peu son corps se transformait et qu'elle participait à la plénitude souveraine de la nature.

Lionne, répétait-elle.

Je ne savais trop si elle croyait à cette influence astrologique ou bien si elle se jouait d'elle-même et de moi, capable tout à coup de rire d'une voix si nette qu'elle en paraissait parfois insensible et affectée.

Je me laissais conduire par ses récits. J'aimais l'entendre ainsi parler d'elle-même, curieux de chacun des détails de sa vie. Je ne quittais pas ses yeux, mobiles, brillants et souvent ironiques. J'avais l'illusion qu'elle avait besoin de mon regard et de mon attention, que mon amour lui donnait de la force, un entrain dont je pressentais pourtant qu'un autre eût pu être la source. Mais je n'éprouvais aucune jalousie. Clara était si naturellement libre et spontanée que l'idée de la retenir, de la dominer ou même d'être le seul homme qu'elle aimait m'eût paru folle. Personne ne réussirait jamais à la plier. Sa vie n'avait été qu'invention et révolte. Le vent s'y engouffrait et elle en affrontait les rafales sans se soucier des risques, ses jours tendus comme une voile prête à chaque instant à se déchirer.

Mais elle ne changeait de cap qu'au gré de son désir et de sa volonté.

J'ai deviné son énergie et sa fierté alors même que je ne connaissais d'elle que les courtes notices biographiques que publient les annuaires de presse. Moi qui me défiais de l'imagination, un repère dans la vie de Clara suffisait à me faire rêver. Et j'étais sûr, quand je lisais qu'elle avait effectué plusieurs reportages en Algérie, au Viêt-nam puis en Amérique centrale, de ne pas m'égarer si je la voyais affrontant les périls aux côtés des maquisards, dans cette Kabylie où j'avais combattu, puis attendant couchée dans les rizières que passe la vague des bombardiers, ou bien menacée sur une route, entre des champs brûlés, par ces soldats pour qui un témoin est un ennemi.

J'imaginais, et enfin, des mois après, elle me raconta.

Elle était née à Rome, le 27 juillet 1927, dans une grande villa des collines que les cyprès, les citronniers et les orangers dissimulaient. Les allées étaient bordées de lauriers-roses dont les fleurs lourdes effleuraient le marbre des escaliers. Dans ce parc, Clara s'était perdue, apprenant à contenir sa peur, à jouir, quand la nuit venait, de cette angoisse qui serrait sa gorge et son sexe. Elle refusait pourtant de répondre aux appels de sa gouvernante allemande. Elle préférait entourer de ses mains le tronc d'un arbre, comme si elle avait voulu empêcher que la nuit ne le multiplie. Elle avait envie de hurler, claquait des dents de froid et de terreur, mais elle ne bougeait pas.

Les années et les années ayant passé, elle dut, à nouveau, dans les nuits sans ombre des djebels d'Algérie, rester immobile durant des heures, allongée contre les rochers tranchants comme du métal, cependant que les projecteurs des hélicoptères rasaient le sol.

Alors, elle se souvint du parc de sa villa romaine.

Elle ne courait vers le perron qu'au moment où sa mère l'appelait à son tour. Elle s'agrippait à elle, tremblante d'exaltation, orgueilleuse de ce qu'elle avait vécu, insensible aux reproches, ne se calmant que si sa mère s'installait au piano, commençait à jouer.

Caterina Becker était vénitienne. Pianiste de talent, elle avait renoncé, après la naissance de Clara, à une carrière musicale. Chaque jour cependant elle jouait plusieurs heures, la tête penchée sur l'épaule gauche, et Clara suivait avec enchantement le mouvement des bras nus, l'oscillation lente du corps. Parfois une tresse se dénouait, les cheveux blonds tombant ainsi sur l'épaule de Caterina.

Caterina, née Respogli, était d'origine juive, comme les Becker. Elle avait épousé Valerio Becker en 1926. Ils avaient l'un et l'autre l'âge du siècle. Leur mariage, l'un des plus éclatants de l'automne, avait été célébré à Rome en présence du roi, Victor-Emmanuel III. Les Becker, des juifs d'origine viennoise, avaient choisi de servir l'Italie dès le XVIIIᵉ siècle. Ils s'étaient installés à Rome, mêlant la banque, les arts et la diplomatie. Valerio Becker, à la naissance de Clara, était l'un des jeunes diplomates auxquels on prédisait un grand avenir.

Je soupçonne Clara d'avoir inventé des détails afin de faire de son enfance un récit romanesque et de s'y glisser personnage principal, fascinant et héroïque. Mais j'aimais l'entendre dire, rêveuse, qu'à cinq ans elle s'était assise près de sa mère, devant le piano, et avait commencé à jouer avec elle sans avoir jamais appris.

C'était l'année 1932. Le régime fasciste célébrait son dixième anniversaire. On exaltait le génie de son Duce, ce chef bienveillant qui ouvrait les portes des prisons à ses ennemis et dont le monde entier vantait les réalisations.

Mon père cette année-là quittait Venise en abandonnant ses agrandisseurs et ses cuves. Et je naissais le 7 décembre 1932.

Que Clara fût italienne comme mes parents, que sa mère fût vénitienne comme la mienne m'attira. Si différente de moi qu'elle fût, je partageais avec elle cette origine et j'en fus, dès que je le découvris, inexplicablement heureux. Je me mis à penser que je n'avais rien de commun avec Martine, ma femme pourtant, que nous n'avions frôlé que nos épidermes sans jamais échanger les mots de passe de nos enfances.

Ainsi une simple mention dans un annuaire : « Clara Becker, journaliste italienne, née à Rome, le 27 juillet 1927 », suffisait-elle à me rapprocher de cette femme dont je ne connaissais que la voix et dont je revoyais les mains longues et un peu sèches.

Elle avait les doigts déliés, souples et fins, dont on dit qu'ils sont ceux des pianistes. Les soirs de réception, quand le parc de la villa Becker était illuminé, que Clara portait une robe de soie blanche qu'il lui fallait soulever pour pouvoir courir, Valerio Becker demandait à sa femme et à sa fille d'interpréter, toutes deux ensemble, une courte pièce.

Les fenêtres étaient ouvertes, quelques voix montaient du parc cependant que Caterina et Clara jouaient.

Dans l'assistance, parmi les diplomates étrangers en habit et les femmes qui parlaient d'une voix trop haute, les uniformes fascistes formaient des taches noires que Valerio Becker s'efforçait de ne pas voir. Il était de ces monarchistes ralliés à Mussolini par fidélité au roi plutôt que par conviction. On frondait avec mesure dans le salon des Becker. On se chuchotait la dernière bévue de Mussolini, tout en restant au service de l'Etat fasciste, puisque le roi acceptait ce Duce ridicule qui convenait peut-être, après tout, au peuple italien. Valerio Becker n'avait pas cependant adhéré au Parti fasciste. Le roi ne l'exigeait pas, au contraire. Si bien que le fascisme ne fut d'abord, pour les Becker, qu'un spectacle un peu bruyant auquel ils étaient contraints d'assister sans être pour autant obligés de monter sur scène ou même d'applaudir.

Puis, à l'automne de 1938, Mussolini promulgua les lois raciales et Hitler fut reçu à Rome par le Duce et le roi.

Clara avait à peine plus de onze ans.

13

J'ai vu des photos de cette petite fille à la peau brune et aux cheveux clairs. Elle se tenait debout devant un laurier, entre son père et sa mère. Valerio Becker était devenu chauve en quelques mois et son corps, longtemps élancé, s'était affaissé, perdant de sa vigueur, comme si la volonté qui le gardait droit avait disparu.

Sa femme, la main posée sur l'épaule de Clara, le dévisageait avec inquiétude. Elle aussi avait changé, les traits creusés, les yeux enfoncés comme souvent chez les femmes vieillies. Clara seule paraissait insouciante, une fleur de laurier dans ses cheveux, serrant la main de son frère Romano, les yeux droits dans l'objectif, le regard tendre et vif.

Clara m'avait montré ces photos lors d'un de mes séjours à Rome, quand nous restions couchés, côte à côte, dans sa chambre. Cette pièce d'angle tapissée de tissu ouvrait sur une terrasse. Clara y avait planté des camélias rouges, qui, dès le mois de mars, fleurissaient, envahissant la chambre. Deux miroirs reflétaient le ciel, les fleurs et les toits. Le plafond, bas, était tendu d'un velours bleu. Et, au-dessus de la tête du lit, Clara avait accroché un chapeau vietnamien qu'elle avait rapporté de l'un de ses reportages dans les maquis du Viêt-cong.

Allongée, Clara parlait. Elle tendait un bras, ouvrait un

tiroir, en sortait un dossier, des articles, des photographies et souvent, mêlée à des clichés d'actualité, une scène de l'enfance. Clara entre ses parents, à côté de son frère Romano, dans le parc de la villa Becker, à l'automne de l'année 1938.

Je n'osais lui poser des questions précises. Je craignais de la contraindre à raviver des souvenirs. Mais elle n'était pas femme à détourner son regard du passé.

Elle était couchée sur le ventre, en travers du lit, les jambes et les bras ballants, le visage presque gris. J'avais le désir de la protéger de sa mémoire. J'aurais voulu la prendre contre moi, elle me paraissait si frêle tout à coup, je pensais qu'elle allait mourir trop vite et que je ne supporterais pas de vivre dans un monde devenu vide. Elle me faisait pour la première fois haïr la mort et je souhaitais disparaître avant elle.

Je découvrais si tard dans ma vie que l'amour est inquiétude.

Je plaçais ma main sur le dos de Clara pour m'assurer qu'elle était vivante mais quand elle commençait à parler, sa voix résonnait fort dans sa poitrine. Je l'imaginais malade. Je la trouvais maigre et voûtée. Il me semblait que la vie l'avait usée. Elle était, l'idée m'en vint et ne m'abandonna plus, pareille à ces tapis précieux dont on devine en certains points la trame.

Mais je l'aimais aussi pour cette usure, ce teint fané parfois.

Je lui disais : « Ne parle pas », alors que chacune de ses paroles m'était plaisir. Elle riait. « Tu es drôle », murmurait-elle. Elle m'embrassait, m'accusait d'autoritarisme, se levait, marchait jusqu'à la terrasse. J'étais ému par cette association en elle de la jeunesse maintenue et déjà de la lourdeur de l'âge.

Je lui disais : « Tu es la seule humaine », et je m'étonnais de cette expression dont moi-même je ne comprenais pas le sens, qui la faisait sourire. Elle s'allongeait à

-nouveau. Elle reprenait la photo de ce moment de l'automne 38 ou de l'hiver 39, quand Valerio Becker comprit que les lois italiennes l'accusaient d'être juif.

Clara disait : « Juifs, j'ai appris que nous l'étions, j'avais à peine plus de onze ans. » Valerio Becker avait été contraint de démissionner. L'un des amis de Caterina, un éditeur juif de Modène, s'était suicidé en se jetant de la tour Ghirlandina.

Une nuit, peut-être au printemps de 1940, quand l'Italie s'apprêtait à entrer en guerre, que mon père ne nous expédiait plus ses cartes postales de Buenos Aires et que Joseph Garelli apprenait le maniement des armes dans un camp d'entraînement de la Légion étrangère, Clara avait été réveillée par un cri bref mais si aigu qu'il s'était prolongé en elle.

Elle avait traversé la chambre de son frère sans le réveiller, marché dans le couloir vers le rai de lumière, bande jaune sous la porte de la salle de bains. Elle avait écouté le murmure, sa mère qui pleurait, son père qui se justifiait, sanglotant lui aussi. Elle avait poussé la porte. Valerio était debout, un revolver à la main. Sa femme était assise sur le bord de la baignoire, la tête penchée sur la poitrine. Clara s'était immobilisée. Ses parents la regardaient, interdits. Elle avait dit, d'une voix égale, qu'elle voulait boire, puis raconté qu'un chat était entré dans sa chambre, avait bondi sur le lit et qu'elle avait eu peur. Ils avaient cru qu'elle n'avait rien remarqué. La mère s'était efforcée de sourire, le père l'avait raccompagnée, la rassurant. « Un cauchemar, ma chérie », disait-il. Il avait dû déposer son revolver, il tenait Clara par la main.

— Mon père, disait Clara, je l'aimais, je l'aimais.

Quand elle parlait de lui sa voix, toujours nette — elle était pour moi transparente, un peu froide, comme une lame de verre —, se voilait, se couvrait — je la sentais ainsi — d'une buée tiède. Elle regrettait alors qu'il ne se fût pas tué, comme l'éditeur juif de Modène ou ce colonel de

Vérone qui, à l'annonce de sa mise à la retraite parce que juif, s'était suicidé sur le front des troupes. Tué Valerio Becker, parce que au cours de l'été 1944, on l'avait pris, lui, le monarchiste, elle, Caterina Becker, née Respogli, une famille vénitienne, et leur fils Romano, seize ans. Ils avaient été poussés à coups de crosse sur le quai de la gare de Frosinone, au sud de Rome, les hommes ici, les femmes là.

Les portes des wagons étaient béantes.

Les uns pour Auschwitz, les autres pour Buchenwald.

« Romano, mon frère, disait Clara et sa voix était nette, ma mère, poursuivait-elle sur le même ton, pour Auschwitz, je crois. Mon père... » mais elle n'achevait pas, la tête enfoncée dans l'oreiller. Je caressais ses cheveux courts, couleur d'un miel à peine roux.

Valerio Becker, vers Buchenwald, comme Joseph Garelli, le père du président de la Société Internationale de Banque et d'Industrie, Simon Garelli, que je servais et que Clara Becker voulait rencontrer.

14

Je me suis opposé autant que j'ai pu à la rencontre de Clara Becker et de Simon Garelli. Mais je ne mesure qu'aujourd'hui mon obstination. J'y vois la preuve de cet amour naissant qui m'emportait sans que je le sache.

Clara téléphonait et s'impatientait. J'acceptais d'abord de lui répondre puis, d'un geste, à l'instant où Marianne s'apprêtait à me passer la communication, je refusais. Je quittais le bureau, laissant ma secrétaire se confondre en excuses, inventer des prétextes et affronter la colère de Clara, dont je percevais les éclats de voix. Si Marianne ou mon assistant m'interrogeaient sur l'attitude qu'ils devaient adopter à l'avenir, je m'irritais. Nous verrions bien. Clara Becker ne téléphonerait sans doute plus. Mais cette hypothèse m'accablait. Une relation profonde s'était établie déjà entre Clara et moi et je ne pouvais y renoncer. Mon comportement m'échappait. Je demandais à Marianne ou à Denis Rossi de la rappeler et je ne supportais pas qu'ils manifestent leur surprise.

Je m'étais jusqu'alors efforcé d'expliquer à mes collaborateurs les raisons de mes décisions. Je leur en voulais de laisser apparaître leur déception face à mes revirements, qu'ils devaient appeler des caprices ou des inconséquences. Je les subissais, comme eux, humilié d'être le jouet d'une humeur dont je me refusais à nommer la cause.

Comment aurais-je pu la désigner, prononcer ces mots, amour ou passion, qui n'avaient jamais fait partie de mon vocabulaire et dont il était fou d'imaginer que, la cinquantaine franchie, je subisse les effets et qu'une femme, plus âgée que moi, dont je ne connaissais que la voix, qui n'était qu'un nom, une image entrevue, le souvenir de mains longues et un peu sèches, me plie à leur loi ?

J'exigeais donc de Marianne et de Rossi qu'ils cessent de m'importuner avec cette affaire, mais en même temps je laissais sur mon bureau le dossier Clara Becker et il ne se passait pas de jour que, d'un mouvement instinctif, je ne l'ouvre, relisant une notice biographique, contemplant les photographies qui accompagnaient les articles de Clara.

Les clichés, comme pour authentifier ses rencontres, la représentaient toujours au côté de ses interlocuteurs. Elle paraissait radieuse et cette vitalité heureuse qu'elle manifestait auprès d'hommes si différents, opposés les uns aux autres, parfois dans des guerres impitoyables, me gênait.

Elle me paraissait versatile et complaisante.

Je refermais le dossier. Je m'enfonçais dans l'étude d'un bilan, je dictais d'une voix brutale une lettre à Marianne, puis je m'interrompais au milieu d'une phrase et je donnais l'ordre, inattendu à cet instant, de ne jamais passer directement Clara Becker au secrétariat de Simon Garelli.

Quand, où avais-je pris cette décision que j'exposais sans y avoir réfléchi ?

Je recommençais à dicter mais, après quelques minutes, j'exigeais de Marianne qu'elle complétât le dossier Becker. Je haussais le ton. J'étais insupportable et injuste.

Je n'échappais pas à Clara Becker.

Son nom, son visage, ses actes, les mots qu'elle prononçait ou écrivait semblaient m'entourer comme une crue. Elle était partout présente. J'avais le sentiment qu'elle me harcelait.

Un matin, Simon Garelli me convoqua dans son bureau à l'heure du courrier pour me remettre une lettre de Thierry de Carouge qui plaidait en faveur de Clara Becker. Appuyé à sa bibliothèque, songeur, il avait enlevé ses lunettes et ses yeux paraissaient plus sombres, enfoncés dans les orbites, de grands cernes noirs soulignant le regard. Il m'observa, se tourna vers Elisabeth et dit ironiquement que je lui cachais Clara Becker, et qu'il n'en comprenait pas la raison. Sa secrétaire pouvait-elle émettre une hypothèse ? Je commmençai une explication laborieuse et ridicule que Garelli interrompit, ajoutant qu'il me laissait libre de décider et qu'il ne voulait en rien changer les liens si particuliers que j'avais établis avec cette journaliste. Je me récriai. Je ne l'avais jamais vue. « Précisément, répétait Garelli, c'est ce que je veux dire. » Il me conseilla de la rencontrer, ce serait un excellent remède.

Je ne la vis que par hasard.

Quelle autre expression employer, même si elle ne rend pas compte de mon émotion et de la certitude qui peu à peu m'habitait que les événements obéissaient à une logique masquée afin de m'emprisonner ?

Je suivais une émission de télévision consacrée aux problèmes de l'information et, tout à coup, mais peut-être l'espérais-je, Clara était au centre de l'écran, expliquant sa méthode d'interview, la manière dont elle enfermait son interlocuteur dans une spirale de questions, le contraignant peu à peu à rejoindre le centre, sans possibilité de recul. J'étais cet interlocuteur. Elle riait, refusait d'admettre que son charme était une arme de plus. « Mes questions, disait-elle, mon obstination seulement, peut-être l'intelligence, non ? »

Elle parlait un français précis qu'un léger accent, dont on ne pouvait identifier l'origine, colorait.

Martine, qui assistait à l'émission, avait murmuré au moment où elle s'achevait : « Voilà une femme. » Je m'étais levé, bougonnant que la prétention n'était jamais preuve d'intelligence, surtout chez une femme. Et j'avais fait l'apologie de ma mère et de sa discrétion. La femme ne trouvait sa grandeur que dans le dévouement.

Je caricaturais mes idées, cherchant à provoquer une réaction. Martine dit seulement que j'étais un homme traditionnel, qui lui convenait pourtant. Mais j'avais, à l'évidence, tort. Puis elle quitta la pièce en chantonnant. Je fus sûr à cet instant que, marié depuis dix ans avec elle, je ne la connaissais pas. Sans doute, sereinement, me trompait-elle.

Elle avait peut-être été, qui sait, la maîtresse de Bernard de Carouge ou de Garelli. Et elle l'était encore. Pourquoi pas ?

L'importance que prit dans les semaines qui suivirent ma vie privée m'irrita. J'en voulus à Clara Becker. Par elle les femmes entraient en force dans mon esprit. Jusqu'au souvenir de ma mère, si longtemps refoulé, qui revenait et celui de cette femme morte, allongée sur la piste cavalière, cependant qu'au-dessus de son corps et des chevaux criaient les mouettes.

Je me mis à guetter Martine, non point pour surprendre son infidélité, mais pour tenter de comprendre qui elle était. Elle remarqua l'attention que je mis durant quelques jours à suivre chacun de ses gestes, à rester près d'elle dans la salle de bains quand elle surveillait les jeux de Serge et de Nathalie.

Elle me dit que je l'importunais. Elle avait aimé en moi le respect que j'avais manifesté de son indépendance. « J'ai besoin d'un espace personnel, disait-elle. Je n'accepterai jamais d'être étouffée. »

Elle n'exigeait de moi qu'une affection mesurée, conclut-elle. Tel était le sens de notre contrat. Elle ne désirait pas en changer les termes.

Mon désarroi ne fit que croître, aggravé par la conscience que j'en prenais. J'étais blessé de la perte de l'unité qui jusqu'alors avait été le trait essentiel de ma personnalité. Or, j'agissais désormais sans plus savoir pourquoi j'agissais. Il m'est arrivé de téléphoner à Clara Becker et, au moment où je reconnaissais sa voix, de raccrocher, pour recommencer aussitôt et interrompre la communication à nouveau, avant même qu'elle ait pu prononcer un seul mot. La sonnerie suffisait à me dégriser. Mais après une période de calme — quelques minutes ou quelques heures — je redevenais irrésolu, les femmes en moi comme un désordre, Martine ou la femme morte pour me conduire à Clara.

Clara dont Martine me parlait, parce que peu de temps après l'émission, elle s'était procuré l'un de ses livres, un recueil de ses principaux interviews que précédait une autobiographie.

Je ne voulais pas lire ce livre et naturellement je le lus.

15

Clara écrivait des phrases courtes dont j'aimais la brutale simplicité. « Je ne suis qu'un regard attentif », disait-elle.

Je reconnaissais sa manière directe de parler. J'imaginais même, à regarder les pages imprimées, le manuscrit, l'écriture harmonieuse et ferme, l'élan de la plume poussant les mots d'un bord à l'autre de la feuille.

Plus tard, elle me dit qu'elle écrivait sous la dictée d'une voix intérieure qui emplissait sa gorge, qu'elle parlait seule à ces moments-là et que parfois ses fils, Marcello et Ricardo, se réveillaient inquiets de ce murmure et restaient là devant elle sans qu'elle les vît. Ils n'osaient pas l'interrompre et ne lui confiaient qu'au matin qu'ils l'avaient surprise. Elle riait. « C'est l'autre, disait-elle, ma voix. » Elle se frappait la poitrine. « Celle qui sait. »

Je lisais, j'entendais cette voix et les mots de Clara s'insinuaient en moi, s'accordaient à ma mémoire.

Elle parlait des lauriers et des roseaux et j'avais sur les lèvres le goût doux-amer de leur sève. Ces plantes vénéneuses et coupantes parmi lesquelles j'avais évolué, suivant Simon Garelli dans notre quartier au-delà de l'hippodrome, l'avaient sauvée. Elle s'était cachée dans le parc de sa villa romaine, accroupie derrière les lauriers, quand les Allemands avaient pénétré dans la maison et fouillé les pièces, entraînant la mère, le père, le frère, négligeant d'inspecter le parc vers lequel, au moment d'être poussé dans un camion, Valerio Becker avait longuement regardé.

Clara avait attendu jusqu'à la nuit.

Le couvre-feu s'étendait sur Rome comme un voile étouffant et Clara traversa la ville afin de gagner la campagne et d'y rencontrer ceux qui se battaient.

« J'ai marché seule », commentait-elle simplement.

Elle avait alors dix-sept ans. J'aurais tant aimé la connaître et je ne peux que rêver à cette jeune fille qui se jetait dans les fossés au milieu des roseaux quand passait un convoi de troupes ou quand elle apercevait à l'entrée d'un village des sentinelles. Ses chaussures s'étaient ouvertes, les coutures ayant cédé. Sa robe, plissée, trop courte, était, dans la campagne austère où les femmes sont vêtues de noir et portent des bas de laine épaisse qui cachent leurs jambes, un défi. Clara le pressentait sans comprendre ce que signifiaient les regards insistants des paysans, ce ricanement des vieux, la hargne des fermières qui refusaient de l'héberger pour une nuit et qui, quand elle s'éloignait, lançaient qu'elles ne voulaient pas de filles de la ville sous leur toit, que ces filles-là étaient la mauvaise herbe qui envahit le champ et pourrit la maison.

« Heureusement, écrit Clara, j'ai rencontré un homme simple et héroïque qui combattait les nazis. Il me donna un pantalon, un blouson, une mitraillette et un cahier. J'étais têtue, je pouvais me défendre et écrire. »

Elle avait donc dix-sept ans. Je l'ai connue près de quarante ans plus tard, et ce temps, ce marécage des années presque aussi profond qu'un demi-siècle, comment ne pas penser qu'il avait recouvert la jeune fille d'alors qui, un foulard rouge noué autour de son cou, était devenue la compagne de « l'homme simple et héroïque » qui l'avait accueillie dans son groupe de partisans ?

Mais j'affirme, et qui aime saura que je dis vrai, que Clara était encore cette jeune fille, qu'elle en avait gardé le regard et l'expression. Quand elle était allongée, ses traits s'affinaient, comme si les années glissaient, dégageant, tel un masque de boue qui s'efface, le visage d'avant, celui de l'adolescence. J'étais heureux de devenir ainsi, pour quelques heures, par ce miracle, le compagnon des temps perdus qui avait partagé ces mois de guerre, les marches de nuit le long des sentiers muletiers dans les Abruzzes et dans l'Apennin toscan. Je pouvais croire que j'étais couché près d'elle, tel Gutturo, « l'homme simple et héroïque » qui plaçait les veilleurs devant la grange ou la cabane de berger, puis les camarades — *i compagni* — se rassemblaient autour des braises. On jetait des pommes de terre dans le feu, on fredonnait lèvres fermées pour que les voix ne s'évadent pas trop loin. Clara écrivait, la tête appuyée à l'épaule de Gutturo. Elle avait coupé ses cheveux qui bouclaient et lui donnaient un visage de jeune garçon. Certains soirs, quand il avait fallu fuir, les camarades se serraient dans la nuit ouverte, couchés l'un contre l'autre sur ces crêtes déboisées que décapait le vent glacial.

« Là, écrivait Clara, parmi les partisans, j'ai appris que les mots doivent être denses comme des pierres et nus comme la vie des hommes simples. »

Elle publia ses premiers textes dans les journaux de Florence, au lendemain de la libération de la ville. Elle vivait alors avec Gutturo, l'un des dirigeants communistes de la province. Ils se retrouvaient tard dans la nuit après les réunions et les meetings, les conférences de rédaction et les palabres. Gutturo parlait plus qu'il ne faisait l'amour. Allongé, les mains croisées sous la nuque, Clara collée contre lui, il racontait les années trente, le fascisme, les prisons, l'espoir et le désespoir, le courage des condamnés qui hurlaient leur foi révolutionnaire devant le Tribunal Spécial et partaient enchaînés pour les bagnes des îles.

Le désir s'avançait et refluait, porté par le silence et dissipé par les mots.

Je n'ai pas osé interroger Clara pour tenter d'imaginer Gutturo. Il avait une cinquantaine d'années — mon âge aujourd'hui. Elle disait de lui seulement qu'il était comme l'un des arbres du parc contre lequel, enfant, la nuit, elle se serrait. Maintenant encore, à plus de quatre-vingts ans, il avait gardé le même visage, massif et creusé de sillons, comme souvent les hommes dont le vent et le soleil ont ciselé les traits. Maçon, Gutturo, depuis l'âge de douze ans, il avait grimpé sur les échafaudages les sacs de plâtre et de ciment. Sa nuque était tannée.

Un matin, il avait pris Clara par les épaules. Il n'était pas très grand, Gutturo, râblé, le front étroit, les cheveux plantés bas et un regard voilé. « Tu pars, avait-il dit. Tu pars, amour. »

Il tranchait entre eux. Un camarade accompagna Clara jusqu'à Rome. Gutturo avait organisé son arrivée. Elle travaillerait à *Paese Sera*, le journal communiste du soir, et logerait chez une sœur de Gutturo.

« Tu dois partir parce que je suis vieux, avait dit Gutturo. Toi, tu resteras jeune longtemps. »

16

Jeune, Clara l'était encore quand je la rencontrai. Elle portait les cheveux mi-courts, bouclés, elle avait le visage hâlé, une vivacité dans le regard, une colère si prompte et des indignations violentes, les mains toujours en mouvement et une voix si pleine de fougue qu'elle réussissait sans aucun artifice à masquer les traces du temps, les rides autour des paupières et de la bouche, la lourdeur des hanches, cette lassitude parfois qu'elle exprimait par une démarche un peu lente et même harassée, pour un bref instant, pâle, son corps voûté comme un aveu. Je me souvenais alors qu'elle avait quelques années de plus que moi, qu'elle avançait dans cette partie grise de la vie où les jours se rétrécissent et où, avec le sentiment d'étouffer, on en frôle les parois qui se rapprochent et vous serrent.

Je mettais, à ce moment-là, ma main sur son dos, afin qu'elle se redressât un peu, tant il me semblait injuste qu'elle fût, comme les autres, emportée, peu à peu érodée, modelée par cette pression insidieuse et constante.

Je l'aimais.

Une fois, une fois seulement, mais j'entends encore ces mots qui m'effrayèrent, elle me dit qu'elle choisirait un jour la mort parce qu'il n'existait que deux façons humaines de mourir, se suicider avant que vienne le dégoût de soi, de son visage, avant que la pensée s'émiette, ou être tué pour la tâche qu'on accomplit.

Depuis, quand elle est loin de moi, dans ces hôtels des antipodes où je ne réussis que rarement à la joindre, je crains que, tout à coup, elle ne décide que le moment est venu et qu'elle ne me laisse.

Je sais qu'elle a voulu, déjà, à Rome, quand elle revint à dix-neuf ans dans cette ville qui était son enfance, abandonner. La maison familiale avait été détruite par la seule bombe tombée loin des quartiers populaires lors des attaques aériennes de 1944. Clara rôda dans le parc où les arbres étaient abattus, les lauriers enfouis sous les gravats. Brusquement, elle crut qu'elle allait découvrir les corps du père, de la mère, du frère, parmi les tuiles brisées et les murs défoncés. Elle quitta le parc.

La sœur de Gutturo, Maria-Rossanda, une femme d'une soixantaine d'années, la retrouva le lendemain dans sa chambre, les poignets ouverts. Clara avait posé, afin de ne pas tacher le lit, plusieurs épaisseurs de journaux sur les draps, puis elle s'était allongée.

L'entaille heureusement était légère et le sang jeune sèche vite.

J'ai caressé les boursouflures de peau plus blanche qui, tout près des paumes, sont la mémoire de cette nuit-là. Je ressentais sur mes poignets une brûlure, comme si se transmettait du corps de Clara au mien, par-delà le temps, la douleur qu'elle avait éprouvée et dont elle ne parlait jamais. Elle écartait mes doigts de ses cicatrices, elle souriait avec tendresse, disait : « Après je n'ai plus eu peur », mais je devinais à la manière dont elle effaçait ses lèvres fines, pâles, dans la peau mate du visage, qu'elle se souvenait avec amertume de sa souffrance, de cette solitude qui l'avait conduite à cet acte. Elle ne le reniait pas, elle répétait qu'il était le choix humain le plus noble, l'affirmation de la dignité.

Je la serrais contre moi avec fougue. Je tentais de lui transmettre mon amour, mais je la sentais enfermée et glacée.

Il me fallait longtemps pour qu'elle acceptât de revenir à moi, à nous. Je la questionnais, je lui montrais que je connaissais les éclats de sa vie. Elle avait un besoin enfantin d'admiration et d'amour, tant elle était incertaine, non de ses qualités ou de sa réussite, mais de la nécessité de vivre. Elle devait à chaque instant être convaincue qu'elle était aimée, qu'elle le serait encore, toujours, qu'elle séduirait et raconterait, et donc qu'elle pouvait continuer à vivre.

Je craignais souvent de ne point réussir à la rassurer. Elle resterait absente, morose, le visage tout à coup fripé, l'âge agrippé à elle. Alors elle me quitterait pour un pays en guerre, afin d'y risquer sa vie et de s'y faire découvrir et aimer peut-être par ceux qu'elle interviewerait, qu'étonneraient sa vaillance insolente, son goût du défi. Elle se réchaufferait à tant de regards posés sur elle, sûre, puisqu'elle ne faisait que passer, qu'ils n'imagineraient pas, ces combattants auxquels elle se mêlerait, qu'elle était aussi frêle, blessée, prête certains jours à se tuer de désespoir.

Moi, je le savais parce que je l'aimais.

J'usais, pour que la vie s'empare à nouveau d'elle, du nom de ses enfants, Marcello et Ricardo. Je l'interrogeais. Je la flattais d'être la mère de l'un des meilleurs juristes d'Italie et d'un professeur de sciences politiques que ses livres avaient imposé.

Peu à peu, elle s'épanouissait, elle s'étirait. Aucune émotion, chez elle, qui ne se manifestât par une expression ou un geste, une attitude de son corps. Elle commençait à me répondre. Ricardo, Marcello, oui, deux fils qu'elle aimait, dont elle était orgueilleuse. Elle riait, me racontant comment elle avait, peu de temps après la naissance de Marcello, quitté leur père, une valise à chaque main et un fils sous chaque bras. Il croyait, commençait-elle, ce François Drecht, un diplomate français, puis elle s'interrompait, « rien, rien », répétait-elle comme pour se débarrasser à l'aide de ces deux petits mots d'un souvenir gênant, « rien, rien », mais François Drecht avait imaginé, puisqu'il était le père et désirait reconnaître les enfants, qu'il pourrait posséder, pour toute une vie, leur mère.

— On ne m'enferme pas, disait Clara.

Personne ne l'avait plus jamais tenté.

Elle prononçait ces phrases avec une détermination presque rageuse, le port de tête fier, lionne vraiment, le menton levé, les cheveux flous, le regard droit.

17

Le regard de Clara, quoi qu'il m'arrive, je ne l'oublierai pas.

A la télévision, je n'étais pas parvenu à le saisir, trop sensible au mouvement des mains, à la voix, à l'expression. Les yeux de Clara ne se fixaient pas sur moi mais sur ce cercle noir de la caméra où ils se perdaient.

Mais dans le hall de l'hôtel Ascott à Genève ce regard me prit et ne m'abandonna plus. J'attendais Thierry de Carouge. J'étais arrivé le matin de Paris et je m'étais immédiatement rendu à la Société Genevoise de Finance afin de remettre à Thierry de Carouge le texte du protocole d'accord auquel nous avions la nuit précédente, Simon Garelli et moi, mis le point final. Garelli espérait que Bernard de Carouge ne se déroberait plus et il comptait sur la sagesse du « vieux Carouge » pour convaincre le fils. J'étais sceptique. Le protocole contraignait Bernard de Carouge à une capitulation sans conditions et je ne comprenais pas pourquoi le président du Groupe Carouge-Mortain, qui conservait dans son conseil d'administration une minorité de blocage, se soumettrait. Mais à mon scepticisme prudemment exprimé Simon Garelli n'avait répondu que par une moue ironique. Elle lui était familière quand il voulait manifester sa supériorité et donner le sentiment qu'il possédait seul la vision et la maîtrise complètes du problème. Je m'étais donc tu.

Thierry de Carouge m'avait demandé vingt-quatre heures de réflexion, le temps de consulter ses avocats, de joindre son fils, dont Garelli et moi ignorions le lieu de résidence. Cette disparition de Bernard de Carouge, ce recours à son père comme intermédiaire m'avaient paru un temps suspects. Bernard avait montré autrefois qu'il était un rude négociateur. Que craignait-il encore après ce qu'il avait subi il y avait quelques années — et dont je parlerai ? Pourquoi ce mystère ? Mais j'avais décidé que ma vie serait celle d'un homme qui ne se pose que les questions nécessaires. Et j'avais écarté mes soupçons, me bornant à être ce rouage efficace que Garelli appréciait et m'enfonçant dans un conformisme où je croyais trouver la paix.

Je m'étais donc promené une partie de l'après-midi au bord du lac.

Les étendues d'eau me sont néfastes, elles font vivre en moi les souvenirs.

Le ciel était lumineux, l'air glacé. Je m'avançais parfois sur ces jetées de bois qui s'enfoncent d'une dizaine de mètres dans le lac. Les planches noires d'humidité résonnaient et paraissaient vermoulues. Au bout de quelques pas je craignais qu'elles ne s'effondrent et je regagnais en marchant à l'extrémité des traverses, à hauteur des piliers, les allées de la terre ferme.

J'agissais ainsi avec ma mémoire. Les visages de ma mère ou de mon père surgissaient ou bien j'entendais leurs voix, celle de ma mère le plus souvent qui m'appelait quand je m'aventurais, à la suite de Simon Garelli, dans les champs couverts de roseaux, vers la plage de sable où se déroulait la mer, au-delà de l'hippodrome. Je perdais, à ces souvenirs, mes repères et mes certitudes. Que valait la vie, ma vie, puisqu'elle était séparation d'avec ce temps de l'enfance, quand j'existais dans une unité naturelle, sans m'interroger ? Tous mes efforts depuis le départ de mon père et surtout la mort de ma mère n'avaient-ils pas tendu à essayer de retrouver cette cohérence d'avant ? Le travail, le refus de l'amour, l'obéissance à Simon Garelli, comme des subterfuges pour ne pas me souvenir, ni risquer d'être noyé par l'émotion et la nostalgie, le désespoir même ?

Je quittai le bord du lac, je détournai les yeux de l'eau qu'irisait le soleil, j'entrai dans le hall de l'hôtel Ascott.

Il est vaste et donne une impression de pénombre malgré les zones vivement éclairées. Des colonnes massives le partagent en plusieurs salons aux atmosphères différentes. Un bar en occupe le fond et le métal du comptoir brille dans une lumière aux reflets rouges. Je m'installai là, juché sur un haut tabouret, surveillant l'entrée de l'hôtel, et c'est ainsi que je la vis s'avancer.

Clara Becker portait un tailleur bleu-gris dont la jupe était un peu longue. Son chemisier de couleur claire, légèrement rose, fermé par une longue cravate nouée, tranchait sur le tissu austère de la veste. Elle marchait un peu penchée sur le côté droit, comme entraînée par la serviette noire qu'elle tenait à bout de bras. L'allure était celle d'une femme chargée de responsabilités, diplomate, avocate ou chef d'entreprise se rendant à un rendez-vous professionnel. Mais il y avait ses cheveux de la teinte d'un miel un peu roux et son regard.

Elle me fixa comme si elle me connaissait et je vis pour la première fois ses yeux.

Quand j'essaie de trouver les mots afin de parler de ce regard et de ces yeux, je suis démuni et ne me viennent que des vers d'Emmanuel Chaves, lus dans le recueil que m'avait donné le jour de la signature de mon contrat Simon Garelli.

J'ai retrouvé ce livre, ici, chez Jean Zorn.

J'avais, après avoir quitté la Société Internationale de Banque et d'Industrie, vidé la bibliothèque du bureau de ma villa et emporté une valise entière de documents dans le but d'étayer mes accusations et de construire avec rigueur mon réquisitoire. Le recueil de Chaves avait dû se glisser parmi les archives et les dossiers, comme si quelqu'un avait voulu me contraindre à me rappeler que Simon Garelli avait plusieurs facettes, qu'il était aussi ce lecteur de poésie, ce rêveur, et que j'avais quelques excuses à m'être plié aveuglément durant tant d'années à sa volonté.

Face à la mer, aveuglé souvent par le miroitement du soleil sur les vagues et les éclats de mica noyés dans les rochers de porphyre, j'ai lu les poèmes d'Emmanuel Chaves.

Je croyais les connaître alors que je découvrais seulement qu'ils exprimaient ce que je ressentais.

Je m'approprie l'un d'eux. Chaves écrit :

> « *Je veux*
> *retenir*
> *le souffle et le courant*
> *et agripper le temps*
> *Je veux*
> *puissant et humble*
> *dire*
> *avec ma vie*
> *tes yeux de vent* »

18

Clara, pour moi, aura toujours les « yeux de vent ».
Elle s'avançait dans le hall de l'hôtel Ascott, passant de
la pénombre à la lumière, disparaissant derrière une
colonne, et je la retrouvai échangeant quelques mots avec
l'un des employés de la réception, se dirigeant ensuite vers
le bar. J'avais alors le sentiment qu'elle me dévisageait et
me reconnaissait. Son regard comme un grand souffle de
tempête faisait battre en moi une émotion qui me paraissait
être un souvenir d'enfance, car je n'avais plus rien éprouvé
de semblable depuis les peurs et les joies puériles, quand la
vie semble tout à coup se résumer à la volonté de savoir ou
de posséder et à l'inquiétude de découvrir.
Elle s'assit près de moi et je découvris la régularité
classique de son profil. Il exprimait la détermination. Le
menton était fermement dessiné, le nez droit, le front haut
et bombé, les lèvres peu marquées, comme si le visage
n'avouait aucune sensualité mais plutôt la résolution et
l'intelligence. Je l'observais avec tant d'insistance, malgré
moi, qu'elle esquissa un sourire plein d'assurance et
d'ironie, de mépris aussi pour l'inélégance avec laquelle je
m'obstinais à la regarder, incapable de me détourner sans
pour autant réussir à lui parler. Je souhaitais et je craignais
qu'elle le fît, mais, après quelques secondes, son visage se
recouvrit d'indifférence. Elle me niait, se retrouvait seule,

grave, tout entière à ses pensées. Elle posait sa serviette sur
le comptoir, l'ouvrait, en tirait des magazines, des feuillets
dactylographiés qu'elle se mettait à lire puis à annoter. De
temps à autre, tout en réfléchissant, son regard m'effleurait, mais je n'étais, je le sentais bien, qu'une silhouette
floue dans le hall de l'hôtel. Clara revenait à son travail,
bougeant un peu, croisant et décroisant les jambes. Je vis
ses genoux qu'elle cacha aussitôt d'un geste instinctif. Elle
portait des bas mauves composés de losanges allongés, des
bottes de cuir foncé.

Je n'avais que très rarement observé une femme, prêté
attention à la manière dont elle était vêtue, réfléchi à ce
rapport qu'elle pouvait établir entre ses vêtements et son
corps. J'étais incapable de décrire la manière dont Martine
s'habillait bien que j'aie vécu avec elle depuis près de dix
ans. Et là, assis à ce bar de l'hôtel Ascott, je compris que je
refusais de la voir en femme, alors que, en quelques
minutes, j'avais avec avidité et un sans-gêne auquel je ne
pouvais renoncer examiné et détaillé le corps de Clara
Becker et l'apparence qu'elle voulait lui donner.

Je pouvais parler de son cou, de la peau qui commençait
à se flétrir et que j'apercevais sous la cravate de soie rose,
nouée large. J'imaginais ses seins, lourds, séparés, ses
cuisses fortes qui s'appuyaient à ses genoux ronds, que
j'avais vus. Je voulais connaître sa nudité apaisante comme
une houle quand le vent est tombé et qu'on se laisse porter
par elle. Son corps que je désirais. Clara ne cherchait pas à
le masquer ou à le mettre en valeur. Le tissu de son tailleur
gris-bleu était épais, et une femme soucieuse de sa ligne eût
choisi une autre étoffe, une autre coupe. La veste courte, la
jupe un peu longue accusaient au contraire la largeur des
hanches.

Je pensai tout à coup à ces femmes auxquelles parfois
j'étais confronté quand j'accompagnais des actionnaires ou
des clients étrangers à ces spectacles de cabaret que la
Société Internationale de Banque et d'Industrie leur offrait

durant leur séjour. Des femmes s'asseyaient entre nous. Leurs parures et leurs visages n'étaient qu'invitation au désir, artifice et souci de montrer ou de dissimuler afin de mieux suggérer. J'oubliais le regard de ces femmes, et peut-être voulaient-elles qu'on l'oubliât, pour ne plus voir que leurs lèvres dessinées avec un rouge foncé, leurs seins qu'un soutien-gorge soulevait et rapprochait, leurs cuisses. Elles se réduisaient, afin de mieux protéger ce qu'elles étaient, à des parties de leur corps et quelquefois, je l'avoue, l'envie de poser ma main sur leur poitrine ou leur pubis m'envahissait. J'étais pour un instant limité à l'axe du désir. Loin de Paris — à Hong Kong et à New York, je me souviens, et une autre fois à Varsovie — quand j'étais l'hôte des banques associées, que l'on m'invitait moi aussi dans des cabarets, j'étais resté seul après le spectacle dans une chambre avec l'une de ces femmes. Brusquement, je voyais ses yeux et j'entendais sa voix. Ses seins, ses hanches, ses cuisses n'étaient plus que des protubérances de chair. J'avais fui avec un sentiment de honte dont je ne réussissais pas à savoir s'il provenait de mon impuissance à faire l'amour ou au contraire du dégoût que j'éprouvais à avoir été tenté de le faire dans ces conditions.

Je me reprochais ces contradictions. Ne voulais-je pas être l'homme des actes plutôt que des scrupules ? Et prendre du plaisir sans s'interroger ou sans nouer une relation avec sa partenaire, n'était-ce pas conforme à ma condamnation des sentiments amoureux ? Mais comme le désir ne se commande pas, j'étais obligé d'admettre que ma virilité était en défaut, ma vieillesse anticipée, ce qui me laissait morose, et je me vouais avec plus d'aveuglement encore au service de Simon Garelli.

Il me disait parfois, alors que nous voyagions ensemble, soumis aux mêmes tentations, mais il paraissait les assouvir avec entrain : « Vous n'êtes pas un homme à femmes, Julien, n'est-ce pas ? » Il allumait un cigare et je ne fumais pas. « Vous êtes idiot », ajoutait-il avec affection.

Il m'observait, les yeux clos, énigmatique ou tout simplement somnolent, envahi par la torpeur douce que donne le tabac. « Quels sont vos mobiles, Julien ? murmurait-il. La famille ? La Sibani ? »

Il penchait la tête, me souriait. « Moi, peut-être ? »

Il écrasait son cigare tout en faisant une moue de dénégation. « Vous ne me ferez jamais croire cela, malgré notre passé commun. »

Il me parlait ainsi dans ces voitures mises à notre disposition par nos hôtes. Nous roulions sur une autoroute vers un aéroport. Garelli s'enfonçait dans le siège. « Vous n'avez pas encore trouvé, Julien ? » Puis après un silence : « Attention au coup de vent. »

19

Ce coup de vent, ce fut Clara. Elle me déracina. Quand je me retrouvai assis près d'elle au bar de l'hôtel Ascott à Genève, je sus qu'il n'était plus nécessaire de lutter contre ce qui m'apparut tout à coup comme mon destin.

J'avais toujours refusé ce mot et l'idée de soumission qu'il recouvrait. Il me paraissait aussi ridicule que les mots de passion ou d'amour. Ma mère avait invoqué le destin avec tant de délectation morbide, une sorte de soulagement lâche aussi, qu'il me suffisait d'entendre ce mot pour que je me révolte.

« C'est mon destin », disait-elle, alors que dans la cuisine, mes cahiers posés sur un journal déplié, j'achevais mes devoirs du lendemain. Nous étions seuls. La fenêtre était ouverte. Le bruit du ressac roulait jusqu'à nous, rythme régulier auquel se mêlait le coassement des grenouilles innombrables parmi les roseaux. « C'est notre destin », répétait ma mère, m'entraînant avec elle en esclavage. Elle soupirait. Elle achevait de laver notre vaisselle ou bien de repriser l'un de mes pull-overs. Elle ajoutait : « Pauvre petit », et poussée par l'affection ou peut-être la culpabilité, elle se levait, s'approchait de moi, voulait m'entourer de ses bras, m'embrasser dans le cou ou sur les cheveux, lire ce que j'écrivais.

Je repoussais ma mère, je la renvoyais, hurlant qu'elle

dévait me laisser travailler. Je refusais la servitude. Je me mordais les joues et les lèvres. J'étais un bloc hérissé de mépris.

Elle ne comprenait pas et répétait : « Julien, Julien, qu'est-ce que tu as ? » Il me fallait alors la rassurer, trouver des prétextes à ma hargne, une rédaction difficile, un problème que je ne comprenais pas, un professeur hostile. Mais plus j'accumulais des excuses et plus elle y trouvait de preuves de la malédiction qui nous accablait. Elle haussait les épaules, elle m'embrassait encore et comment aurais-je pu la repousser à nouveau, elle, la si douce ? Elle me regardait comme un naïf qui ignore les forces qui le dirigent. J'étais Œdipe et elle attendait le malheur, ayant subi la loi des Dieux, cru elle aussi peut-être qu'elle pourrait y échapper. « Les études, oui, disait-elle, mais le destin... »

Si je ne protestais pas, si je ne tentais pas de la raisonner afin de lui prouver que la vie est une route qu'on ouvre avec ses seules mains, et dès l'enfance je m'étais convaincu de cela, elle hochait la tête, pleine de compassion. Elle me racontait une histoire édifiante, la sienne, sa rencontre avec mon père à Venise, les avertissements que de toutes parts elle avait reçus, le refus qu'elle avait d'abord opposé au mariage, ses fiançailles avec un jeune officier et la mort de ce dernier, si bien qu'elle avait cédé à ce Roberto Vanco, « le destin, le destin, Julien ».

Je m'étais arc-bouté, comme un marin qui tient la toile contre le vent, qui remonte le courant. A chaque cap franchi, je me retournais, vainqueur, vers ma mère, je disais : « Tu vois, tu vois. » Elle était fière de mes succès, pourtant la route que je croyais inventer ne lui paraissait être qu'un sillon déjà tracé. « Ton destin est meilleur que le mien, commentait-elle, sois heureux. » Mais souvent, quand ma joie lui semblait trop forte, elle ajoutait avec inquiétude, comme pour m'éviter la vengeance des Dieux qui n'aiment pas ceux qui triomphent : « Attends, attends, ton destin n'est pas fini. »

Elle disait ces mots à voix basse, de peur d'attirer l'attention des forces noires qui avaient entravé sa vie. Je devinais ses prédictions et j'avais beau les rejeter, rire, conduire ma mère dans un restaurant du bord de mer, lui offrir tout ce qu'elle avait pu désirer ou la rassurer en accumulant les signes de ma réussite, son murmure m'avait assombri.

Toute ma vie et même quand la voix de ma mère fut étouffée par ces poignées de terre que nous jetions, l'un après l'autre, sur son cercueil, je fus donc sur mes gardes, soucieux de ne rien choisir qui ne fût décidé et voulu.

Je me mariai avec Martine précisément parce que l'attirance et l'amour, ces sentiments aux limites floues où, selon la tradition, le destin se love, n'étaient en rien — ou si peu — la cause de notre union. Je m'enfermai dans un univers de volonté, de lucidité et d'habitudes. Mon métier n'était que le refus de la passivité. A la Société Internationale de Banque et d'Industrie nous jouions avec des données réelles sur lesquelles nous pesions.

Les variations des monnaies, même si nous n'en contrôlions pas toutes les causes, nous les prédisions et les utilisions. Nous étions le destin et ne le subissions pas.

Quand je lisais dans la presse les comptes rendus des manifestations politiques, j'étais rempli de commisération pour ces foules qui ignoraient que les flux monétaires déterminaient leurs choix.

Le destin n'existait donc que pour les autres. J'avais gravi les pentes de l'Olympe. Je siégeais aux côtés des Puissants, dans leur demeure. Je n'avais qu'un ciel vide au-dessus de moi.

Et brusquement Clara, ce coup de vent.

20

Le vent ne souffle, dit-on, que vers les zones dépressives,
là où l'atmosphère se raréfie.

J'étais ce vide. J'avais besoin de Clara. Je ne la connaissais pas encore mais depuis des mois je l'appelais. Ce n'est
qu'aujourd'hui que j'ai conscience de cette attente et de
l'impossibilité dans laquelle je me trouvais de continuer à
vivre comme je le faisais depuis plus de vingt ans.

Ou alors il me fallait mourir d'une vie inchangée.

Je n'exagère pas ce calme désespoir dont je ne pouvais
ignorer les signes. Je me levais avec peine, accablé dès le
matin d'une lassitude morose. J'étais à la fois lourd, envahi
par un sentiment de rancœur, d'amertume et même de
dégoût, et en même temps je me réduisais à une apparence,
masquant ce creux de sarcophage pillé, ma personne
évidée. J'avais été, dans mes résolutions, un homme
d'enthousiasme. Pas un obstacle que je ne prenne d'assaut
au pas de charge. Mais je n'avais plus de guerre à laquelle
participer. Il ne me restait qu'à pourrir. J'accomplissais les
missions que Garelli me confiait comme un automate.

Je me répétais qu'on nomme cela la vie et que je m'étais
battu pour parvenir à ce lieu, d'où toute surprise avait été
exclue, à cette existence gouvernée par la raison. Je servais
Simon Garelli. Je partais pour Genève. Je signais des
contrats. Je téléphonais. Le soir, je lisais rituellement *le*

Monde, puis j'allais embrasser Serge et Nathalie. Martine me rejoignait dans le salon devant la télévision. Nous échangions quelques mots et parfois nous décidions, d'un regard vite détourné, que nous devions, puisque nous étions des époux, faire l'amour.

Le corps de Martine était beau. Elle veillait chaque jour sur lui comme s'il se fût agi d'une part séparée d'elle-même. Etait-ce pour cela que je né réussissais pas à faire coïncider Martine et son corps ? Elle était l'une de ces femmes sans regard et sans voix, qui durant l'amour me chassait de moi et me divisait. Nous ne restions que peu de temps côte à côte, mêlant nos respirations plus bruyantes. « Excuse-moi », disait Martine en se levant. Elle s'enfermait dans ma salle de bains avant de regagner sa chambre. « Bonne nuit, Julien. » Je répondais de la même voix grise et quand je retrouvais Martine, le lendemain matin, je m'étais encore éloigné d'elle.

Seuls Nathalie et Serge par leurs questions et leurs jeux réussissaient à me donner le sentiment que je n'étais pas qu'une somme de réflexes. Je riais avec eux. J'inventais des récits dont le déroulement m'étonnait. Mais Martine se souciait de la bonne éducation de ses enfants. Mes contes étaient cruels, disait-elle ; elle se défiait de mon influence et ne voulait pas que j'empiète sur son territoire. A moi la société, à elle la famille. Ainsi en avions-nous décidé, n'est-ce pas ? Il fallait que je respecte la règle du jeu.

Je m'y suis plié peu à peu sans révolte, interprétant le rôle que Martine me destinait. N'était-il pas conforme à ce que j'avais souhaité ? La logique, l'ordre, la raison — toujours elle — gouvernaient maintenant mes journées. Je n'effrayais plus mes enfants avec des fables. Une étudiante anglaise — Judith — les accompagnait à leurs cours de danse et de piano. Elle leur enseignait la politesse et l'anglais. J'avais appelé irresponsabilité la spontanéité, la fantaisie ou la passion. J'avais condamné la manière dont ma mère et mon père avaient vécu et j'avais rejeté l'éducation brouillonne que l'on m'avait donnée ou ces sentiments excessifs que mes parents laissaient exploser devant moi. J'aurais donc dû être satisfait de voir mes enfants se transformer en deux petits adultes dressés qui imitaient leur mère, si parfaite, si mesurée. Ils ressemblaient aussi à ce cadre supérieur dévoué de la Société Internationale de Banque et d'Industrie que j'étais devenu. J'aurais dû m'épanouir dans cette vie paisible.

Et chaque matin pourtant, alors que j'attendais Dorel, le chauffeur de la Sibani, je portais en moi des images de mort. Comment en finir avec moi, avec ma vie ?

Cette inconséquence, cette insatisfaction aux origines obscures me désespéraient plus encore.

Heureusement, à 7 h 30, Dorel arrêtait la voiture devant les grilles de notre maison de Saint-Cloud. Les journaux étaient posés à gauche de la banquette arrière. J'échangeais avec Dorel quelques courtes phrases inutiles, toujours les mêmes. Mon désespoir se muait en grisaille. J'étais repris par les habitudes. Nous roulions dans les rues silencieuses de la banlieue cependant que je lisais les principaux titres des journaux et les commentaires boursiers. Je tentais d'accrocher mes yeux et ma pensée à ces informations que je connaissais déjà pour les avoir entendues à la radio, espérant y trouver une source d'émotion. Mais j'étais séparé du monde, protégé de lui par ce fossé d'indifférence que j'avais nommé la maîtrise de soi.

Quand Dorel ralentissait pour entrer dans le parc de la villa de Simon Garelli je pliais soigneusement les journaux afin de participer au rituel de l'accueil du président. Je descendais en même temps que Dorel. Il demeurait près de la voiture alors que j'avançais dans l'allée principale jusqu'au perron. Garelli sortait à cet instant, accompagné de Marie-France, sa femme. Elle était plus grande que lui, blonde, altière, sèche. Je la saluais cérémonieusement d'un baisemain. « Dites à Simon de se ménager, je vous en prie, Julien », répétait-elle.

Garelli s'était déjà éloigné. Je le rejoignais dans l'allée au moment où, le plus souvent, il tirait de sa poche un livre qu'il commençait à feuilleter tout en marchant. Il prononçait quelques mots à mon intention, ignorait Dorel, qui, obséquieux, s'inclinait tout en tenant la portière ouverte. Je m'asseyais près du chauffeur, laissant à Garelli la banquette arrière.

Je l'observais dans le rétroviseur durant une bonne partie du trajet. Les lunettes posées sur le front, la main devant la bouche, il avait une expression de recueillement et d'attention, les yeux presque fermés. Il tenait son livre de la main gauche. Dès que nous quittions les quais de la Seine pour prendre les rues encombrées, il cessait de lire et m'interrogeait d'une voix distraite. Martine, Nathalie, Serge : il n'attendait pas mes réponses, commentait l'actualité ou bien m'invitait à me rendre dans son bureau plus tôt que prévu. Le ton de Garelli au fur et à mesure que nous approchions du boulevard Haussmann se modifiait, son visage lui-même changeait. Quand nous entrions dans la cour du siège de la Sibani, Garelli était devenu un petit homme vif, dont les lunettes dissimulaient le regard. Il se dirigeait vers le hall, les mains derrière le dos, et sans se retourner, sachant que je le suivais à un ou deux pas, il me donnait ses consignes : Carouge, Calzi, demander à Gottlieb ou à Rouvet de faire une étude sur le financement des aciéries Mortain. Lederman était-il rentré de Rio ?

Je répondais par monosyllabes, sachant que Garelli eût interrompu tout commentaire d'un : « Soyez plus bref, Vanco. »

Le matin, il oubliait mon prénom et effaçait d'un mot l'intimité que le trajet avait créée entre nous.

Et pourtant, dans le hall, au moment où nous nous séparions, il me souriait, ironique et fraternel. « Vous devriez lire de la poésie, Julien, quelle paix, vous n'imaginez pas. » Il haussait les épaules, ajoutait : « On peut alors accepter le reste. » Une fois même il me dit : « Sinon, vous

ne tiendrez pas jusqu'au bout, Julien, je vous assure. » Il
m'avait pris le bras. « Je vous connais bien, non ? Croyez-
moi. »

Les derniers mois d'avant ma rencontre avec Clara, je
craignais, comme il le précisait, de ne pouvoir rejoindre le
terme de ma route. Je pensais constamment à la mort sans
pouvoir déceler les raisons de ce marécage suicidaire dans
lequel je m'enfonçais. Ce n'étaient plus seulement des
images imprécises qui s'imposaient à moi ou un désir
abstrait. J'imaginais déjà les moyens, les drogues que
j'accumulerais pendant quelques semaines, multipliant les
visites chez des médecins différents pour les obtenir, ou
bien le port d'arme que je sollicitais afin de posséder ce
revolver que je dirigerais contre moi, un matin, dans le
jardin, loin de la maison, pour que le bruit de la détonation
se confonde avec les rumeurs qui montaient de l'autoroute.
Quelquefois, j'avais la tentation de rechercher dans la cave
une corde ou un câble électrique que j'accrocherais aux
agrès que j'avais fait placer dans la salle de jeux.

Que pouvait la poésie contre ces pensées morbides ? Je
m'affolais à l'idée qu'il me restait encore tant de journées
identiques à reproduire, mille années de vie, avec ces faux
imprévus de la maladie ou de la mort des proches, ces
variations des cours de la Bourse qui ne provoquaient plus
chez moi aucune surprise.

Parfois j'étais saisi de panique. La carapace du sarcophage était trop épaisse pour que Martine, mes enfants,
Marianne ou Denis perçoivent ce battement qui résonnait
en moi, comme pour me faire mesurer le vide que j'avais
creusé. Mais tout à coup j'avais froid, je devais réprimer un
tremblement. Ma peau était parcourue, imaginais-je, de
rides courtes comme des secousses glacées. J'aurais — si je
l'avais osé et pu — hurlé pour exprimer cette peur

irraisonnée qui faisait craquer cette armure pesante dont je m'étais revêtu. « Assez, assez, qu'on en finisse », tels étaient les mots qui obstruaient ma gorge. Et l'idée que je n'avais que cinquante ans m'était insupportable. Je croyais ne plus avoir à découvrir que le non-sens de ce que j'avais vécu, tout en sachant que j'avais librement décidé de mon itinéraire et qu'il était trop tard pour en changer la direction.

Jamais je n'évoquais ces sensations et mon état d'esprit. Je croyais encore qu'avouer est une faiblesse, parler une lâcheté. J'imaginais que les mots briseraient les digues que chaque jour j'élevais en moi pour me contraindre à vivre. D'ailleurs à qui aurais-je pu me confier ? Martine se serait détournée. Nous vivions de conventions et d'habitudes, non de vérité. Mes collègues de la Société Internationale de Banque et d'Industrie n'étaient pas des intimes, même si nous les recevions souvent. Je n'échangeais avec Lederman, Rouvet, Gottlieb, de Sarte ou Jeumont que les confidences d'hommes qui se côtoient sans se livrer.

Garelli, lui, me perçait, j'en étais sûr, mais il semblait aimer mon malaise, ne m'aidant que d'une manière sarcastique par quelques remarques brèves et des faux conseils.

Je n'avais, en fait, qu'un unique ami, Jean Zorn. Nous nous étions connus au début de nos études, alors que nous vivions tous deux à la cité universitaire. J'avais quelques mois éprouvé pour sa sœur, Erica, une attirance dont je m'étais méfié. Quand j'avais découvert que je pensais à elle à tout instant, que j'interrogeais Jean, dès que je le pouvais, sur les études et la vie de sa sœur, je m'étais intimé l'ordre d'extirper de moi cette pousse d'un sentiment d'amour. Je me mis à travailler avec une passion redoublée, ne voyant Zorn qu'à l'heure des repas, si fatigué par mes veilles que je réussissais à peine à lui parler. Les horaires auxquels je me soumettais étaient si différents de ceux qui rythmaient la vie des autres que je m'isolais parfaitement. Qui se couche à 19 heures et se lève à minuit, qui lit quatorze heures par jour peut vivre au milieu des gens sans les voir. J'avais étouffé Erica mais je restais l'ami de Jean.

C'était — c'est toujours — un homme silencieux. Ses yeux protubérants exprimaient la bonté et l'ironie, et aussi, je crois, une sorte de désespoir accepté. De taille moyenne, les cheveux très noirs, le visage fin, il pouvait demeurer en face de moi sans parler tout en me rassurant. Il me versait du café, fumait lentement et parfois, en passant près de moi pour se rendre à la cuisine, il m'effleurait l'épaule. Ce geste de tendresse à peine esquissé m'émouvait aux larmes.

Quand il fut médecin, nous continuâmes à nous voir. Je le choisis comme l'un des témoins de mon mariage. Il soigna nos enfants. Et c'est dans sa villa que je me suis réfugié. Là, j'écris ces lignes.

Nos liens étaient profonds et pourtant nous ne parlions jamais de nos vies privées. Jean s'était marié et avait divorcé après deux années. Depuis, des femmes se succédaient à ses côtés sans qu'il parût les voir.

J'observe, de la fenêtre de la chambre où j'écris, leurs efforts pour attirer son attention, leurs bras levés, leurs seins nus, leurs voix trop gaies. Jean s'approche d'elles lentement, il semble regarder au-delà. Ce sont elles qui se pendent à son cou. Il les caresse avec une familiarité tendre faite aussi d'indifférence.

Jean Zorn nous accueillait chez lui, à Paris, cinq ou six fois l'an avec une affection discrète et rassurante. Martine lui parlait de la santé des enfants. J'étais le banquier qui répondait aux questions des autres convives, le plus souvent des médecins.

Un soir, assise au côté d'une jeune femme bavarde, la dernière amie de Jean, j'ai reconnu Erica.

Elle avait peu changé depuis notre jeunesse, mais sa ressemblance avec son frère s'était accusée. Elle avait conservé comme Jean ses cheveux noirs qu'elle coiffait encore en tresses lourdes rassemblées en chignon, ce qui accentuait la finesse de son visage. Son regard sans voile, tel un éclat sur une lame, me força comme autrefois à baisser les yeux. Elle m'interrogea. J'étais donc banquier. Elle hochait la tête, paraissait écouter distraitement mes réponses, se penchant quelquefois vers sa voisine comme si elle en avait fini avec moi, et cette manière qu'elle avait de me tenir à distance m'accablait comme un jugement. Mais au moment où je m'apprêtais à m'éloigner afin de rejoindre Martine, elle précisa qu'elle connaissait la Société Internationale de Banque et d'Industrie, et surtout le Groupe Carouge-Mortain, notre associé, qui exploitait des gisements de minerai au Brésil. Je revenais de Rio et de São Paulo. Je la questionnai à mon tour mais elle haussa les épaules, et Jean qui s'était rapproché me répondit qu'Erica vivait une partie de l'année à Bahia, qu'elle achevait une étude sur le culte des morts chez les métis et les Noirs de cette région. En quoi cela pouvait-il intéresser un banquier, demanda Erica. Elle parlait calmement, mais je percevais dans ses expressions du mépris, une colère contenue. Je me mis à discourir, comme auraient pu le faire Jeumont ou de Sarte, de l'industrialisation du Brésil, de nos investissements, de la puissance des villes neuves, du Brésil continent de l'avenir. Erica m'écoutait avec attention, un peu rêveuse, sa main droite caressant son chignon, puis, comme son silence me déroutait, faisait résonner le vide de mes phrases, je m'arrêtai. Elle m'observa, commençant alors à raconter d'une voix grave, avec les mots discrets de l'évidence, la misère et la mort. Un Noir, grand, disait-elle, battu, couvert d'ecchymoses, et que des tueurs avaient aspergé d'essence, s'apprêtant à craquer une allumette.

Quelqu'un l'avait enlacé, quelqu'un avait crié : « Je brûle avec lui », quelqu'un avait sauvé le Noir.

Elle me regardait fixement et je détournai les yeux, sachant qu'elle était celle qui avait risqué sa vie, comprenant qu'elle m'accusait de n'être que l'un de ces clients des hôtels internationaux de Rio ou de São Paulo qui ignorent les malheurs des hommes.

Elle se tut, alluma une cigarette, appuyant sa nuque au dossier du canapé.

— Un homme de plus ou de moins, dit-elle avec lassitude, est-ce que cela compte encore ?

Elle aspira plusieurs bouffées de cigarette, me dévisageant pensivement, et tout à coup elle se leva d'un mouvement vif. Elle me donna une petite tape sur la joue.

— Tu as toujours choisi de ne rien savoir, dit-elle.

Je la vis rire quelques instants plus tard avec l'un des invités. Jean Zorn resta assis en face de moi. Il avait posé avec détachement et naturel sa main sur la cuisse de son amie. La jeune femme s'appuyait à lui et répétait qu'Erica était « extraordinaire, si courageuse ». Jean ne répondait pas, le visage apaisé. Je me levai à mon tour, pressé de partir.

Je n'avais ni la liberté ni le calme de Jean et d'Erica. Le frère et la sœur avaient l'insolence d'exister selon leurs sentiments et leurs passions. Je n'étais qu'un pleutre.

J'avais choisi d'accumuler les prudences comme un petit-bourgeois avare. Et je mourrais de mon épargne. J'en fus convaincu ce soir-là, puis j'oubliai que j'avais perçu les causes de mon malaise. Et je m'engluai à nouveau dans ma morne sagesse qui n'était que lâcheté.

Mais écrivant dans cette chambre d'angle, face à la mer, alors que j'aperçois Jean Zorn qui marche entre les rochers rouges, cette soirée m'est revenue. Et je comprends qu'Erica me prépara à aimer Clara Becker.

Ce fut Thierry de Carouge qui me présenta à Clara dans le bar de l'hôtel Ascott à Genève. Je m'étais dérobé depuis des semaines à cette rencontre que pourtant je souhaitais. Elle se produisit malgré moi, au moment et dans le lieu les plus inattendus.

Je n'avais pas vu Thierry de Carouge entrer dans le hall. Je continuais d'observer Clara. Elle lisait, appuyée au comptoir, penchée en avant, et de temps à autre elle me regardait comme si mon insistance commençait à la sur- prendre et qu'elle voulût m'inciter à rompre le silence. Mais je n'osais aller au-delà, figé dans cette attitude à la fois audacieuse et timide, fasciné par son visage dont j'aimais le sobre profil, par l'élégance de chacun de ses mouvements, la main qui tournait les pages, le corps qui se cambrait un instant comme pour rejeter la fatigue, la main encore qui soulevait les cheveux, dégageait la nuque. Je sentais vivre Clara et cela me donnait de la joie tout en me paralysant. J'aurais pu demeurer à cette place toute la nuit.

Brusquement Thierry de Carouge était entre nous, devant le bar, les mains enfoncées dans les poches de son pardessus beige, nous regardant à tour de rôle avec étonnement. Sa chemise sombre accusait la blancheur de son teint, qui paraissait artificiel comme si le visage avait été poudré. Sous les cheveux brillants aux reflets à peine bleutés le front était lisse et la peau tendue sur les pommettes.

Il se mit à parler d'une voix trop haute, prononçant nos noms avec emphase.

Alors que je négociais avec lui depuis une dizaine d'années, il m'apparut tout à coup comme une marionnette ridicule que le masque grimaçant rendait inquiétante. Il posa ses mains blanches et osseuses sur le bois du comptoir. Cet homme n'a plus de sang, pensai-je. Il s'étonnait que Clara et moi ne nous connaissions pas, heureux, disait-il — et il tendait ses mains vers nous —, de servir d'intermédiaire désigné par le hasard. Il souriait, montrant des dents parfaites, surprenantes sous les lèvres blanchâtres.

J'éprouvais un sentiment de révolte et de dégoût et j'eus envie de le chasser de l'hôtel en entraînant Clara, comme s'il nous menaçait.

— Mais nous nous connaissons déjà, dit Clara.

Elle glissait les feuillets qu'elle avait annotés dans sa serviette tout en parlant d'une voix plus faible et plus grave qu'au téléphone ou à la télévision, moins assurée aussi. Elle répondait brièvement aux longues phrases de Thierry de Carouge qui l'invitait à se joindre à nous pour le dîner et, descendant avec précaution, un peu lourdement, du tabouret du bar, elle se redressa d'un mouvement instinctif, avec une attitude douloureuse, comme si elle avait ressenti un malaise physique ou une fatigue aiguë et soudaine. J'eus la tentation d'aller vers elle pour la soutenir, imaginant qu'elle était prête à tomber. Mais elle retrouva une expression résolue et ironique pour refuser l'invitation de Thierry de Carouge et nous souhaiter une bonne soirée.

— Il faudrait que nous nous voyions, n'est-ce pas ? dit-elle en me serrant la main.

Je ne m'étais pas trompé. Sa peau était un peu sèche et je ne pus m'empêcher de garder un instant ses doigts longs entre les miens.

— Nous nous voyons bientôt ? demanda-t-elle.

Elle traversa le hall d'un pas lent, voûtée il me sembla.
Et quand elle eut disparu derrière les colonnes, vers les
ascenseurs, je pensai avec affolement : je vais, je dois
aimer cette femme-là.

22

J'étais comme un malade qui se sait incurable. J'éprouvais parfois à cette découverte une sorte d'apaisement. J'étais envahi par des bouffées de fatalisme. Je n'avais plus à résister ou à refuser. Clara Becker était mon destin, et ce mot dont j'ai dit qu'il me révoltait me calmait tout à coup. Allons, je vais aimer cette femme. Et je l'ai dit aussi, j'ajoutai par un effet de cette duplicité dont on use avec soi : allons, tu dois l'aimer. Puisque l'amour devenait un devoir, presque une exigence de ma volonté, qu'avais-je à craindre ? Je restais fidèle à ce que j'avais toujours été.

Mais je n'étais pas longtemps dupe. Je savais que le château de sable qu'était ma vie, la vague qui roulait allait le dissoudre. La panique alors, l'abattement et l'incrédulité m'étreignaient, remplaçant la paix et l'idée de soumission. J'avais donc construit pour rien, épargnant qui dilapide en un coup de dés les économies d'une existence, comme s'il n'avait accru jour après jour ses biens que pour mieux perdre et jouer avec plus d'émotion. Tout cela ne pouvait me concerner. Qu'avais-je à faire d'un sentiment qui s'accrochait comme une mauvaise herbe, descellant les murs dont j'avais entouré ma vie ?

Je raisonnais. Voyons, voyons, Julien. Je ne désirais même pas Clara Becker. Elle dissimulait son corps, vieilli déjà. Je n'étais pas soumis, quand je pensais à elle, à cette irritation un peu âcre des sens qui me prenait quelquefois et me poussait vers une femme. Je ne ressentais rien pour Clara Becker, rien que je ne puisse comparer à ce que j'avais éprouvé, mais j'étais porté vers elle, malgré moi, par un mouvement de tout mon passé, comme si, par elle, ma personne tout entière naissait enfin, que j'en avais fini avec les temps de la division, que j'allais pouvoir laisser libre ce moi que j'avais enchaîné.

Et j'avais dénoncé et je craignais cette liberté.

Je la refusais encore tout en sachant que l'élan serait le plus fort, comme une maladie qui suit son cours inéluctable. Je tentais de me persuader que je n'aimais que par goût suicidaire de l'échec, qu'il fallait bien qu'un jour je sois repris par les perversions et les malédictions familiales, cette lâcheté cynique et veule de mon père, ce pessimisme servile de ma mère qui les faisaient l'un et l'autre accepter sans lutter leurs sentiments et les événements, comme s'ils avaient trouvé dans l'instabilité et le malheur du plaisir. Je prévoyais alors avec lucidité ce qui se préparait. Je devinais que Clara était à la fois généreuse et impitoyable, qu'elle était ouverte au monde et repliée sur elle-même, qu'elle vivait sa vie comme on dessine et regarde l'image de sa vie, que j'allais être entraîné dans son sillage sans qu'elle se souciât de moi, me laissant libre, au moment même où je ne pouvais plus l'être, de renoncer à elle et de retrouver ma rive, mon château de sable, alors même que j'avais tout saccagé. Je savais qu'il n'y aurait pas de contrat avec elle, comme j'en avais passé avec Martine. Qui joue perd. Elle était le croupier qui empoche les mises. Le jeu était son métier. Je ne serais qu'un amateur qui s'affole et se retrouve à l'aube dépouillé.

Je me cabrais. J'allais lutter. Ma vie continuerait.

Je faisais effort pour écouter avec attention Thierry de Carouge. Il parlait, assis près de moi dans la voiture qui nous conduisait à ce restaurant du bord du lac où il avait l'habitude de m'inviter. Il s'étonnait de la présence de

Clara Becker à Genève et me raconta comment elle avait, après une interview qu'il lui avait accordée, tracé de lui un portrait sévère, rappelant certaines positions qu'il avait prises avant-guerre puis il s'interrompit. « Mais vous savez tout cela, n'est-ce pas ? »

Il me conseillait de refuser tout entretien avec elle, durant cette période de négociations entre nos sociétés. Elle était habile à dénicher ce qu'on voulait cacher.

Je le rassurais. Il insistait. Je devais me méfier. La presse n'avait jamais exposé les vraies raisons de l'association du Groupe Carouge-Mortain et de la Société Internationale de Banque et d'Industrie. Je regardais Thierry de Carouge sans doute avec une expression de surprise et de naïveté car il prit mon poignet et chuchota d'un air entendu :

— Voyons, Vanco, vous, le collaborateur le plus proche de Garelli, vous ne voudriez pas me faire croire...

Il secoua la tête.

— Le nom de Calzi, Dominique Calzi.

Je connaissais.

— Vous voyez bien.

Thierry de Carouge penché vers moi m'expliquait combien son fils avait été marqué par l'épisode. L' « épisode », c'est un mot de Garelli, poursuivit-il. Bernard de Carouge avait quitté l'Europe et les négociations duraient parce que Thierry de Carouge avait de la peine à le joindre.

Nous descendions de voiture et traversions un parc qu'éclairaient des lampions que bousculait le vent venu du lac. Thierry de Carouge avait pris mon bras et s'arrêtait presque après chaque pas. Simon Garelli, disait-il, était un carnassier qui voulait dévorer le Groupe Carouge-Mortain. L' « épisode », l'association ne lui avaient pas suffi. Mais Thierry de Carouge et même Bernard étaient impuissants à satisfaire l'ambition de Garelli.

Thierry s'immobilisa devant l'entrée du restaurant. Je devais rappeler à Simon Garelli que Lucie Mortain, l'épouse de Bernard, possédait la majorité des actions de la Société de Mécanique Mortain, la Somemor.

— Je n'ai, nous n'avons insistait-il, aucun moyen de pression sur elle, faites-le comprendre à Garelli, sinon...

Thierry de Carouge haussait les épaules. Il ne saisissait pas les mobiles de Garelli. Nous étions tous solidaires, associés, alors pourquoi cette volonté de faire capituler Bernard ? Qu'y gagnerait Garelli ? Préférait-il posséder un groupe démantelé, la Somemor s'en étant séparée, ou travailler avec un associé vivant ?

Nous entrions dans le restaurant. La lumière blanche m'aveugla. Thierry de Carouge me tenait toujours par le bras, comme s'il me guidait. La presse, murmurait-il, cependant que le maître d'hôtel s'avançait, s'emparerait de l'affaire. Et elle ne nous lâcherait qu'après nous avoir dépecés, nous, vous, Bernard, Simon Garelli. Quand ils s'accrochent...

Au moment où nous nous asseyions à notre table, il me recommanda encore, le buste penché, parlant d'une voix lente et grave, d'éviter Clara Becker.

23

Je la vis le soir même. Le concierge de l'hôtel Ascott m'avait tendu son message. Elle n'avait écrit que quelques mots : « Téléphonez-moi. Je ne m'endors qu'après 3 heures du matin, chambre 7507. »

Et signé de ses initiales. C. B.

J'aimais son écriture aux formes rondes, l'ondulation légère que prenaient les mots, le bleu sombre de l'encre. Je ne réfléchis pas. Je formai sur le poste du concierge ces quatre chiffres que suivit une seule sonnerie. Elle décrocha. Je suis là, ai-je dit, et avant que j'aie précisé mon nom, elle avait répondu : « Je descends. »

Le hall de l'hôtel Ascott était sombre et désert. Le bar formait dans le fond une paroi lumineuse dont je m'éloignai. J'allais d'une colonne à l'autre, choisissant les angles les plus obscurs, comme si j'avais voulu me dissimuler afin qu'elle ne me trouvât pas ou bien qu'elle fût contrainte de me chercher. Mais tout à coup elle était devant moi, riant de ma surprise. « J'ai pris l'escalier, disait-elle, je n'aime pas les ascenseurs, j'étouffe, claustrophobe. »

Elle portait la main à sa gorge et m'observait. Elle avait les traits marqués, les yeux enfoncés, le teint trop bistre de ceux qui manquent de sommeil. Elle me parut quelques secondes d'une fragilité pathétique qui m'émut comme si je découvrais qu'elle pouvait elle aussi mourir, sa vie tout à coup dissoute, pellicule détruite en un instant par le feu. Je dis : non. Je pensais d'une façon inattendue et insupportable à ma mère morte, que je m'efforçais d'oublier, à mes enfants, Serge et Nathalie, si menacés, me sembla-t-il.

Clara Becker secouait sa tête comme pour se dégager de la fatigue, reprendre souffle, et son expression changeait, transfigurée par cet effort de volonté. Elle me proposait de quitter l'hôtel. Elle avait sa voiture, connaissait à Genève, dans les vieux quartiers, un bar, peut-être le seul ouvert la nuit, où les journalistes et les acteurs se retrouvaient. Elle parlait et me précédait d'un demi-pas. J'aimais la manière dont elle frappait le sol du talon de ses bottes. Elle avait une autorité juvénile dans cette jupe ample et longue et de couleur lie-de-vin. Un blouson de daim de la même teinte serrait sa taille et elle avait noué autour de son cou un foulard de soie mauve. Cette élégance sans recherche était originale et discrète pourtant.

Elle conduisait avec assurance, n'hésitait jamais, jetant de vifs coups d'œil à droite et à gauche. Quand elle changeait de vitesse son coude et son avant-bras m'effleuraient, accusant cette impression d'intimité ancienne et naturelle entre nous. Je ne pouvais cesser de la regarder et à sa bouche entrouverte en un demi-sourire ironique, je devinais qu'elle savait que je la dévisageais. Plusieurs fois nos yeux se croisèrent, mais nous nous taisions. A un feu rouge, elle releva le col de fourrure de son blouson, enfonçant sa tête dans les épaules, disant à mi-voix : « J'ai toujours froid, je n'aime que la chaleur. L'été à Rome, chez moi... » Elle interrompit cette confidence pour repartir, vite, accélérant bruyamment comme pour s'interdire de parler encore.

Je me souviens que j'ai eu la tentation de lui réciter ces deux ou trois phrases dont j'ignore toujours l'auteur, peut-être sont-elles d'Emmanuel Chaves et peut-être Simon Garelli m'avait-il un jour tendu un livre dans son bureau. J'avais lu et les mots s'étaient, sans que je le veuille, emparés de ma mémoire. Ils surgissaient comme un murmure que j'avais de la peine à retenir. Ils faisaient naître en moi une émotion dont je craignais le ridicule. Je me taisais pour ne pas dire :

« J'ai noué avec toi les liens de l'évidence
Ceux des forêts de l'enfance
Et de l'aube longue des premiers sentiments. »

24

Dans le bar, elle avait retiré lentement, presque avec précaution, comme si elle avait eu peur de réveiller une douleur, son blouson de daim. Puis elle avait dénoué son foulard de soie mauve. Elle portait un chemisier blanc, froncé à hauteur de la poitrine, que je devinais lourde.

— Alors, monsieur Vanco ? dit-elle.

Elle se reprit.

— Alors, Julien Vanco, cette Société Internationale de Banque et d'Industrie, ce Simon Garelli, qu'est-ce que vous m'en dites ?

Elle avait croisé les bras sur la table, appuyée dans une attitude enfantine un peu affectée, son menton sur les mains. Elle paraissait à nouveau lasse, les yeux vifs, mais enfoncés dans un cercle sombre, les lèvres très blanches comme celles des nageurs qui ont trop longtemps séjourné dans l'eau glacée. J'avais peur et froid pour elle, dont la présence me rassurait pourtant.

Elle commanda une bouteille de vodka.

— Vous allez boire avec moi, n'est-ce pas ?

Une rumeur douceâtre nous enveloppait, que déchiraient de temps à autre l'éclat d'une voix, des bruits de verre ou bien le solo assourdi d'une trompette et le martèlement sourd d'une batterie venue d'une autre salle plus profonde, enfouie dans la fumée au bas d'un escalier qui paraissait conduire à une lumière rouge.

Elle me servit. Les cubes de glace tintaient dans les verres, l'alcool avait la limpidité de l'eau. Je pris le poignet de Clara pour l'empêcher de continuer à verser. Elle avait le poignet plus fin encore que je ne l'avais imaginé, si frêle, et j'eus envie de ne plus le lâcher, de la contraindre à me suivre jusqu'au bord d'une mer, dans l'un de ces paysages ouverts où le regard ne peut embrasser tout l'horizon et où l'on croit que la vie peut recommencer, libre, comme s'il suffisait du vent et de l'espace pour effacer le temps.

— Il faut boire, disait Clara.

Elle dégagea son poignet, remplit mon verre, puis le sien. Une fois encore je pensai à la mort de ma mère, à ce marécage du temps où nous étions tous engloutis si vite. Jamais je ne courrais aux côtés de Clara, au bord du vent. J'ai dit, ou j'ai pensé si fort : « Trop tard », que Clara m'a entendu.

— Trop tard ? Trop tôt ? a-t-elle dit. On ne sait pas. Il suffit de vivre dans le présent.

Elle avait repris son attitude, les bras croisés, le menton appuyé sur les mains, le verre posé devant elle. Elle le portait souvent à ses lèvres, buvant par petites gorgées.

— Mais j'ai beaucoup de mal à m'endormir, murmura-t-elle.

Nous restâmes silencieux, chacun tourné vers soi. Elle se redressa la première, croisant ses mains derrière la nuque.

— Garelli, Carouge, la Sibani et le Groupe Carouge-Mortain, vous ne voulez vraiment rien me dire ?

Elle faisait une moue de déception et je craignis qu'elle ne se lève. Je bus. Je commençai à parler.

D'elle d'abord, qui m'écoutait avec une attention joyeuse, son visage plus animé, les yeux rieurs, leur gaieté effaçant les rides et les cernes sombres. Ce fut l'un des premiers indices dc sa vulnérabilité. J'ai su depuis combien elle était dépendante de l'amour, du désir, et même de la

haine des autres. Ce soir-là, je l'ai pressenti. J'ai parlé
d'elle pour la séduire et la rassurer, la garder près de moi,
rapportant les propos que m'avait tenus au cours du dîner
Thierry de Carouge.

Il avait bu et plus le repas avançait, plus il discourait avec
vivacité, la voix plus grave, le sang colorant ses joues et ses
mains. Il m'avait mis en garde une nouvelle fois. Clara
Becker avait réussi à lui faire écrire une lettre de recom-
mandation à Garelli. Je le savais, n'est-ce pas ? Elle jouait
avec les hommes comme elle le désirait. Elle était trop
intelligente pour une journaliste, concluait-il. Sait-on
jamais ce que cache une femme comme elle ?
    Clara m'écoutait, rejetait la tête en arrière, riait peut-
être d'une manière un peu affectée, puis, du bout des
lèvres, elle murmurait que Thierry de Carouge n'avait écrit
que pour se dédouaner. Comme un coupable qui cherche
un alibi. Mais il était en fait un antisémite obstiné. Ne
l'avais-je pas perçu ? Je me souvins alors qu'il s'était
interrogé sur les origines de Garelli qui l'intriguaient.
Simon, n'était-ce pas un prénom juif ? Il avait ajouté que
j'étais, moi, un homme sans détour, comme tous les
Carouge. Haussant le ton, il avait tracé la destinée — un
mot qu'il répétait — des Carouge, ces guerriers venus du
nord au XIIIe siècle. Les premiers Carouge s'étaient installés aux lieux de passage, les cols des Alpes, contrôlant le
grand commerce, levant des impôts. Leurs descendants
avaient choisi le travail et la foi, la banque et la manufac-
ture. Tous, Louis, Charles, Pierre, des bâtisseurs et quelques-uns, Henri, Thomas, prédicateurs. Bernard était le
dernier héritier de cette dynastie exigeante mais — Thierry
avait écarté sa chaise de la table, s'apprêtant à se lever — la
France, les femmes l'avaient corrompu. Son mariage en
1957, avec Lucie Mortain, utile aux affaires, favorisant la

constitution du Groupe Carouge-Mortain, n'avait pas été heureux. Une femme, cela grandit ou détruit un homme.

Je racontai à Clara Becker. Je répétai la dernière phrase de Carouge. J'avais envie de parler de moi, de Martine, de mes enfants et de mes longues marches dans les roseaux, vers la mer, au-delà de l'hippodrome, à Lourciez, de la première nuit que j'avais passée avec une femme et de la terreur qui m'avait saisi à découvrir ce corps qu'il fallait émouvoir, ce silence entre nous que j'essayais de rompre. Ma compagne d'alors était trop émue pour me répondre ou m'aider à vaincre. Un volet battait à l'étage de la maison où nous nous étions cachés et je me souvenais de cette femme allongée sur la piste cavalière, les chevaux frappant le sol de leurs sabots.

Mais je ne dis rien à Clara Becker de ce que je voulais avouer, de toutes ces confidences que je n'avais jamais osé faire et qui m'étouffaient. Je parlais pour la retenir et aussi pour masquer sous les mots les phrases de ma mémoire. Je répétai donc le discours de Thierry de Carouge que j'avais écouté passivement. Il avait, avec une énergie que je ne lui soupçonnais pas, martelé la table à plusieurs reprises, affirmant que l'épée était l'axe du monde et que ceux qui détenaient l'argent devaient aider les hommes d'armes à jouer leur rôle. Il l'avait fait, lui, Thierry de Carouge, n'hésitant jamais à prendre des risques, et même aujourd'hui alors que l'âge déjà lui serrait la gorge, il persévérait.

J'avais cru à des propos de vieillard. J'étais trop accoutumé à me taire, à tout accepter de mes interlocuteurs pour lui répondre ou le questionner. En quoi la pensée rudimentaire d'un banquier suisse avec qui je négociais pouvait-elle me concerner ?

— Naturellement, vous ignorez tout de Thierry de Carouge ? me demanda Clara.

Elle faisait la moue, des rides creusées autour de sa bouche, exprimant ainsi le doute, les sourcils froncés pourtant, hésitant ainsi entre l'excuse et la condamnation. Je pensais à Erica Zorn qui m'avait accusé de refuser de savoir. Les femmes, aujourd'hui, et même Martine, voulaient et proclamaient la vérité.

— Carouge, dit tout à coup Clara, un nazi.

Puis d'une voix nette, détachant chaque mot et cependant parlant avec vivacité, appuyant chaque phrase d'un mouvement de la main, ses doigts longs pointés vers moi, elle accumula les faits. Thierry de Carouge, disait-elle, était l'exécuteur testamentaire des dignitaires nazis, le dépositaire et l'éditeur discret de leurs œuvres, celle de Goebbels par exemple, le gestionnaire, par l'intermédiaire de la Société Genevoise de Finance, de leurs fortunes et le financier occulte de leurs réseaux, ici ou en Amérique latine et au Proche-Orient.

J'écoutais. Je niais d'un haussement d'épaules. Je retrouvais ma morgue de sceptique qui ne croit qu'aux preuves. Je me protégeais. Je voulais demeurer indifférent et tranquille.

Clara secoua la tête. Elle ricana même, puis but sans cesser de me fixer, les yeux vides, le visage lisse, mort.

— Vous êtes con, dit-elle.

Elle jeta un billet sur la table et partit.

25

Je ne voulais pas la perdre. Je sentais, pour la première fois, qu'une femme pouvait être ma chance. Elle m'avait donné, déjà, depuis que je pensais à elle sans savoir que je l'aimais et depuis que je lui parlais, le goût d'une autre vie. Je serais avec elle, par elle, moi, souvenirs et désirs, courage et lâcheté. J'oserais revenir à l'enfance, à mon père enfui, à ma mère morte. J'oserais être et dire mes renoncements. Je parlerais de Martine, de notre silence et de l'amour que j'éprouvais pour mes enfants.

Je ne voulais pas perdre Clara qui me rendait la parole.

Et s'il y avait un prix à payer, s'il fallait accomplir un sacrifice, si elle me demandait un acte de courage, une preuve, je me soumettrais à cette initiation. J'avais toute ma vie adulte évité d'affronter la vérité. Elles avaient raison, Erica Zorn et Clara Becker, j'avais choisi la prudence. Maintenant, j'étais prêt à m'avancer et qu'on me frappe si nécessaire.

J'ai quitté à mon tour le bar. Dehors une rue déserte descendait droit vers le lac. Clara Becker avait garé sa voiture à l'opposé, dans l'avenue qui, parallèle à la rive, conduisait au centre de la ville. Je n'ai pas hésité. J'ai su que Clara avait eu besoin de marcher. Je me suis dirigé vers le lac et je l'ai vue, debout, à l'extrémité de l'une des jetées de bois qui enfonçait un coin sombre dans l'eau brillante de reflets.

Je l'ai observée. Elle avait les bras croisés, le menton sur la poitrine, voûtée, résolue et faible, et j'ai crié son nom, osant enfin l'interpeller, rompre le silence avec ces deux syllabes : « Clara. » Je les ai répétées plus fort sans qu'elle bouge et je suis allé vers elle comme si son immobilité était appel.

Elle ne changea pas d'attitude quand je fus près d'elle et que je murmurai son prénom une nouvelle fois.

C'était le moment dense de la nuit, quand l'obscurité semble palpable malgré la limpidité du ciel, qu'elle fige les arbres et jusqu'à la surface du lac, lumineuse pourtant. J'avais froid.

— Rentrons, dit Clara.

Elle prit mon bras et nous commençâmes à marcher, faisant résonner les planches. Puis au lieu de nous engager dans la rue, nous longeâmes le lac. Clara se taisait et s'appuyait à moi. J'aimais le poids de son corps. Parfois elle perdait l'équilibre sur le gravier des allées et je sentais sa hanche contre la mienne. Ses cheveux frôlaient mon épaule et quand je tournais la tête j'avais mes lèvres à la hauteur de son front.

Je l'avais imaginée plus grande, plus lourde et plus forte. Elle était de ces femmes dont l'attitude fière et le caractère changent la silhouette, mais ce soir-là elle me sembla menue et faible. Elle que je n'avais imaginée qu'indépendante, décidant à sa guise de sa vie, lionne comme je dis plus tard, se laissa guider, ce qui m'exaltait comme si ces premiers pas ensemble annonçaient le couple que nous allions constituer. Je le voulais, rêvant que je la protégerais.

Je sais bien qu'il n'est pas pour un homme sentiment plus banal. Mais je ne l'avais jamais éprouvé. Je l'avais senti naître seulement à la fin de la vie de ma mère. Elle avait demandé mon aide, ma présence, mon amour, ma protection. Et j'avais fait mine de répondre à son appel. J'avais accompli tous les gestes de l'affection. Chaque jour je m'étais présenté à l'hôpital. J'entrais dans la chambre de ma mère avec le visage de la compassion. J'étais le bon fils qui accompagne l'agonie. Ma mère était allongée, exsangue, sur les draps froissés. Ses cheveux blancs trop longs et raides encadraient son visage jauni par la maladie. Je m'asseyais à la tête du lit. J'écartais ses lèvres afin de verser dans sa bouche couverte d'une humeur blanche quelques gouttes d'eau sucrée. Et pourtant chaque mot, chaque acte m'éloignaient d'elle. Je refusais de partager sa douleur. Je la regardais afin qu'elle ne devînt qu'un objet presque inerte. Je devançais sa mort pour ne point en ressentir l'effet. Je la tuais chaque fois que je la voyais, même si je murmurais des mots de tendresse. J'avais peur qu'elle ne m'entraîne, comme une noyée qui s'agrippe, et je la laissais donc seule et je lui enfonçais la tête dans la mort.

Elle était l'unique femme que j'avais aimée et cependant je me montrais calculateur et prudent avec elle. Je ne donnais, au moment où j'allais la perdre, que la demi-heure vide que je lui accordais chaque jour.

Les autres avaient été dupes de ma comédie. Ma mère ne s'y était pas laissé prendre. Dès qu'elle retrouvait sa lucidité elle murmurait que je ne l'aimais plus, qu'elle ne me le reprochait pas. Je me penchais, je soulevais ses épaules, je la serrais contre moi. Je la tuais un peu plus. Elle se laissait faire, mais quand j'avais reposé sa tête sur l'oreiller elle ajoutait : « Je ne suis plus rien pour toi. » Une fois elle dit : « Tu fais ce qu'il faut pour ne pas avoir de remords. Tu crois que je ne te connais pas ? Je devine tout ce que tu penses. Tu veux que je meure vite. »

Un matin, je l'ai retrouvée morte. Les draps étaient lisses. Sa chemise de nuit propre pour la première fois depuis son entrée à l'hôpital. On l'avait même coiffée. J'arrivais de Madrid. Je devais partir pour Genève, afin d'y rencontrer — déjà — Thierry de Carouge, et ce voyage que je ne pouvais reculer me servit de prétexte. J'abandonnai le corps à ceux dont c'est le métier d'en disposer. Je signai plusieurs feuillets, puis trois chèques. Elle serait incinérée, elle qui rêvait d'une tombe proprette comme une maison. Mais avais-je le temps de céder à ces enfantillages posthumes ? Qu'on la brûle.

On la brûla et j'ignore ce que l'on fit de ses cendres, mais je sais qu'elles m'ont plusieurs fois enseveli.

Voilà ce que je racontais à Clara cependant que nous marchions au bord du lac. Je m'étais interrompu presque à chaque phrase, je disais : « Voilà », ou bien : « Bref, tout cela n'a pas d'importance. » J'essayais avec des petits mots ridicules de dresser un barrage devant ma confession. Clara, d'une pression nerveuse du bras, m'invitait à poursuivre. Si je réussissais à établir le silence, à retenir les images et les phrases, elle m'ordonnait d'une voix impérieuse et irritée de reprendre mon récit, d'aller jusqu'au bout. Elle sentait que je dissimulais encore, engagé seulement à demi dans la vérité. Habile et prudent comme à l'habitude, sincère pour l'émouvoir et dissimulateur pour ne point encourir son courroux. Tout à coup j'ai parlé de mon arrivée à Genève dans la nuit qui avait suivi la mort de ma mère après que j'eus, comme je disais, « tout réglé ». Et j'avais été fier de l'annoncer à Martine. En discutant avec Thierry de Carouge, j'éprouvais le même sentiment de joie et d'orgueil. J'étais l'homme capable d'affronter le deuil du seul être qu'il aimait et de n'en rien laisser paraître, de conduire avec plus d'efficacité encore une négociation difficile. Cette nuit-là nous parlions du rachat réalisé en commun d'une filiale brésilienne de la Société de Mécanique Mortain, la Somebra. J'ai emporté la décision dans le sens souhaité par Garelli alors qu'il avait préparé, estimant lui-même mon succès difficile, une solution de repli. Mais j'étais au-delà de moi, nourri de la mort de ma mère. Je l'exploitais à mon bénéfice.

Après, j'avais suivi Thierry de Carouge dans l'un des

bars discrets de la périphérie genevoise et j'étais rentré à l'hôtel en compagnie d'une jeune femme. J'avais été si violent dans ma manière de l'aimer, de l'insulter, avec la tentation de marteler son visage de coups de poing, qu'elle avait eu peur, quittant la chambre à demi vêtue, cependant que je l'insultais encore, nu dans l'encadrement de la porte, salope, putain, connasse, avant de boire et de m'enfouir dans un sommeil gris et poudreux comme des cendres.

Il était un mot anglais, dis-je à Clara, dont les sonorités sèches me plaisaient davantage que ceux de l'équivalent français. Il s'appliquait à moi : *coward*. Je le répétai plusieurs fois. Elle abandonna mon bras, s'immobilisa en face de moi, répondant lentement qu'il valait mieux utiliser sa langue maternelle, le français ou l'italien, c'était selon pour moi, je pouvais choisir l'un ou l'autre de ces mots : lâche ou *vigliacco*.

Elle hésita, répéta les deux mots, reprit mon bras et nous revînmes sur nos pas.

26

Elle m'a tendu les clés de sa voiture, le visage grave, sans me regarder, d'un geste autoritaire et naturel, le trousseau de clés au bout de ses doigts, impatiente parce que j'hésitais quelques secondes découvrant que je m'étais trompé, qu'elle n'accomplissait pas un acte symbolique comme je l'avais cru, qu'elle ne se confiait pas à moi comme je l'espérais. Elle se débarrassait seulement d'une tâche ennuyeuse et voulait que je n'aie aucune illusion. Elle s'asseyait, distraite, me demandant sans même écouter mes réponses si cela ne me dérangeait pas de conduire la nuit. Elle entassait des mots et des sons entre nous. Sa voix était indifférente et ses phrases conventionnelles. Elle détestait l'obscurité, elle n'aimait que la lumière et les espaces ouverts, elle me donnait même d'un ton las les indications nécessaires, marche arrière, vitesse. Elle me repoussait loin d'elle.

Mais je ne démarrai pas. J'observai son profil coupé par le col de fourrure de son blouson qui dissimulait son menton et son cou. Elle ressemblait à une petite fille butée, le front bombé, le nez droit, les lèvres fines et serrées. Elle continuait de parler pour me tenir à distance, mais malgré cette attitude et le malaise qu'elle faisait naître, j'étais heureux d'être proche d'elle dans cette intimité qu'enveloppait la nuit. Des voitures passaient, qui nous éclairaient brutalement et obligeaient Clara à se taire, à laisser s'établir la complicité ambiguë du silence. J'étais ému. Elle était boudeuse comme ma fille, inquiète et tendue comme ma mère qui parfois s'enfonçait dans un songe nostalgique qui m'excluait.

Ma fille, ma mère : je comparais Clara aux femmes de mon sang. Je désirais qu'elle soit cette femme-unité dont je n'avais même pas osé rêver.

Le silence et les bruits lointains de la ville, les éclats rouges et verts au bout de l'avenue.

Je ne démarrai toujours pas.

Clara se tourna vers moi, me dévisagea avec surprise comme si elle me découvrait assis près d'elle au moment où elle échappait à un souvenir, où elle reprenait pied ici, alors que l'aube commençait à bleuir la nuit au-dessus des sommets. Je soutins son regard.

— *Coward,* murmura-t-elle, je ne crois pas que vous le soyez.

Elle se mit à parler d'une voix dont la douceur m'étonna. Je n'y reconnaissais plus ces intonations froides, cette brutalité qui m'avaient frappé, ni ces inflexions affectées, mondaines, ou cette gaieté excessive dont elle avait usé avec moi. Elle s'interrompait, hésitait, m'interrogeait comme si elle trouvait dans mes réponses le courage d'aller plus avant. J'évoquais mes activités aux côtés de Simon Garelli, mes rapports avec Thierry de Carouge et les liens établis entre la Société Internationale de Banque et d'Industrie et la Société Genevoise de Finance. Je ne cherchais pas à savoir si la curiosité et l'habileté professionnelles suscitaient les questions qu'elle me posait à mi-voix. Moi le soupçonneux, moi qui avais choisi le silence comme défense, j'avais confiance, je répondais.

— La lâcheté, reprit-elle, moi comme toi, à nos âges, elle haussait les épaules, lâches nous l'avons été, même malgré nous.

Le tutoiement venait puis disparaissait. Elle me posa une dernière question sur la mort de ma mère et le moment de ma vie où elle s'était produite. Son décès était intervenu il y avait deux ans, au mois d'avril, expliquai-je. Nous venions de nous installer avec Martine et les enfants à Saint-Cloud. J'avais toujours imaginé que ma mère nous y rejoindrait et une partie du premier étage lui était destinée. A plusieurs reprises, durant les travaux, je lui avais fait visiter la construction, lui décrivant sa chambre, en suivant avec elle sur la dalle de béton les limites. Là la porte de la salle de bains, ici la fenêtre qui donnerait sur le jardin. Je n'avais jamais consulté Martine, décidé à lui imposer la présence de ma mère. Puis nous avions déménagé et Martine avait attribué la chambre du premier étage à une étudiante anglaise qui surveillerait les enfants. Je n'avais pas eu le temps de me justifier devant ma mère. Elle ne m'avait posé aucune question mais, le lendemain même de notre installation, elle avait fait une chute dans son escalier. C'est si fréquent chez les vieillards. On l'avait transportée à l'hôpital et elle y était morte quelques semaines plus tard.

— Voilà, ai-je dit.

Clara avait posé sa nuque sur le dossier du fauteuil. Son blouson s'était ouvert. Le menton était dégagé, les lèvres écartées.

— Il y a deux ans, commença-t-elle, en avril, comme vous.

Elle s'interrompit, me dit rapidement qu'elle n'était pas gaie ce soir, que le mot *coward* que j'avais employé, elle ne l'aimait pas, qu'elle avait été lâche aussi, que nos douleurs et nos lâchetés s'étaient croisées, nouées, qui sait, il y a deux ans, qu'elle portait aussi le deuil depuis ce mois d'avril-là, d'un homme qu'elle avait abandonné, Klaus Stucki, et elle prononçait son nom pour la première fois depuis deux ans.

— C'était au début de l'hiver austral, disait-elle.

Elle avait pris le ton dont on raconte les fables. Elle s'était tournée vers moi, la joue appuyée sur le fauteuil, les bras croisés, comme on se tient parfois dans un lit, quand on se recroqueville, qu'on a froid et qu'on refuse de dormir pour rester avec l'autre, le voir et lui parler encore.

27

« C'était au début de l'hiver austral », me répétait Clara.
Je me souviens de cette phrase qui commençait son récit.
J'étais l'enfant que les mots enchantent ou terrorisent. Je
voyais Stucki — « Klaus, mon Klaus », disait Clara —, ce
médecin suisse qu'elle avait aimé aussi soudainement que
je l'avais aimée, elle. Un homme qu'elle décrivait d'une
voix basse, celle des confidences. Grand, Stucki, des
cheveux blonds, un visage où les yeux...

Elle s'interrompait pour un long silence. Puis avec une
sorte d'indifférence — mais je n'étais pas dupe — elle
racontait comment Stucki avait vécu parmi les plus pauvres, ceux qu'on laissait crever dans les vallons, au milieu
des ordures, aux frontières de la ville. Elle avait rencontré
Stucki afin qu'il l'aide dans ce reportage sur « l'autre
Brésil » qu'elle avait décidé d'écrire. Il habitait une bara-
que de tôle ondulée qu'éclairait une lampe tempête.
Presque chaque nuit des enfants se glissaient dans la pièce
pour y voler les médicaments que Stucki entassait sur des
rayonnages faits de planches posées sur des briques. Clara
disait, insistant sur chaque expression pour que je com-
prenne qu'elle employait à dessein les mots de convention :
« Un saint, un fou, Stucki. » Elle faisait une moue,
murmurait que c'était là le titre que le rédacteur avait
donné au portrait qu'elle avait fait de Stucki. « Ridicule »,

ajoutait-elle. Il fallait simplement dire que Stucki n'acceptait pas la mort des enfants.

Durant plusieurs jours elle était restée à ses côtés. Il avait des mains larges, avec des doigts plats aux ongles carrés. Il soulevait les enfants bruns jusqu'à hauteur de ses yeux et quand il les reposait sur le sol, les enfants riaient. Il s'asseyait parfois sur un talus au milieu d'eux, les interrogeait, sortait un carnet de l'une des poches de son blouson de toile bleue et notait quelques mots. Le soir, en face de Clara, il racontait. Et Clara me racontait.

Leurs récits s'emboîtent comme des poupées gigognes et j'ai aussi le mien à conduire.

Cependant que Clara parlait de Klaus, d'elle, de leur amour, j'avais le désir de lui caresser la joue et les cheveux, de la consoler de cet homme qu'un matin d'avril elle n'avait plus retrouvé.

Elle avait erré toute la journée dans le quartier, des femmes autour d'elle, qui l'observaient et lui murmuraient des phrases qu'elle ne comprenait pas. Disparu Klaus Stucki, comme un cadavre qu'on jette dans un marécage et que dévorent en quelques minutes les poissons carnivores.

— C'était au début de l'hiver austral, me répétait Clara.

Elle avait eu le sentiment qu'on la suivait. Des voitures la frôlaient, on surveillait ses communications téléphoniques et le portier de l'hôtel Vasco-de-Gama la désignait du doigt à des hommes postés dans le hall qui l'attendaient. Sa chambre avait été fouillée, ses notes lues, replacées en désordre dans la chemise où elle les classait. Elle avait averti l'ambassadeur d'Italie des menaces qu'elle sentait se rassembler au-dessus d'elle. Un soir, en rentrant à l'hôtel, cette enveloppe jaune que lui tendait le portier. Elle l'ouvrait tout en se dirigeant vers l'ascenseur. Trois phrases, maladroitement calligraphiées : « Je suis en voyage dans le Nord. Rentre en Italie. Je vais bien. Klaus Stucki. »

Tout cela invraisemblable, comme une mascarade qui ne cherchait pas à convaincre mais à inquiéter et qui prouvait seulement que Klaus — « Il avait les mains larges, une tête ronde comme celle d'un enfant, Klaus, comment veux-tu que je l'oublie ? » — était encore vivant. Elle était ressortie aussitôt de l'hôtel.

Il pleuvait depuis plusieurs jours. Les nuages étaient chargés d'un sable rouge, arraché par les vents du nord-est aux sommets déboisés qui entouraient la ville. L'averse couvrait les toits et les façades qu'elle frappait de biais, en rafales, d'une mince pellicule visqueuse et teintée qui colorait les carrosseries et les rues. L'eau débordait, envahissant la chaussée, bouillonnante, poussant dans les caniveaux des détritus et des animaux morts. Les voitures s'immobilisaient au milieu des carrefours. Le centre de Rio était paralysé. La mer avait pris le même aspect gris-rouge que le ciel. Dans les quartiers de la périphérie le sol glissait et les nappes de boue bousculaient les baraques. Celle de Klaus était déjà enfouie dans le creux d'un vallon. Et la pluie continuait de tomber, enlisant dans la même boue rougeâtre les rats, les chiens, les porcs, les enfants. Les femmes hurlaient pour arracher au sol mouvant quelques objets et parfois un nouveau-né.

L'horizon se fendait en courtes lueurs bruyantes.

— Comment veux-tu que je l'oublie ? murmurait Clara.

Elle me parlait de l'homme qu'elle aimait encore, de la douleur que sa disparition avait creusée en elle et je voulais la rassurer. Je me sentais coupable de la quiétude dans laquelle j'avais vécu, du monde protégé et aveugle où je m'étais enfermé. Mon égoïsme avait recouvert ma vie comme une couche de boue.

Clara continuait de raconter. Elle avait conservé la même attitude, recroquevillée, et je m'étais tourné vers elle, si proche de moi que nous étions comme deux amants qui se confient l'un à l'autre, après l'amour. Mais elle parlait de Klaus Stucki qu'elle avait recherché durant des jours, réussissant à obtenir enfin les confidences des femmes du quartier qu'il habitait. Une vieille, presque chauve, qui répétait que de la vie elle se moquait, lui avait décrit les deux hommes qui avaient entraîné Stucki vers une voiture sans immatriculation dont on savait qu'elle appartenait à l'une des unités de répression. Clara avait alors tenté de retrouver ses ravisseurs de bureau en bureau, commissariat central, office de lutte antisubversive, état-major de l'armée, état-major de la marine.

Je l'imaginais, les cheveux lourds de cette pluie rouge, traversant la chaussée en courant, s'adressant au factionnaire qui la faisait attendre sous un porche que balayait le vent. Des soldats l'observaient, immobiles, le col de leur veste relevé, le fusil placé dans le creux du bras droit replié. Un officier élégant et ironique l'écoutait, téléphonait d'un air distrait, puis la renvoyait à cette averse hérissée de grains de sable qui piquaient la peau.

Un jour, comme elle sortait de l'hôtel Vasco-de-Gama, des hommes l'ont bousculée. Elle se souvenait du visage d'une passante, la bouche ouverte, les yeux envahis par la terreur. La femme se mettait à courir pour ne pas voir. Elle, Clara, on la poussait dans une voiture. On lui bandait les yeux avec un tissu qu'elle croyait noir et qui sentait le tabac. On ne lui parlait pas. On ne la frappait pas. On la guidait dans un espace battu par le vent et la pluie, sans doute la cour d'une caserne puisqu'elle entendait le martèlement saccadé d'hommes qui défilaient et des commandements rogues. Puis une porte, une pièce au sol couvert d'immondices puantes, des épluchures, peut-être de la merde et du sang, l'odeur d'urine. Avec ses mains liées dans le dos, avec le bout de ses doigts ankylosés, elle frappait le mur dont le plâtre s'écaillait. Elle ramenait ses jambes contre elle et les serrait, de crainte que ces rats qui la frôlaient et dont elle guettait les couinements ne la mordent ou ne rampent sous ses jupes. Et elle hurla d'une peur tout à coup incontrôlée, se souvenant de ce qu'elle avait lu des tortures qu'on infligeait aux femmes sur ce continent.

On avait donné des coups de pied dans la porte, ordonné le silence. Elle s'était tue.

28

Ils l'avaient gardée deux jours, les mains liées, dans cette odeur d'urine et de merde. Ses bras étaient si lourds de sang et de douleurs qu'ils s'arrachaient des épaules, lacérant les seins. Et quand Clara somnolait, elle imaginait qu'on entrait dans la cellule, qu'on enfonçait dans son sexe un rat, ou bien que des soldats se jetaient sur elle, l'emprisonnant entre leurs jambes et lui martelant le visage à coups de talon. Elle se réveillait en hurlant, tapait sa tête contre le mur, chassait ainsi à coups de douleurs ses cauchemars et retrouvait peu à peu son calme, identifiait les bruits, ces pas dans le couloir, ce trottinement d'un rat près d'elle et venant de loin, du fond, d'au-dessous le sol, des cris aigus qui parvenaient étouffés mais se prolongeaient, si bien qu'elle avait envie de hurler à nouveau pour ne plus les entendre. Elle composait, pour tenter de s'isoler, l'article qu'elle écrirait quand elle sortirait. Elle refusait de penser à Klaus, mais il lui semblait reconnaître dans ces cris sa voix.

On avait ouvert la porte, commandé : debout, dehors.

La pluie avait cessé. Elle sentait sur son front et sa bouche la chaleur douce du soleil.

On riait autour d'elle, on prononçait son nom, des hommes la saisissaient par les aisselles et la poussaient dans une voiture, disant avec dégoût qu'elle était sale, qu'elle

puait l'urine et la merde, qu'elle s'était chié et pissé dessus
comme une vieille salope, l'ordure de merde qui écrivait
des merdes sur le Brésil. La voiture avait roulé au milieu
des embouteillages, Clara contrainte de se tenir agenouillée entre les sièges avant et arrière. Une chienne de merde,
cette journaliste.

Puis on avait quitté la ville et les deux hommes s'étaient
mis à chantonner, d'une voix grave, les fenêtres ouvertes.
L'air sentait l'herbe brûlée.

On s'était arrêté.

Ils avaient dénoué ses liens et il semblait à Clara que l'on
plongeait ses avant-bras et ses mains dans l'eau bouillante.

« Maintenant, écoute », disaient-ils et ils la tenaient par
les épaules.

On allait la tuer.

Elle reconnaissait toutes les rumeurs de la campagne. Ils
étaient donc seuls sur une route et on retrouverait son
cadavre dans un fossé. L'ambassade ferait une enquête.
Les journaux européens annonceraient sa disparition en
quelques lignes, mais en première page, par solidarité
confraternelle.

Elle avait vomi de fatigue, de peur et de dégoût. Ils
avaient appuyé contre sa nuque le canon d'une arme. Elle
devait savoir, disaient-ils, qu'ils la tueraient si elle parlait, qu'ils la traqueraient à l'autre bout du monde, mais
qu'ils l'auraient. Ils faisaient — elle entendait le petit
déclic métallique — jouer le cran de sécurité. Et si elle
voulait que Klaus Stucki survive, elle devait ne rien
écrire, jamais. Sinon il paierait chaque mot d'un lambeau
de chair.

Puis le silence autour d'elle après le bruit du moteur
de la voiture qui s'éloignait. Elle avait lentement dénoué
le bandeau. Elle ouvrait ses paupières. Ses yeux brû-
laient.

Devant elle, de l'autre côté de la route, elle compta cinq
arbres qui bordaient un champ, peut-être du maïs, elle

avait du mal à distinguer dans la lumière très vive de ce milieu d'après-midi.

Elle commença à marcher sur la route crevée d'ornières, ces plaies profondes qui laissaient voir le cœur rouge de la terre.

Clara me demanda brusquement de la reconduire à l'hôtel. Elle s'était redressée, le col de fourrure de son blouson dissimulant à nouveau une partie de son visage. J'avais besoin de la toucher, comme si par ce contact je pouvais réussir à nous rassurer elle et moi, à nous réunir. Je tendis ma main vers ses cheveux, n'osant que les effleurer, caressant la fourrure du col, brune et douce.

Clara ne bougeait pas, se tassant pourtant, paraissant insensiblement se dérober, les bras croisés, les épaules resserrées, enfermée sur ses souvenirs, accablée. Je ne démarrai pas et nous restâmes ainsi, moi tourné vers elle, elle loin de moi, dans le silence et l'éclat alterné, rouge et vert, des feux de signalisation du bout de l'avenue.

Je murmurai son nom.

— Naturellement, dit-elle, je n'ai rien écrit, rien dit. Et ils ont quand même tué Stucki.

Elle approcha avec vivacité son visage du mien.

— La lâcheté ne sert à rien, à rien, jamais.

Je crois qu'elle ajouta : « Que cela soit une leçon », mais déjà elle avait pris mon cou, ma nuque entre ses bras et elle m'embrassait avec une tendresse violente et experte.

Nous perdîmes notre souffle. J'avais glissé ma main sous

son blouson, je devinais la douceur de ses seins lourds, je l'attirais contre moi. Je n'éprouvais pas cette brutale tension du désir qui abolit le temps et la mémoire, mais un sentiment de paix. Enfin, enfin.

Elle s'écarta, repoussa ma main de sa poitrine, me dévisagea. Je serrai ses poignets, je gardai ses paumes sèches et maigres, ses doigts longs entre les miens. Elle me dit qu'il était tard, qu'elle voulait rentrer, que demain matin nous pourrions partir pour le Haut Jura y déjeuner, revenir le soir à Genève et reprendre chacun nos routes. Mais peut-être, ajouta-t-elle d'une voix qui retrouvait ses inflexions sarcastiques, étais-je tenu par un emploi du temps, par Garelli et Thierry de Carouge, ou bien n'aimais-je pas les forêts, cette mer sombre qui ondulait de sommet en sommet ?

Je n'ai pas réfléchi. Rien ne me paraissait plus important que d'être avec elle, dans cette liberté d'un jour à nous. Ce n'est qu'après, quand je fus seul dans ma chambre de l'hôtel Ascott, que je mesurai à quel point mon comportement était inattendu. Je devais en effet rentrer à Paris le lendemain, après avoir obtenu de Thierry de Carouge une réponse définitive. Je feuilletai mon agenda, ce quadrillage de mes heures qui m'enfermait. Un déjeuner, un dîner avec Gottlieb et sa femme, Martine qui ne comprendrait pas que je le décommande.

Je venais de quitter Clara dans le hall de l'hôtel. Elle m'avait simplement dit qu'elle me téléphonerait vers 11 heures et elle s'était dirigée vers l'un des ascenseurs, marquant ainsi sa volonté de demeurer seule, dans ce qui restait de la nuit. J'eus la tentation de l'appeler et de renoncer.

J'étais assis face à l'un de ces miroirs qui élargissent les chambres d'hôtel. Je découvris mon visage, ce cou et ces joues qui s'affaissaient, cette bouche petite, ces rides d'amertume, cette veulerie qu'il me semblait lire dans chacun de mes traits.

J'étais devenu ce servile serviteur de la Société Internationale de Banque et d'Industrie.

Mais qui donc m'avait volé ma vie ? Jusqu'alors je n'avais vécu que pour mourir.

Je ne téléphonai pas à Clara.

bord du lac, puis entre ces rives que je printemps verdissait.

30

Ce jour-là, où ma vie s'est jouée, commença quand je rejoignis Clara dans le hall de l'hôtel Ascott. Elle paraissait avoir froid, enveloppée dans une cape de tweed dont elle avait relevé le large col, si bien que son visage paraissait plus fin encore, exprimant une fragilité que le regard, ironique, le sourire assuré, presque dédaigneux, démentaient.

Elle venait vers moi, me défiant, me demandant si je n'avais pas changé d'avis au sujet de cette escapade. Je n'étais pas homme, disait-elle, à consacrer un jour à la forêt. Elle s'approchait, baissait la voix d'une manière que je trouvais équivoque, murmurait que je ne voulais même pas perdre quelques minutes pour une femme. Puis comme nous nous dirigions vers la voiture, marchant loin l'un de l'autre comme si rien dans la nuit ne nous avait rapprochés, elle ajouta qu'elle avait connu Erica Zorn au Brésil, une femme remarquable et courageuse, avec qui elle avait parlé de moi. Elle m'observait tout en me tendant une nouvelle fois les clés au-dessus du capot. Erica, disait-elle, était sévère avec moi, peut-être parce qu'elle m'avait aimé. Je ne m'étonnais même pas, trop préoccupé que j'étais par Clara. Il me semblait qu'elle voulait que naisse entre nous un climat de futilité artificielle à laquelle je refusais de me prêter. Je me taisais donc, conduisant vite sur la route du

bord du lac, puis entre ces prés que le printemps verdissait.
J'aimais ces étendues apaisantes, cette barrière bleutée
dont la brume masquait le sommet et vers laquelle nous
roulions, empruntant déjà le premier lacet, traversant des
nappes de brouillard qui s'accrochaient aux troncs humi-
des. Plusieurs fois Clara me demanda de m'arrêter. Elle
descendait de la voiture, s'enfonçait dans un chemin de
terre, respirait les bras levés. Elle s'étirait, de plus en plus
belle au fur et à mesure que le temps passait, que nous nous
éloignions de la plaine et de Genève et approchions des
hauteurs. Son visage devenait plus lisse, les cernes bistre
qui sertissaient son regard s'atténuaient, sa peau rosissait.
Elle avait une attitude plus enjouée, un peu affectée sans
doute, mais les pas de danse qu'elle esquissait, la façon
dont elle me tendait les fleurs qu'elle venait de cueillir me
séduisaient trop pour que je la juge. Il me semblait que
mon corps perdait cette écorce raidie qui m'avait contraint
depuis la fin de l'enfance. Je courais, quelques enjambées
seulement, car j'avais brutalement conscience du ridicule
et, alors même que je me sentais allégé, pesait la convention de l'âge. Je pensai brusquement que nous étions, Clara
et moi, vieux déjà, et n'avions pas à jouer cette comédie de
l'amour. Je m'immobilisai alors, paralysé par cette idée,
incapable de suivre Clara. Et cependant, j'avais envie de
saisir la branche d'un arbre, afin de m'y suspendre et de
m'y balancer, comme l'eût fait un adolescent qui veut
montrer son agilité et sa force, j'avais envie de chanter à
tue-tête pour faire résonner le silence végétal de la forêt.
Une gaieté vitale, oubliée, me poussait hors de mes
prudences, amplifiait mes gestes que j'avais, au fil des ans,
retenus et mesurés. Je m'élançai à nouveau, maladroit mais
joyeux.

Nous fûmes ainsi, à chacun de nos arrêts, plus spontanés, plus proches l'un de l'autre. Le ciel s'était dégagé. Nous avions laissé le brouillard au-dessous de nous, accroché aux arbres, et nous étions parvenus à cette zone déboisée d'où la vue s'étend libre, sur les plaines et les lacs.

Clara voulut que je m'arrête peu avant le village de La Foux où elle avait décidé de déjeuner. Mais elle désirait marcher encore, au bord de la route, dans cette luminosité brillante qui faisait scintiller les prés. Le panorama était à la fois paisible et exaltant. Nous l'admirions de la place du village, appuyés à une rambarde de fer forgé où étaient représentées des scènes de moisson. Nos bras, nos épaules se frôlaient et, naturellement, nous nous enlaçâmes.

Je n'avais pas le souvenir d'une tendresse ainsi partagée.

Nous parcourûmes, liés l'un à l'autre, les rues pavées. Le monde se réduisait pour moi à cette femme dont je serrais la taille, à ce ciel qui nous enveloppait. J'aurais aimé qu'il nous absorbât et que jamais nous ne redescendions vers la forêt, la plaine et la ville.

Mais déjà Clara parlait de l'amour qui ne pouvait plus se vivre hors du monde.

L'amour est mémoire du monde, disait Clara.

Elle parlait avec gravité, murmurait plutôt, les yeux fermés, le visage apaisé, les mains posées à plat, ouvertes sur la nappe blanche. Devant nous s'étendait, immobile dans la légère chaleur printanière, le paysage. Parfois par courtes séquences un souffle frais, presque froid, nous saisissait et pour quelques minutes le soleil était obscurci. Clara se redressait, replaçait sa cape sur ses épaules, frissonnait, scrutait le ciel avec inquiétude. A l'horizon passaient, en chapelets, des nuages bas. Puis la lumière redevenait intense. Elle était matière. C'était elle qu'on entendait vibrer, et non la voix de la serveuse ou celles des clients installés comme nous sur la terrasse du restaurant qui surplombait le village.

Je n'osais toucher Clara. Quand j'effleurais sa main ou bien que je plaçais mon bras sur le dossier de son fauteuil, elle avait un mouvement de recul à peine perceptible mais qui suffisait à m'interdire toute nouvelle initiative. Si je parlais — et je désirais lui parler — elle faisait, un instant, effort pour m'écouter, la tête tournée vers moi, les yeux mi-clos, puis elle s'enfermait à nouveau, distante, jouissant du soleil, si loin de moi que je laissais ma phrase en suspens et qu'elle ne m'interrogeait pas pour que je poursuive. Je ne me sentais pas rejeté pourtant, ni humilié de cette attitude. Elle exprimait au contraire la confiance que Clara avait en moi. J'étais le complice, peut-être nécessaire, de son abandon. A mes côtés, elle n'avait besoin ni de masque ni d'armure. Et il lui arriva au cours du repas de saisir ma main, de la serrer avec ce qui me semblait être de l'émotion et presque de la reconnaissance, comme si elle me remerciait de l'aimer, de la regarder avec admiration et d'avoir accepté déjà sa prééminence.

Mais quel droit aurais-je eu à parler de moi, même si le besoin en était si fort que les mots naissaient malgré moi, que je commençais, recommençais des confidences, ma mère, mon père, les étendues herbeuses derrière notre maison, les dunes, le poème d'Emmanuel Chaves que Garelli avait récité lors de notre première entrevue ? Ce gargouillement de souvenirs, j'en mesurais tout à coup la médiocrité et je l'interrompais d'un mot-césure qui mutilait ma mémoire. Ma vie, maintenant que j'aimais Clara, je savais qu'elle était terne, château de sable ou de cartes, construction raisonnée d'où j'avais exclu la folie et le risque, vivant dans l'ombre de Garelli, par sagesse avais-je cru et malgré les protestations de Clara je persistais à dire par lâcheté.

Elle, Clara, quoi qu'elle m'ait avoué, avait eu avec le monde une passion combattante. Je n'étais qu'un homme de la foule, calculant comment épargner, Clara avait comme une héroïne téméraire jeté sur le tapis tous ses atouts.

Et parce que je l'aimais, je voulais la convaincre que j'étais capable, moi aussi, d'un acte fou.

Cependant elle ne me demandait rien encore. Elle disait qu'elle venait dans ce village chaque fois qu'elle se trouvait en Suisse. La famille de Klaus Stucki y possédait une maison. Clara tendait le bras, me montrait une demeure de pierre et de bois dont depuis la terrasse du restaurant on apercevait les volets clos. Klaus était né là. Ses parents y vivaient encore au moment où il avait disparu. Ils étaient

morts depuis. Clara se bornait à énoncer les faits sans
grandiloquence. Elle avait voulu rencontrer le père et la
mère de Klaus dès son retour du Brésil. Ils l'avaient laissée
seule dans le bureau où Klaus avait travaillé. Elle avait
feuilleté ses livres, vu les manuscrits des deux ouvrages
qu'il avait consacrés au sort des enfants, à ce qu'il appelait
« l'envers du monde ». Elle avait tenu entre ses mains ces
pages dactylographiées où presque chaque mot était raturé,
recouvert d'un mot écrit à la main, à l'encre rouge, si bien
que les pages étaient aussi belles — disait-elle, me regardant pour mesurer mon attention, reprenant — aussi belles
qu'un tableau. Elle avait volé l'une de ces pages et l'avait
placée sur sa table de travail à Rome, comme d'autres font
d'une photographie. Mais elle ne possédait pas de portrait
de Klaus Stucki.

32

Après qu'elle m'eut parlé de ce portrait de Klaus Stucki qu'elle ne possédait pas, Clara se tut. Elle avait écarté le fauteuil de la table, dont elle serrait le rebord avec ses mains. Le fauteuil incliné, les jambes allongées, la nuque appuyée contre le mur, le menton relevé, toute son attitude exprimait une tension qui me paraissait dirigée contre moi, repoussé dans le silence. Je crus que le fauteuil allait glisser et je la retins, la saisissant par le bras, au-dessus du coude, mais elle se dégagea par un mouvement brusque de l'épaule, s'arc-boutant, accentuant encore le déséquilibre qu'elle réussissait à compenser par un effort de son corps.

Le soleil tournait, nous isolant peu à peu dans un dernier triangle de lumière que l'ombre rognait. Quand nous fûmes à notre tour recouverts, que d'un seul coup l'humidité nous pénétra, elle ne bougea pas, elle que je savais frileuse. Je rabattis l'un des bords de sa cape sur ses jambes et je soulevai son col.

Ses gestes me sauvèrent, sans doute. Elle se leva, me prit le bras et entra dans le restaurant.

Elle connaissait les lieux, se dirigeant vers un salon situé à droite du hall. Dans la pièce longue, étroite, des boiseries recouvraient les murs et des fauteuils de velours entouraient des tables basses. Une cheminée de pierre blanche occupait toute la cloison du fond. Sa dimension était telle qu'on eût pu y brûler des troncs d'arbres ou bien s'y asseoir comme les paysans, je crois, le faisaient jadis. Un feu modeste rougeoyait, étouffé par la cendre. Clara tira un fauteuil devant la cheminée et comme j'hésitais à l'imiter, elle en poussa un second avec détermination, m'intimant d'un regard l'ordre de m'asseoir près d'elle.

— Ecoute-moi, commença-t-elle.

Il me semble que chacun des mots qu'elle prononça est devenu image, que j'ai vu ces visages écrasés à coups de talon et de crosse, ces nez et ces lèvres tranchés à vif, ces seins ouverts, ces corps que la mer rejette et qui sont lacérés comme des étoffes, tous ces martyrs qui pour Clara Becker avaient nom Klaus Stucki, ces disparus dont on savait qu'ils avaient été enfouis dans la boue des marécages du Brésil, d'Argentine, d'Uruguay ou du Chili, ou lancés en mer. Les vagues les rejetaient parfois, portant encore les traces de leur souffrance. A quoi aurait servi, disait Clara, qu'elle accroche à l'un des murs de sa chambre un portrait de Klaus Stucki ? A mieux imaginer ce qu'ils avaient fait de ses yeux et de sa bouche ?

Sur le même ton d'impassibilité, sans reprendre souffle, elle appelait la serveuse, lui commandait deux thés citron après m'avoir consulté d'un regard, ajoutait qu'il fallait rallumer le feu, puis enfoncée dans son fauteuil, y disparaissant presque, elle ajoutait : « Voilà, mon cher Vanco », et j'avais le sentiment que j'étais redevenu un ennemi pour elle.

Nous étions à nouveau et pour des minutes qui s'étiraient séparés par le silence, buvant chacun notre thé, suivant les gestes adroits de la serveuse qui, agenouillée, recueillait la cendre, plaçait deux nouvelles bûches, et faisait jaillir une flamme vive vers laquelle Clara se penchait, recommençant à parler comme si le feu la ranimait.

Elle me vouvoyait, interrompant souvent son récit pour affirmer — et elle m'observait alors — qu'une vie comme la mienne ne pouvait se poursuivre que dans l'ignorance de ce que subissaient des millions d'hommes. Elle me parlait d'Erica Zorn, l'une des sociologues qui connaissaient le mieux l'Amérique latine, « celle des Stucki », répétait-elle, celle où l'on disparaît, où l'on crève. « Loin, loin de vous, tout cela. » Je devinais ses intentions. Elle voulait me contraindre à avouer mon indifférence ou ma culpabilité.

Provocante, déterminée, méprisante aussi, elle m'accusait à demi-mot de complicité avec les tueurs. Puis elle haussait les épaules, détournait le regard, affirmait que, naturellement, je croyais avoir les mains nettes, comme devait le croire Simon Garelli. Je n'appartenais pas, et lui non plus, à la catégorie des cyniques. Ceux-là, Bernard et Thierry de Carouge, elle se contentait de leur tendre des pièges.

— Mais vous, Julien...

Elle tapotait ma main comme on le fait de celle d'un enfant qu'on conseille. J'avais accès, poursuivait-elle, aux archives de la Société Internationale de Banque et d'Industrie, aux correspondances avec le Groupe Carouge-Mortain, je disposais donc de toutes les preuves qui eussent permis de confondre un Carouge et même un Garelli, car ils étaient, nous étions coupables de collusion avec ceux qui, aux antipodes, opprimaient et torturaient. Elle pouvait me citer des exemples précis. Il ne lui manquait, pour faire exploser le scandale, que quelques documents auxquels moi, « Vous Vanco », j'avais accès.

Elle avait une moue qui signifiait avec affectation son dégoût et son scepticisme. Je n'étais qu'un prudent et un conformiste, même si Erica Zorn — oui, disait-elle plus bas, elles avaient parlé de moi — croyait que j'étais un « maillon faible » de la Sibani. Voilà aussi pourquoi elle avait été heureuse de me rencontrer, de m'entraîner ici, dans le village de Klaus Stucki.

Elle se levait, s'accroupissait devant le feu, les paumes ouvertes sur la flamme. Elle ne me permettait aucune illusion sur ses sentiments ou ses intentions et pourtant, quand elle se retournait, je découvrais de la tendresse dans son regard, j'aimais la manière dont elle se penchait vers moi, appuyée aux accoudoirs de mon fauteuil, ses lèvres proches des miennes.

— Voilà, murmurait-elle.

Mais, déjà, elle s'écartait, très droite, distante. Elle disait d'une voix haute que chacun était libre de vivre comme il l'entendait. Elle traversait le salon, frappant fort le parquet de ses talons, ajoutant que — je me levais à peine du fauteuil — elle pouvait tout comprendre sauf l'aveuglement volontaire, cette lâcheté délibérée, si confortable.

Elle s'arrêtait sur le seuil face à la terrasse que la pénombre et le froid avaient envahie.

— Vous conduisez, n'est-ce pas, disait-elle au moment où je la rejoignais.

Puis elle partait sans m'attendre.

33

Je conduisais.

Je tentais dans les brèves lignes droites de croiser son regard, de susciter un mot, mais elle feignait de somnoler, la tête appuyée à la portière, penchée, laissant entre nous ce creux dont le froid me raidissait.

La route était sinueuse, la nuit s'accrochait aux arbres, les phares blancs m'aveuglaient et j'accélérais pour échapper à leur incandescence brutale, puis je freinai sèchement, surpris par un virage, à moins que je ne voulusse arracher une inquiétude ou un reproche à Clara. Mais elle se taisait.

Je n'acceptais pas qu'elle me laissât ainsi seul après m'avoir fait découvrir ce que j'éprouvais pour elle et ce qu'elle pouvait me donner. Elle se dérobait maintenant, et pour m'isoler davantage et ne même pas m'accorder ce silence ou cette indifférence hostile, elle ouvrit la radio, comme si je n'étais qu'un instrument mécanique de cette voiture qui roulait.

Je n'exagère pas ce que j'ai ressenti.

Elle m'avait rendu sensible et ouvert à l'émotion. Depuis l'adolescence, je m'étais privé de l'affectivité laiteuse avec orgueil. J'avais réussi à me satisfaire, en en accusant les traits, de l'aridité morose de ce que j'avais appelé raison. Je n'avais noué que des liens superficiels. Ne pas accorder et ne pas recevoir, telle était ma règle, à peine si j'y dérogeais pour mes enfants.

Et voilà qu'elle était venue, elle qui m'avait fait boire. Et maintenant que j'avais soif pour toutes ces années d'abstinence, elle m'abandonnait.

Son attitude me désespérait. Elle m'avait montré en quelques heures que je ne possédais que des cendres et du plomb. Ma vie était une méprise dont Clara n'avait pas été dupe. Elle m'avait accueilli, jaugé, rejeté. Que me restait-il ? J'imaginai mon retour à Paris où peut-être déjà, avertis de mon absence par Thierry de Carouge, Martine et Simon Garelli s'interrogeaient, se concertaient afin de me demander des comptes. Mais j'étais trop optimiste encore, ils se contenteraient l'un et l'autre de me regarder avec ironie, s'étonnant simplement que je n'eusse pas respecté les usages, inventé un prétexte ou téléphoné une excuse. Ils ne troubleraient pas par une question maladroite l'hypocrite conformisme de nos vies. Garelli, le plus imprévisible, prendrait peut-être mon bras avec affection et chuchoterait une plaisanterie ambiguë, afin de renforcer encore ma dépendance. Mais Martine demeurerait impassible, recommandant aux enfants, de sa voix calme, de ne pas oublier d'embrasser leur père. Et Nathalie et Serge obéiraient, me présentant leurs joues pleines.

L'ordre, l'apparence.

Je pensais à ces corps rejetés par la mer sur le sable austral, celui de Klaus Stucki dont on avait arraché la peau par lanières.

Je pensais à ces enfants de l'envers du monde.

Je pensais que partager la souffrance était la seule manière de mettre fin à l'apparence d'ordre qui régentait nos vies, la seule voie de vérité, le seul moyen d'atteindre Clara.

Alors vint l'accident.

34

Plus tard, Clara me dit qu'elle savait que j'avais désiré cet accident.

J'habitais alors chez elle à Rome, pour la première fois. Elle commençait à me raconter par bribes son enfance, le parc de la villa Becker, les arbres qui l'inquiétaient et la rassuraient. Je l'écoutais, allongé près d'elle et j'aimais, quand elle s'interrompait et se levait pour aller jusqu'à la terrasse, voir sa silhouette un peu lourde et voûtée se découper au-dessus des toits, qui paraissaient s'élever en pente douce jusqu'au ciel qu'envahissaient les teintes délavées du crépuscule. Elle portait une tunique de soie bleue brodée, ample et longue, qui donnait à sa démarche et à ses gestes une solennité désuète, accordée pourtant au décor, aux tuiles d'un rouge pâle, au clocher dont on apercevait un pan jauni à l'extrême droite de la terrasse, comme une ligne forte qu'un peintre eût placée là, pour équilibrer les arêtes horizontales, le faîte des toits, le rebord de la terrasse. Je découvrais cette harmonie composée d'ajouts, d'imbrications de volumes et de surfaces, cet apparent désordre si semblable à la conversation que nous avions avec Clara, avançant par à-coups, incohérente, semblait-il, et pourtant construisant peu à peu, avec une rigueur inéluctable, notre intimité.

Clara me parlait de son frère Romano, de la dernière

image qu'elle avait conservée de lui, ces bras levés pour protéger la nuque, ce corps que des soldats poussaient brutalement dans le parc. Elle détournait la tête, se dirigeait vers la terrasse et je comblais le silence en racontant mon enfance. Je savais qu'elle ne m'écoutait pas, mais que mon bavardage l'aidait à poursuivre, à dire, après Romano, Klaus Stucki. Elle se taisait à nouveau. Je reprenais le récit de mes enfantillages. Enfin elle évoquait Marcello et Roberto, ses fils.

Alors elle revenait vers moi, enjouée, heureuse, cherchait leurs photos dans le tiroir d'une table basse au plateau de marbre noir. Elle regardait longuement chacun des deux portraits et avant même que je formule le désir de rencontrer ses fils, elle me prévenait qu'ils étaient impitoyables et ne pardonnaient rien. Elle riait et son visage rayonnant, la bouche à demi ouverte, exprimait la fierté. Elle se penchait vers moi. « Cher Julien, disait-elle avec ironie, tu es si différent d'eux, si plein de compromissions et de volonté de compromis, n'est-ce pas ? »

Ne mesurait-elle pas le lent travail de sape qui s'achevait en moi ? La vase que peu à peu je repoussais afin qu'apparaisse le tranchant d'une décision ? Si je tentais de lui expliquer ce vers quoi j'allais, Clara haussait les épaules, refusait de savoir. « On vit sa vie, c'est tout », disait-elle.

Elle employait des formules qui m'irritaient, dont je contestais d'abord la vérité, puis que j'acceptais. Je l'interrogeais. « Explique-moi », répétais-je. J'étais avide de conseils, d'ordres même, mais elle se dérobait. Elle ne pèserait jamais sur mes décisions, insistait-elle. Je devais être libre. Et même si, commençait-elle...

A cet instant, elle confia qu'elle avait craint, dès que nous avions quitté le village de La Foux, que je ne précipite la voiture contre un rocher ou un arbre. Elle s'était persuadée que j'allais rechercher l'accident.

Mais recroquevillée, fataliste, elle avait refusé d'intervenir, d'exiger que je ralentisse, libre à moi de choisir et tant pis pour elle. Elle subirait les conséquences de mon choix.

Quand j'avais quitté la route, sur la gauche, heurté le talus puis la falaise, elle avait avec une délectation morbide crié qu'elle l'avait prévu, que je n'étais qu'un con. A moins qu'elle n'eût fait que penser cela, sa peur s'exprimant par un cri au moment où la voiture versait, Clara éjectée sans mal au premier tonneau. Elle s'était relevée, avait couru, constaté que j'étais évanoui et coincé entre les tôles. Une voiture était passée quelques minutes plus tard, et l'on m'avait transporté à l'hôpital de Neuchâtel, puis dans une clinique de Genève.

Clara ne me faisait le récit de l'accident, ne me révélait ses intuitions qu'au moment où ma convalescence s'achevait.

Je marchais encore difficilement, m'appuyant à une canne, obligé pour monter les quelques marches qui conduisaient à la terrasse de m'agripper à la rampe, de tirer sur mes bras de toutes mes forces afin de pouvoir soulever mes jambes lourdes et mes hanches encore figées. Mais je sentais que lentement la gangue qui m'avait emprisonné plus de trois mois s'émiettait. Ma raideur et mes difficultés me paraissaient légères après l'immobilité à laquelle j'avais été condamné.

Je réussissais à rejoindre Clara, à m'accouder près d'elle, face au ciel et aux toits. J'effleurais la soie si lisse, si brillante, glacée comme l'est un miroir, de sa tunique bleue.

Je ne niais pas, le soir où nous rentrions de La Foux, quand j'avais craint qu'elle ne m'abandonnât, confiné au silence, avoir eu la tentation floue de faire éclater ma vie. Je n'avais pas voulu l'accident, mais peut-être l'avais-je rêvé le temps d'une inattention et le talus et la roche s'étaient dressés devant moi.

Clara m'écoutait, puis m'accusait d'une voix apaisée et douce d'avoir disposé de sa vie. Mais elle avait accepté le risque, en toute conscience, par défi et, qui sait, par indifférence. Elle se tournait vers moi. Son regard avait tant d'insistance que je baissais les yeux. Elle continuait à m'observer et, il me semblait, à attendre de moi une résolution dont je ne connaissais que le sens : rompre avec ma vie antérieure. Je murmurais que ma décision était prise, que l'accident avait été pour moi comme le passage, douloureux, d'une vie à une autre.

— Souvent..., commençait Clara.

Elle faisait une moue, les lèvres boudeuses, les sourcils froncés, puis, d'un geste lent de ses mains, elle soulevait ses cheveux comme si elle avait eu chaud, elle dégageait son cou. Ainsi elle paraissait plus jeune, plus vulnérable, sans artifice, le visage nu.

— La mort..., reprenait-elle.

Elle hésitait — me dévisageait. Elle plissait ses yeux comme pour rendre son regard plus perçant.

Elle affirmait, parlant lentement, cherchant ses mots, que le risque pris de la mort ou de la mort des autres changeait un homme.

— En bien, en mal ? interrogeait-elle.

Je murmurais que j'étais différent, qu'elle l'avait su dès le lendemain de l'accident.

35

Elle était entrée dans la chambre de l'hôpital. Je reconnaissais sa voix, son pas, sa main longue et un peu sèche qui me rassurait, se posait sur mon front puis mes lèvres. Clara parlait à voix basse et je ne comprenais aucun des mots qu'elle prononçait. J'avais voulu bouger, lui répondre, mais j'avais le corps divisé et le mouvement suppose d'abord qu'on se rassemble. Ma voix elle-même était émiettée et sur ma gorge et ma poitrine pesait une masse brûlante.

J'avais préféré fermer les yeux, me contenter de son murmure indistinct, de cette légère pression de ses doigts. Puis d'autres pas, d'autres voix. Martine, Thierry de Carouge. Les jours sans frontières. Parfois l'air plus vif quand une infirmière ou le Dr Battist — son nom auquel ma mémoire s'agrippait, Battist, Battist — ouvrait une fenêtre ou bien quand on me transportait jusqu'à la salle de radiographie, ce long couloir vert et brillant où l'on me poussait avant de m'enfouir dans une pièce obscure où clignotait une lumière rouge.

On dénouait le corset qui me serrait de la taille à la nuque et j'avais alors l'impression qu'une myriade d'insectes dont je suivais sur mes pupilles le vol scintillant se précipitaient sur ma peau afin de la piquer et de la mordiller. Je retrouvais alors l'unité de mon corps. Je renaissais à moi par la douleur. Je l'utilisais comme un moyen de connaissance, m'étirant, me cambrant malgré les pansements et la minerve qui immobilisaient ma tête, afin de sentir mes membres et de les rattacher à moi.

Je me constituais.

Simon Garelli vint comme j'apprenais les premiers gestes, un pas, appuyé à l'épaule du Dr Battist. Il m'observa avec une tendre ironie, assis dans l'un des coins de la chambre, les jambes croisées, le menton dans la paume de sa main droite, le coude appuyé sur le genou. Je l'ignorais, prenant prétexte de l'effort que j'accomplissais et de ma maladresse pour ne pas le regarder ou répondre à ses remarques. Il m'annonça que Bernard de Carouge avait capitulé, que le Groupe Carouge-Mortain et toutes ses filiales — la Somebra, notamment — étaient désormais sous le contrôle de notre Société Internationale de Banque et d'Industrie. Il me rendit hommage. J'avais été un négociateur têtu et Thierry de Carouge l'avait publiquement reconnu.

Battist nous avait laissés. Pour regagner mon lit, je m'appuyais aux murs, traînant les pieds, apeuré. Garelli se leva, s'approcha, me présenta son avant-bras afin que je m'y accroche.

Je continuais seul, refusant son aide, retrouvant enfin le lit où je m'allongeais lentement.

— Vous êtes comme un enfant, dit Garelli.

Il saisit ma main, la serra avec vigueur. Je hurlai comme s'il avait brisé mon bras. J'avais senti dans tout mon corps une douleur intense et brève. Il s'excusa. L'infirmière qui s'était précipitée paraissait ne pas comprendre les explications que Garelli lui donnait. Elle répondit, parlant avec assurance de nervosité, d'état de choc, d'hypersensibilité, d'émotivité pathologique. Ma survie tenait du miracle.

Je ne bougeais plus, les yeux clos. Garelli répéta que j'avais des réactions enfantines. L'infirmière le reconduisait, murmurait que ce n'était que passager, un traumatisme psychologique, une réadaptation nécessaire. Mais, assurait-elle, ce ne serait plus très long. J'allais renaître.

Mais je refusais de renaître à la mort.

J'avais durant ces jours immobiles regardé derrière moi, vu ce paysage partagé, une forêt au loin, vers l'horizon, bordant la mer, des enfants y couraient et j'étais l'un d'eux, puis une immense étendue plane, un terre-plein bétonné, sans une aspérité, que fermait une falaise, contre laquelle, chaque fois que recommençait ce cauchemar, je me précipitais, brisant mes bras à la hauteur des poignets, en même temps qu'on m'arrachait les dents, les cheveux et le sexe. Je demeurais ainsi mutilé, paralysé, avec des taches sanglantes sur le corps, appuyé contre le mur, pareil à l'un de ces prisonniers qu'on voit, bras dressés au-dessus de la tête, et que menacent des soldats. Je voulais retourner à la forêt.

36

Je ne sais si cette forêt surgissait d'un rêve spontané ou
de l'un de ces contes que l'on poursuit quand, somnolent,
on laisse filer les heures.

J'étais étendu. Il fallait que je rejoigne ma mère dont
j'apercevais la silhouette entre les arbres. Je devais rassembler en un chignon ses mèches blanches, trop longues, qui
donnaient à son visage une expression hargneuse, celle
qu'elle avait eue les derniers jours de sa vie.

Je l'avais regardée sans la voir, je m'étais détourné,
décidé à la laisser mourir seule de crainte d'être entraîné
par elle. J'avais prétendu avec orgueil suivre la seule voie
raisonnable. J'avais continué à vivre et réglé de loin, en
quelques appels téléphoniques, le détail de ses funérailles.
J'étais fier de mon efficacité et de la maîtrise de mes
émotions.

Mais cette part de ma vie que j'avais crue épargnée et
sauvegardée, je la haïssais. Vie-mort. Je voulais maintenant rentrer dans la forêt.

La futaie était dense et je ne pouvais y accéder qu'après
avoir écarté des ronces emmêlées, m'être enfoncé dans un
taillis dont les branches me fouettaient le visage. Il me
semblait que je séparais, dans un effort obstiné pour
accéder à la forêt, des lèvres serrées. J'accouchais de moi.
Il me fallait franchir ce barrage.

Au-delà se trouvaient Clara et mes enfants, ma mère vivante, ma jeunesse. J'entrerais dans mon corps que j'avais déserté pour ne plus être, ma vie durant, que l'apparence de moi. J'allais me glisser dans ma peau.

Quand j'accédai à cette unité, j'ouvris les yeux.

A droite de la fenêtre un appareil de télévision accroché au mur, à quelques mètres au-dessus du sol, me fixait de son œil gris. Je commandais de mon lit la succession des images et à deux reprises depuis mon hospitalisation j'avais aperçu Clara Becker, mais chaque fois j'avais effacé son visage de l'écran. Je ne voulais pas que mes souvenirs intimes soient traversés par cette parole publique qu'au même moment des centaines de milliers d'hommes et de femmes écoutaient, subissant le charme du regard, suivant le mouvement des mains. Je désirais préserver ce lien unique que l'accident avait noué entre nous et quand je revis Clara — elle vint presque chaque semaine — je lui dis — ou je lui fis comprendre car je ne sais si j'eus l'audace d'employer des phrases simples — que je désirais qu'elle restât avec moi, toujours.

Je me souviens de ce dernier mot : « Toujours », et de la colère qui suivit.

A ce moment-là, je pouvais déjà marcher aidé de deux béquilles et je me tenais debout, le dos contre le mur, proche de la fenêtre. Clara assise sur le lit, les jambes étendues, s'était levée d'un bond et sans crier mais avec rage, mêlant l'italien et le français, elle m'avait insulté, poussant la fenêtre avec violence afin de se placer en face de moi, m'accusant de n'être qu'un étouffeur, quelqu'un qui préférait posséder les choses et les êtres morts plutôt que de choisir de vivre avec eux dans le risque de la vie. J'étais banquier, cela ne l'étonnait pas. Erica Zorn l'avait avertie. J'avais le goût de l'inerte et des signes, de ces coffres-cercueils où l'on enfermait du papier et du métal.

Elle marchait de long en large devant moi, se parlant à elle-même, le plus souvent en italien, cette langue de mon enfance qui pénétrait au plus profond de moi comme un châtiment. Elle avait cru, disait-elle, à mon honnêteté, à ma lucidité, elle avait imaginé que je serais capable de choisir la vie. Erica avait partagé cette illusion. Trop tard. Je préférais la mort. Clara ne dit rien pourtant de l'accident.

Tout à coup, elle se calma, comme si elle se rendait compte que j'étais encore ce malade vêtu d'un pyjama bleu, la tête supportée par une minerve.

— Libre à toi, ajouta-t-elle.

Elle s'asseyait à nouveau sur le lit, elle m'observait, le visage tendu.

— Mais posséder, c'est tuer. Souviens-toi, Julien.

J'étais resté appuyé au mur, je transpirais. Elle le vit, ouvrit la fenêtre. J'entendis l'eau de la fontaine dont j'avais imaginé qu'elle se trouvait au fond du parc, entourée de rosiers.

Clara m'annonça qu'elle allait partir pour Rome. Elle devait y terminer le montage de plusieurs émissions. Elle griffonnait son adresse, son numéro de téléphone. Elle m'invitait à lui rendre visite, elle gardait la tête penchée bien qu'elle eût achevé d'écrire. Elle me tendit la feuille qu'elle avait arrachée à son agenda et je vis qu'elle avait retrouvé son calme. Sa voix était à nouveau sarcastique quand elle me dit que puisque nous avions risqué la mort ensemble, nous pouvions peut-être faire l'amour ensemble.

— Je te choque, n'est-ce pas ?

Elle riait, m'embrassait sur les joues, frôlait mes lèvres.

D'une voix dont je sentais qu'elle s'accrochait à l'intérieur de moi, qu'elle était trop sourde, je répondis que j'allais quitter la Société Internationale de Banque et d'Industrie, que...

Clara tapota ma joue.

— Si tu le décides, commença-t-elle.

Elle s'interrompit, murmura : « Cher Julien. » Elle

n'avait pas voulu aller au-delà. Je devinai pourtant et j'ajoutai :

— J'aurai les archives.

Elle me dévisagea, perplexe. Du bout de ses doigts elle caressait ses lèvres minces, si peu sensuelles.

— Libre à toi, répéta-t-elle, libre à toi.

37

Clara ne revint plus. Elle me laissait seul avec mon engagement.

J'essayais presque chaque jour de lui téléphoner à Rome, mais je n'obtenais que des voix masculines — peut-être ses fils — qui me répondaient que Clara Becker avait quitté l'Italie pour un reportage. On ne connaissait pas la date de son retour et il était impossible de la joindre à l'étranger, puisqu'elle se déplaçait. Mais elle appelait régulièrement et je pouvais laisser un message. Je répétais mon nom, seulement mon nom. Il me semblait qu'elle comprendrait que je demeurais fidèle à ma promesse.

De parler à quelqu'un qui lui était proche, de savoir que mon nom résonnait dans son appartement me donnait un court influx d'énergie. Je marchais, obstiné, les bras tendus sur mes béquilles, et quelquefois je tentais de rester debout sans m'y appuyer, esquissant un pas puis un autre, atteignant la fenêtre. Je réussis enfin à sortir de ma chambre, à longer le couloir jusqu'à l'ascenseur, ce bout du monde, et ce fut le parc, la fontaine couverte, comme je l'avais imaginée, de roses pâles, épanouies et charnues. Je vins là, chaque jour, commençant à prendre l'habitude d'écrire — celle qui me tient aujourd'hui comme un vice —, me servant des mots pour ne les utiliser encore que dans le désordre, en de courts paragraphes sans suite, m'approcher de la forêt.

Le Dr Battist me félicitait de mes progrès et s'étonnait que je ne veuille pas rentrer à Paris pour y achever ma convalescence. Je répondais évasivement à ses questions. Je craignais ce retour, l'obligation où je serais de passer aux actes.

A droite de mon bureau, au premier étage du siège de la Sibani, se trouvait une petite pièce longue, fermée par une porte blindée dont je possédais seul avec Garelli la clé. Sur d'étroits rayonnages métalliques je classais personnellement les dossiers que Garelli voulait conserver secrets. Ils étaient marqués de ses initiales : « *S. G. Directeur Général. Confidentiel* », et suivis d'un numéro de code qui permettait d'accéder aux relevés de compte fournis par l'ordinateur.

J'avais participé à la constitution de certains de ces dossiers dont je savais qu'ils contenaient les originaux des contrats, des correspondances, des textes de télex et des lettres manuscrites. Garelli me demandait parfois de sortir l'un d'eux et de lui donner l'état du compte. Je formais sur le terminal les chiffres du code et je joignais au dossier une longue bande que la machine imprimante délivrait. Mais il était impossible à quelqu'un qui ne possédait pas les références du dossier d'identifier le titulaire du compte et les causes des opérations et des mouvements de fonds. Je n'avais jamais eu la curiosité — aussi étonnant que cela puisse paraître — d'examiner un dossier complet. Je le feuilletais en me rendant chez Garelli. Je reconnaissais certaines pièces, mais la plupart m'étaient inconnues car j'avais le culte de l'efficacité et de l'organisation rationnelle et ne désirais savoir que ce qui m'était utile. Si Garelli — comme il le fit quelquefois — exigeait que j'étudie un dossier, j'en possédais après quelques heures d'examen l'essentiel et je pouvais répondre à ses questions. Il était alors de mon devoir et de ma compétence d'avoir une opinion. Mais si je n'étais pas chargé par Garelli d'une telle mission, pourquoi, pour qui, eussé-je voulu savoir ce que contenait l'un de ces dossiers ? En outre Garelli m'avait fait confiance. Un jour que je lui apportais avant qu'il reçoive Dominique Calzi le dossier 21944 — dont je savais pour y avoir glissé une pièce qu'il correspondait à Bernard de Carouge —, il me retint quelques minutes.

Garelli était assis à son bureau. Il avait — cela lui arrivait rarement — enlevé sa veste. Dans sa chemise bleue aux larges rayures blanches, trop ample, il paraissait plus gras qu'il ne l'était. Il soupesa le dossier que je lui remettais, me regarda par-dessus ses lunettes. « Du plomb et de l'or », dit-il. Il rejetait son fauteuil en arrière, aspirait longuement comme s'il avait de la peine à reprendre son souffle. Je me tenais debout, les mains derrière le dos, dans cette attitude habituelle d'élève respectueux et studieux dont parfois Garelli se moquait, essayant par une allusion, une plaisanterie de me contraindre à y renoncer. Il n'y réussissait jamais et ne s'attardait pas, trouvant dans ma servilité et ma fidélité silencieuses ce qu'il avait espéré en m'engageant.

Il poursuivit ce jour-là, en m'interrogeant sur le contenu du dossier que j'ignorais, puisque je n'avais pas reçu ordre de l'étudier. J'y avais seulement classé le texte d'un accord passé entre notre société et le Groupe Carouge-Mortain, à propos de sa filiale métallurgique, la Somemor.

Au fur et à mesure que je lui donnais ces indications, Garelli changeait d'attitude, jetant le dossier sur son bureau, se levant avec vivacité, dans un mouvement d'impatience, répétant sur un ton moins indigné qu'irrité que « j'étais extraordinaire ».

Je connaissais ses colères. Elles étaient brèves mais démesurées et ceux qui les subissaient en étaient ébranlés pour plusieurs jours, alors que Garelli paraissait, quelques minutes après l'incident, avoir oublié sa violence.

J'avais reculé d'un pas, le laissant arpenter son bureau,

maugréer contre ces collaborateurs les plus proches qui ne prenaient aucune initiative et refusaient d'assumer toutes leurs responsabilités. Tout à coup, il retourna à son bureau, prit une fiche et me la tendit. J'y lus une dizaine de numéros, écrits de sa main, chaque chiffre tracé avec soin. Je devais, disait-il, en revenant lentement vers moi, et sa solennité m'étonna, détruire les dossiers qui correspondaient à ces numéros de code. « Seulement le jour de ma disparition, Julien », précisa-t-il. Il avait déjà renoncé à la gravité pour retrouver la dérision et le sarcasme, ajoutant qu'il y avait tant de façons de disparaître aujourd'hui qu'il ne pouvait me donner d'indications supplémentaires. « Vous apprécierez. » Et je devais détruire les dossiers, à ma convenance, après ou avant de les avoir lus. Si je tenais à conserver mes illusions, murmurait-il, autant ne pas parcourir ces textes.

Je ne fis aucun commentaire, ce qui parut le décevoir. A nouveau je craignis sa colère. Mais il se contenta de froncer les sourcils et d'avancer la lèvre inférieure, exprimant ainsi ce sentiment de mépris qu'il manifestait souvent.

Il me serra le bras, et d'une voix sourde, un peu hésitante, comme s'il lui en coûtait de me parler, il me dit que je ne vivais que d'illusions, même si — j'ai retenu son expression qu'il prononçait d'un ton plus vif — je croyais être le « prince des réalistes ».

Il m'entraîna vers la porte, comme aurait pu le faire un médecin de famille, avec ce mélange d'affection et d'autorité de qui a formulé un diagnostic précis. Il dit encore, parlant cette fois-ci très rapidement : « Je te connais depuis plus longtemps que tu ne te connais », puis, comme je manifestais sans doute ma surprise de l'entendre employer le tutoiement de notre enfance, il ajouta brutalement :

— Conservez cette fiche, Vanco, et suivez mes instructions.

Quand je me suis engagé devant Clara à quitter la
Société Internationale de Banque et d'Industrie avec les
archives, je pensais à cette fiche cartonnée de couleur
bleue, aux numéros calligraphiés par Simon Garelli, à ces
dossiers que je devais voler et analyser. Pour Clara et pour
que ma vie cesse d'être morte.

38

Seulement ma vie que je voulais défaire afin de la
reconstruire était ce puzzle achevé où je reprenais ma
place, serré de toutes parts, désespéré par la multitude des
liens qui m'entravaient et dont je craignais qu'ils ne me
réduisent à la passivité.

Martine m'accueillait dans notre maison de Saint-Cloud,
droite et souriante entre les enfants qui s'avançaient vers
moi, mais dont elle brimait l'élan d'une phrase. Qu'ils
prennent garde — « Allons, allons » — à ne pas me
bousculer, je n'étais qu'un convalescent appuyé à une
canne. Je me penchais. Ils se haussaient sur la pointe des
pieds. « Allons, allons. » Déjà ils rejoignaient leurs chambres, retrouvaient Judith, le piano et l'anglais. Martine de
la même voix affable m'annonçait qu'elle était heureuse de
me revoir, d'ailleurs plusieurs questions étaient demeurées
en suspens durant mon absence et il devenait urgent de
trancher. Elle me guidait vers mon bureau, me précisant
qu'elle y avait installé un lit afin de m'éviter d'avoir à
monter l'escalier. Mon courrier était rangé en deux tas
séparés. Impôts, jardinier, garage, chaudière, les résultats
scolaires des enfants, Serge est indiscipliné, tu as manqué à
Nathalie, j'ai invité Simon et Marie-France Garelli demain
soir, avec Jean et Erica Zorn, quand retourneras-tu au

bureau ? Veux-tu que je te fasse couler un bain ? As-tu besoin d'aide ? Les serviettes sont dans l'armoire.

On appelle cela la vie.

J'avais un tel sentiment d'impuissance que j'eus un malaise, incapable de respirer, étouffé plutôt comme ces enlisés que le sable — si minuscule pourtant chaque grain — recouvre. Je tombai lourdement dans la salle de bains et le bruit prévint Martine de ma chute.

Le médecin attribua à la chaleur et à la fatigue du voyage en ambulance ce brusque évanouissement que rien d'autre n'expliquait. Il prescrivit la prudence et plus tard des examens. J'étais honteux de ma nudité et de ma faiblesse. Je ramenai le drap sur moi. Le médecin eut un sourire — la pudeur est un très bon signe clinique, dit-il.

Martine, sévère et grave comme il convenait, demandait si elle devait annuler le dîner qu'elle avait prévu. Le médecin la rassurait. Il suffisait que je me retire assez tôt. J'avais, prétendait-il, une solide constitution.

Ils me laissèrent, encombré de ce corps et de la vie telle qu'ils la voulaient, telle peut-être qu'elle devait se dérouler, telle que je l'avais désirée, organisée, conduite, et telle que je ne pouvais plus la vivre.

Mon corps lui-même, dont j'avais jusqu'à cet accident ignoré le poids, m'écrasait. Je me sentais, peut-être était-ce dû à la longue période d'immobilité que je venais de traverser, non seulement lourd, mais englué, comme si se collait à moi une couche épaisse et visqueuse. Pour la première fois de ma vie — était-ce cela la cinquantaine ? — mon corps m'apparaissait comme une masse extérieure, encombrante et laide. Je me voyais tout à coup semblable à de Sarte, à Rouvet, à Gottlieb, à Simon Garelli ou à Jeumont, ces adultes replets dont l'âme avait disparu sous les couches de chair.

Je sais que je restai longtemps allongé l'après-midi de mon retour.

Nathalie répétait les notes graves d'une partition que paraissaient accompagner les pas de Martine, allant et venant à l'étage. J'écoutai. La fenêtre de mon bureau était ouverte sur les vibrations du parc. Je distinguai le froissement des feuilles, une voix lointaine, la rengaine indistincte, inlassable des oiseaux où se détachait parfois une tonalité plus aiguë, vite absorbée et réduite.

Je répétai ces mots : âme, chair. Je jouai avec leur double sens et j'imaginai que je pouvais, comme on le fait avec la branche d'un arbre, racler l'écorce, les couches mortes de chair jusqu'à atteindre le cœur blanc et vif du bois, l'âme.

Je me plongeai dans un bain brûlant à hurler comme si allaient se consumer ces parties superflues qui me liaient aux autres d'ici. Resterait seulement ma volonté tendue, telle la fine corde d'un arc.

— Vous êtes un homme morose, me dit Simon Garelli le lendemain soir.

Il était assis à droite de Martine, à l'autre bout de la table, mais il m'observait, m'interpellait, m'accusant de ne pas boire, de chipoter.

— Un convalescent, dit Jean Zorn.

Il faisait face à Garelli et tout les opposait. Jean portait un pull-over noir à col montant, Simon Garelli une chemise au col blanc qui tranchait sur un plastron bleu ciel. La veste de Jean était en velours jaune clair à côtes larges, celle de Garelli dans un tissu léger d'un bleu soutenu mais brillant. Jean ne lançait qu'un mot de temps à autre. Simon, à son habitude, animait la conversation, tourné vers Erica Zorn qui l'écoutait en silence, puis vers Martine qui souriait avec complaisance. Marie-France Garelli soulignait d'un hochement de tête les récits de Simon et recherchait mon approbation, penchée vers moi.

Je ne pouvais répondre ou même simplement sourire. Mon visage et ma gorge étaient pris, figés.

Je ne réussissais ni à parler ni à avaler. J'écoutais, mais les voix me parvenaient assourdies comme si j'avais été un spectateur au fond d'une salle et que les acteurs interprètent leurs rôles à voix basse. Et j'étais pourtant assis parmi eux, l'un de ces acteurs.

Je ne cessais de regarder Erica. A elle j'eusse pu parler puisqu'elle connaissait Clara. Les autres échangeaient les mots d'une langue qui m'était devenue étrangère, comme l'idiome d'une peuplade barbare.

La scène s'anima brusquement. Je voyais Simon Garelli, tourné vers Erica, la tête un peu penchée, ironique et protecteur, provocant de suffisance. Martine et Marie-France l'approuvaient avec bienveillance. Jean Zorn, malicieux, les coudes sur la table, les doigts croisés devant sa bouche, observait sa sœur.

— Vous êtes..., commença Erica.

Elle dévisagea Simon Garelli puis me fixa. J'ai dit que son regard était sans voile, tel un éclat sur une lame. Elle se tut jusqu'à ce que j'aie baissé les yeux. Alors elle reprit. Sa voix était égale et ferme. Elle ne permettait pas que Simon lui répondît et quand il tentait de lancer un mot, elle haussait le ton pour quelques secondes, le décourageant par sa résolution. Elle parlait comme Clara, de Klaus Stucki. Elle n'avait pas cité son nom, mais je reconnaissais l'action du médecin, les livres qu'il avait écrits, presque sa silhouette devenue familière déjà, comme celle d'un proche. Et sa mort, son corps lacéré.

Simon Garelli s'étonnait. En quoi cela le concernait-il? Il tendait le bras vers moi, s'emportait, croyait-on que lui et moi étions tenus informés de la politique intérieure des Etats dans lesquels nous avions des intérêts? Il parcourait en quelques phrases le monde, Iran, Pologne, Mexique, Zaïre, Argentine, Angola, U.R.S.S., nous investissions, nous prêtions en banquiers et non en politiciens. « N'est-ce pas, Julien? »

Erica m'empêchait aussi de répondre. Elle avait connu un homme qui sauvait des enfants, disait-elle, un médecin, que d'autres hommes avaient tué. Une journaliste — elle m'interrogeait à son tour : « N'est-ce pas, Julien? » — avait commencé une enquête, qui démontrait la complicité des industriels, ceux de la Somebra, avec les équipes de tueurs. Garelli s'esclaffait. J'ignorais qu'il pût avec tant d'exubérance manifester ses sentiments, son indignation : « Vous êtes ridicule, totalement ridicule. »

Il séparait les activités de la Somebra, une filiale brésilienne du Groupe Carouge-Mortain, de celle de la Société Internationale de Banque et d'Industrie.

— Thierry et Bernard de Carouge, vous n'ignorez pas..., reprenait Erica.

Elle s'interrompait, m'interpellait. J'avais traité avec Thierry de Carouge, rencontré à Genève Clara Becker, j'étais donc averti du rôle du président de la Société Genevoise de Finance.

— N'est-ce pas, Julien?

Dans le silence qui s'établissait, je devais répondre.

Martine tout à coup se leva. L'heure était venue de passer au salon. Marie-France l'imita, puis Garelli et Jean Zorn. Je restai seul avec Erica. Elle se leva à son tour et appuyé des deux paumes à la table je me hissai. Mes jambes étaient ankylosées comme elles ne l'avaient plus été depuis des semaines. Il me semblait retrouver tous les symptômes du lendemain de l'accident. Erica m'attendit, s'approcha. Je m'accrochai de la main gauche à son bras. Nous traversâmes la pièce, nous dirigeant vers les voix, celle de Garelli dominant les autres. J'entendais les mots générosité, naïveté, sectarisme. Erica me sourit.

— Jean ne répondra jamais, dit-elle. Mon frère est un spectateur, il n'est que cela. Les hommes jouent...

Elle baissa la voix.

— J'aime beaucoup Clara, ajouta-t-elle. Elle m'a téléphoné après.

Garelli venait vers nous, ses mèches noires un peu en désordre, la veste ouverte, les mains dans les poches, avec une désinvolture affectée.

— Quelle passion, dit-il en prenant l'autre bras d'Erica.

Il s'asseyait près d'elle sur le canapé. Jean me présentait un fauteuil. Martine insistait pour qu'on ne parlât plus de ces horreurs lointaines, mais Garelli tenait à paraître beau joueur, concédant que Thierry de Carouge était un salaud, un type d'extrême-droite. Mais l'extrême-gauche valait-elle mieux ? Il fallait à coups d'investissements changer la structure d'un pays, hâter son évolution vers des comportements démocratiques, qui n'étaient possibles qu'au-delà d'un certain seuil d'abondance.

— L'évidence, chère amie, l'évidence historique et sociologique.

Les banquiers, les investisseurs jouaient donc le rôle essentiel dans la transformation politique d'un pays. Nous étions les meilleurs alliés de la démocratie. Même si, il voulait bien l'admettre, ici et là il pouvait sembler dans certains cas particuliers... Il haussait les épaules, écartait les bras en signe d'impuissance.

— Les hommes sont les hommes, disait-il.

Puis il soupirait. A écouter Erica, il se souvenait des enthousiasmes et des révoltes de sa propre jeunesse, mais oui.

— Voulez-vous que je vous raconte mes illusions ?

L'heure était passée, répondait Erica en se levant. Garelli riait. Il adorait les femmes passionnées, disait-il. Si Erica décidait un jour d'étudier le fonctionnement d'une banque d'affaires, il lui ouvrirait ses dossiers.

— Toutes vos archives ? demandait Erica.

Elle était déjà sur le seuil du salon. Garelli fit la moue. « Voyons, voyons », dit-il. Tout le monde rit.

Quand Erica et Jean Zorn eurent quitté la pièce, j'eus à nouveau la sensation d'étouffer. Je ne pouvais plus vivre avec les autres.

C'est mon corps qui les rejetait d'abord, ceux de mon entourage. Martine, Simon Garelli, toutes les silhouettes familières qui peuplaient ma vie.

Je n'entendais plus, je ne parlais plus, ma tête traversée, en leur présence, d'un sifflement aigu qui couvrait leurs voix, détournait mon attention, désagrégeait les mots que je voulais former, créait peu à peu une zone lourde, opaque, qui envahissait mon front, pesait sur mes paupières, voile de fatigue qui me faisait baisser la tête, ma nuque douloureuse, les muscles raidis sur mes épaules.

Ils s'interrompaient, s'inquiétaient. Martine m'accompagnait chez Jean Zorn, mais j'avais assez de volonté encore pour entrer seul dans son cabinet, lui dire simplement : « Je ne peux plus. » Il évoquait les conséquences, peut-être sous-estimées, de l'accident, m'ordonnait une série de radiographies de la nuque, de la colonne vertébrale. Et je répétais : « Je ne peux plus. »

Cette impossibilité physique de vivre comme par le passé, avant Clara, avant l'accident, me surprenait et m'humiliait. Je tentai de passer outre afin que ma décision ne me fût pas imposée, mais demeurât ce choix volontaire, épuré de toute contrainte corporelle, un acte libre de mon âme.

Je me rendis donc, un mardi matin, le jour de la

conférence hebdomadaire, chez Garelli, au siège de la Sibani. Mais dès que je pénétrai dans le hall, que je dus affronter les questions de Gottlieb, puis celles de Lederman, de Jeumont, de Rouvet, répondre à leurs souhaits de bienvenue ou de rétablissement, je sus que je ne pourrais supporter de me retrouver avec eux autour du président.

Je me réfugiai dans mon bureau. Mon assistant Denis Rossi m'y attendait, chaleureux, ma secrétaire Marianne s'empressait, Garelli entrait, levant les bras : « Bravo, Julien », puis il m'observait, mesurait l'affolement que je ne pouvais dissimuler. J'étais couvert de sueur, je perdais l'équilibre, de brusques lueurs jaunes traversant mes pupilles, les tempes et la nuque serrées, paraissant vibrer. Garelli dit d'une voix basse : « Reprenez contact sans vous hâter », chuchota quelques mots à Denis, cependant que les paupières brûlantes, je tentais de me lever pour me rendre à la conférence. Garelli me l'interdit. « Vous rentrez chez vous, Denis vous raccompagne. »

Dès qu'il fut sorti, je me sentis un peu mieux, la nuque moins raide. Je fis mine d'examiner quelques télégrammes déposés sur mon bureau, puis je demandai à Rossi de me laisser et, retrouvant une énergie que je croyais ne plus posséder, une vivacité physique et mentale dont je ne pris conscience que plus tard, une fois l'acte accompli, j'entrai dans la petite pièce aux archives après avoir ouvert sans hésiter la porte blindée. Les dossiers étaient à leur place, sur l'un des rayonnages en haut et à gauche. Je me dressai sans difficulté sur la pointe des pieds, les saisis, les transportai dans mon bureau et refermai la porte. Je les glissai dans trois grosses enveloppes de couleur bistre que je confiai à Rossi afin qu'il pût me les faire parvenir dès que je le souhaiterais.

Puis nous traversâmes côte à côte la cour. De Sarte qui arrivait en retard m'interpella et je fus à nouveau oppressé. Je ne pus répondre. Il s'inquiétait de mon état, me conseillait vivement une cure de repos. J'approuvai, je m'affaissai presque. Il me fallait l'admettre : je ne pouvais plus qu'être moi-même. Mais la villa de Saint-Cloud où Rossi me laissait m'était, malgré la présence de mes enfants, tout aussi insupportable que le siège de la Société Internationale de Banque et d'Industrie.

J'avais voulu la fusion de ma vie privée et de ma vie professionnelle, cette unité qui faisait la cohérence et l'efficacité de ma vie. J'y étais désormais enfermé. Le décor, les voix de Martine ou de Judith et même, j'ai honte de le reconnaître, celles des enfants provoquaient en moi les mêmes symptômes que la présence de Simon Garelli ou de De Sarte.

Je fuyais dans le parc. Je m'asseyais, le dos tourné à la villa, regardant les arbres et je sentais que mes muscles se détendaient. Je pouvais allonger les jambes, ouvrir les yeux sans ressentir cette brûlure, penser sans que ce fût douloureux. Et le sifflement aigu cessait enfin, ou bien j'oubliais de le guetter.

J'imaginais Clara et je pouvais la suivre, reconstituer les instants que nous avions vécus ensemble sans me lasser jamais de cette remémoration que je suscitais dès que j'étais seul et peut-être voulais-je m'isoler pour pouvoir ainsi la rejoindre. Je découvrais surtout, au long de ces méditations solitaires, que j'avais bâti ma vie — château de sable ou de cartes, combien de fois déjà n'ai-je pas utilisé ces expressions ? — comme l'une de ces constructions ambitieuses, où l'on a pris toutes les précautions, où l'on a accumulé toutes les assurances, sauf une : que le sol sur lequel on l'a dressée ne tremble pas trop.

Ce sol — moi — bougeait, et tout se fissurait.

Si je voulais ne pas être enseveli sous les décombres, je devais m'enfuir. Il me fallait renoncer à l'orgueil, reconnaître qu'un seul choix m'était dicté.

Partir, partir, partir, pour seulement continuer à vivre.

Et pourtant, j'eus encore des prudences et des hésitations. Ma vieille vie collait à moi. Je biaisais, incapable d'agir, ce qui m'humiliait, car j'avais fait vertu d'idées simples et nettes, d'actes presque brutaux, tant je voulais réduire la réflexion, le balancement des opinions à une décision. Or, je découvrais que je n'étais plus le « décideur » — le mot plaisait à Garelli et nous l'employions souvent à la Sibani —, mais un velléitaire. J'évitais de téléphoner au siège de la Sibani de crainte que Rossi ne me demande si le moment n'était pas venu de me faire parvenir les enveloppes bistre que je lui avais confiées. Je voulais retarder le déclenchement de l'engrenage, comme si je n'étais pas déjà entraîné. Mais je m'agrippais au monde qui m'entourait tout en étant décidé à rompre avec lui, puisque j'étais, par toutes mes réactions, contraint de le faire.

Je tentai donc de composer avec mes malaises, m'isolant le plus souvent afin que les journées passent dans l'oubli de ce que j'allais entreprendre. Je marchais longuement dans les rues de Saint-Cloud sous prétexte de rééducation. Je me fatiguais au-delà du raisonnable pour vider ma pensée et, le soir, m'abattre fourbu sans même avoir le goût de rêver.

Mais je ne pouvais toujours fuir. Martine me harcelait comme si elle avait perçu l'écho du combat qui se livrait en moi. Elle exigeait que je parle aux enfants. Elle organisait des dîners, répondait à toutes les invitations et me forçait à l'accompagner. Je subissais. Je m'évadais dans la mémoire, j'y retrouvais Clara. Et je me rendais chez Jean Zorn afin de reprendre souffle, comme un plongeur, car je voulais nager encore au fond, apeuré à l'idée de tout abandonner, d'être dans cette lumière crue où vivaient libres Erica et Clara.

Souvent Jean me conduisait auprès d'Erica, qui lors de ses séjours à Paris logeait chez son frère. J'entendais le cliquetis de sa machine à écrire et quand nous entrions dans sa chambre nous la surprenions, absorbée dans sa rédaction, la table encombrée de feuillets et de photos. Elle nous souriait, enlevait ses lunettes, se massait les paupières et la nuque, puis quand Jean nous avait laissés afin de retourner à ses patients, elle me tendait les photographies et je suivais de cliché en cliché le cheminement des porteurs de cercueils qui avançaient au bord de l'océan. Elle évoquait ces rites noirs avec une profusion de détails et un enthousiasme qui me fascinaient. Les couleurs surgissaient, les chants funèbres retentissaient, forts et joyeux. Les Africains du Brésil dansaient la mort, disait Erica. Elle s'interrompait. Le moment que j'attendais était venu. Elle me parlait de Clara, qu'elle avait connue là-bas, à laquelle elle avait confié des documents. J'écoutais ravi à la manière d'un enfant à qui l'on raconte une fable. Erica me dévisageait, riait silencieusement, me demandait pourquoi je ne rejoignais pas Clara à Rome, puisqu'elle y était rentrée. Je l'ignorais. Erica haussait les épaules, dédaigneuse. « Prétexte, prétexte », disait-elle. Elle m'accusait de redouter mes sentiments et la liberté comme la pire des menaces.

Ses remarques m'incitèrent-elles à partir ou bien le temps des compromis s'achevait-il ? Ou, oserai-je le dire, l'absence de Clara me devenait-elle insupportable, comme un vertige à chaque instant répété ?

Je décidai de me rendre à Rome. Mais écrire : « décider », c'est mentir. Je me laissai en fait porter par le besoin.

41

Je dirai peu de Rome. Il plut les premiers jours et je garde de la ville le souvenir de vastes espaces déserts, de places nues que balayaient les averses, de longues avenues où coulait le vent. J'errais, piéton maladroit, levant ma canne comme un invalide, accablé, me réfugiant dans de petits restaurants au sol dallé couvert de sciure, aux vitres embuées. Je téléphonai. Clara était absente, sans doute repartie. J'attendais. Je rôdais dans son quartier, indécis, ne sachant si je devais rentrer à Paris ou bien la guetter. J'espérais une rencontre fortuite qui nous réunirait dans la fulgurante beauté d'un hasard.

Un après-midi, de plus forte pluie encore, j'avais gravi les escaliers de son immeuble sans une hésitation, sans même ressentir une douleur alors que je devais me déhancher pour monter chaque marche. Je m'appuyai à sa porte, je sonnai avec insistance. J'étais poussé par l'une de ces impulsions qu'on ne médite ni ne contrôle et qu'on appelle après coup des décisions, alors qu'elles vous emportent.

On ouvrit et je pris conscience de mon audace. Un jeune homme, le col de sa chemise ouvert, m'interrogeait du regard. Il avait les cheveux coupés très court, mais une barbe bouclée encadrait son visage mince. De petites lunettes cerclées d'acier couvraient à peine ses yeux. Je bégayai mon nom, celui de Clara, une excuse. Il s'écarta et d'un geste ample m'invita à entrer.

— Je suis son fils, dit-il.

Il précisa, souriant, hochant la tête : « L'un de ses fils. » Je le priai une nouvelle fois de m'excuser, mais il m'interrompit. Il me connaissait, le banquier de la Société Internationale de Banque et d'Industrie, celui qui avait provoqué l'accident, mis en péril la vie de sa mère, n'est-ce pas ? Il me montrait un fauteuil, face à la terrasse, disait : « Elle va rentrer », m'expliquait qu'il avait eu le désir de disposer des fleurs parce que sa mère serait heureuse, venant de si loin, le Chili ou l'Argentine, le Brésil, « ces pays l'obsèdent », murmurait-il, de trouver des fleurs chez elle.

— Le calme, la paix.

Il achevait de placer des œillets et des roses dans les vases, agenouillé devant la table basse. Il sifflotait en se redressant.

— Elle vous trouvera là aussi, c'est bien, reprenait-il.

Quand elle rentrait de voyage, elle aimait être attendue, accueillie.

— Et vous serez là.

Lui partait, son cours à assurer à l'université, les sciences politiques. Il était donc Ricardo ? Il paraissait fier et peu surpris pourtant que Clara m'eût parlé de lui, et de son frère Marcello, bien sûr, le juriste.

— Clara, une amie, disait-il.

Il insistait pour que je l'attende dans l'appartement, m'assurait que sa mère serait ravie de me voir. Il ne se trompait jamais sur ses sentiments. « Vous êtes le premier banquier qu'elle... », ajoutait-il sans terminer sa phrase, en m'observant ironiquement. En général, poursuivait-il, Clara n'aimait que les écrivains, les marginaux, les hommes politiques. « Un banquier. » Il tendait les mains en signe d'étonnement et d'incompréhension et j'avais beau par mes mimiques essayer de lui faire comprendre que nous ne nous

connaissions que fort peu, il demeurait sceptique, riait.
« Ma mère ne peut rien nous cacher », disait-il. Elle avait,
Marcello et lui en étaient persuadés, plus que de l'amitié
pour moi, plus que de la curiosité. Mais — il riait — me
prévenait qu'elle était exigeante, impitoyable et lucide.
« Souvent — il haussait les épaules comme pour l'excuser — elle se lasse, un feu de paille. »

Il ouvrait la porte. « Attendez-la, je vous en prie », puis
revenant sur ses pas, il ajoutait : « Elle n'est fidèle qu'à ses
fils. »

Je suis donc resté seul dans l'appartement de Clara,
intimidé et apaisé pourtant, comme si j'avais, après la
longue et difficile traversée, touché enfin le continent
inconnu. Je savais que je ne pourrais plus oublier cette
terre nouvelle et que, quels que soient mes retours et mes
hésitations, ma rupture avec le monde d'avant venait de
s'accomplir. J'avais franchi la ligne, abandonné mes vieux
repères, trouvé de nouvelles étoiles.

Immobile, n'osant encore visiter cet appartement, mon
regard s'attardait sur chaque meuble, détaillait cette tapisserie mexicaine, ces statuettes mayas, ces poupées brésiliennes. J'inventais à partir de chaque détail un voyage de
Clara, je partageais son intimité, je devenais citoyen de sa
patrie, familier de sa mémoire. J'apprenais sa langue et ses
coutumes.

Et quand elle ouvrit la porte — elle était vêtue d'un
imperméable serré à la taille et portait un lourd sac de cuir
à son épaule —, qu'elle dit : « Tu es quand même venu »,
j'eus le sentiment que je respirais à nouveau, comme
autrefois, quand je courais au milieu des roseaux au-delà
de l'hippodrome, vers le sable et la mer.

42

Elle avait posé son sac, enlevé lentement son imperméable, répétant « quand même » avec un sourire de victoire qui donnait à son visage un air impérieux. Ses cheveux coupés plus court encore bouclaient en désordre, des mèches couvrant son front. La fatigue du voyage creusait autour de ses yeux des cernes bistre et entourait sa bouche de deux rides que sa gaieté effaçait, mais dès qu'elle cessait de sourire ces lignes nettes réapparaissaient, divisant le visage, comme si la beauté du front et du regard, la vivacité de l'expression étaient compensées par ces signes profonds de l'âge.

« Alors, Julien ? » me demandait-elle, assise en face de moi, riant quand je lui parlais de Ricardo et de l'insistance de son fils qui m'avait convaincu de l'attendre. Elle se penchait, respirait le parfum des fleurs, rêveuse, murmurant que ses fils s'inquiétaient pour elle, qu'ils n'aimaient pas qu'elle vécût seule, mais il fallait que je le sache, ils étaient aussi d'une jalousie qui pouvait être cruelle, jugeant sans complaisance les hommes qu'elle aimait. Elle savait ses fils exigeants, impitoyables et lucides. Elle reprenait l'un après l'autre les mots qu'avait employés Ricardo. Je le lui dis et elle rit à nouveau, venant vers moi, murmurant : « Tu es quand même venu. »

Ce ne fut pas entre nous le choc brutal de deux désirs. Nos vies étaient déjà longues, lourdes de nos souvenirs et de nos prudences, peut-être aussi de ce scepticisme qui vient avec le temps et qui contraint le corps à la lenteur et à l'hésitation, oblige à la pudeur, comme si l'on craignait le ridicule de recommencer une nouvelle fois, sans l'innocence et la naïveté que donnent l'élan et l'enthousiasme, avec pour seule certitude l'impossibilité de ne pas être ensemble, mêlés, tout en sachant que nos vies, et peut-être même nos désirs ne se limiteront pas à cette fusion, qu'ils resteront écartelés, émiettés entre notre mémoire, notre présent si séparé et notre avenir si incertain.

Et pourtant, nous avons trouvé dans ce fouillis, comme on écarte de vieux vêtements dans une armoire, la place et le temps pour nous aimer.

Et nous avons oublié que tant de fois, déjà, nous avions accompli les mêmes gestes. Nous nous sommes tus pour ne pas répéter les mots usés d'avoir été trop répétés. Et cela fut neuf, à notre surprise, cela nous entraîna malgré les désillusions dont nous étions chargés. Ce fut sans affectation et sans hâte, une rencontre grave et paisible qui nous rassurait l'un et l'autre.

Je partageais le calme de Clara. Elle se levait, nue, pudique et simple, puis s'enveloppait d'un drap et j'osais regarder ses seins las, les stries des années, les marques de deux accouchements. Et je marchais aussi dans la chambre sans honte de mon corps, dont je connaissais cependant les relâchements.

Je m'acceptais enfin et j'avais le courage ou la sagesse de voir le monde — Clara — tel qu'il était.

Comment pouvais-je, après cela, redevenir aveugle et choisir de vivre mutilé ?

43

Je suis pourtant rentré à Paris. Clara repartait pour plusieurs jours. Elle faisait ses bagages avec une désinvolture et un allant qui me fascinaient. De temps à autre elle venait vers moi, s'appuyait des deux mains à mes épaules, m'embrassait, me dévisageait, grave tout à coup. Elle me proposait de partir avec elle, nous nous installerions dans un hôtel du Caire, « fantastique », disait-elle. Je n'aimais pas les mots qu'elle employait pour décrire la ville, l'atmosphère de ce palace « hors du temps ». Elle avait remis un masque et utilisait à nouveau la langue morte des conventions et de la mode. Au Caire, poursuivait-elle, je l'attendrais cependant qu'elle achèverait ses interviews, puis nous prendrions deux jours de repos au bord du Nil.

J'étais loin d'elle, enfermé dans mes timidités, admirant sa vitalité, son sens de la liberté, sa volonté de presser chaque heure afin d'en ressentir toutes les émotions, tous les plaisirs, et cette aptitude à vivre m'effrayait. J'ignorais encore qu'elle combattait ainsi son anxiété, son goût de la mort dont elle me parla plus tard. Je la croyais seulement légère et vive, joyeuse par instinct et raison, alors que j'étais empêtré, hésitant. « Tu es compliqué, tu te perds, disait-elle, sois simple, viens ou ne viens pas, apprends à vivre. »

J'avais encore besoin de temps.

— Veux-tu mes clés ? me demanda-t-elle.

Je ne pouvais lui répondre que d'un signe de tête. J'étais un enfant qu'on abandonne et quand elle se fut éloignée dans l'un de ces couloirs d'aéroport où les passagers disparaissent, j'eus la gorge pleine de cris et de sanglots.

Je voulus quitter Rome le jour même. La ville que j'avais à peine vue quand j'y cherchais Clara me parut hostile et débraillée. Le soleil et la chaleur tout à coup venus crevaient les façades et les places. La vie grouillait. Des cantonniers déblayaient à l'aide de jets d'eau les détritus et les emballages qui couvraient le sol des rues où les maraîchers achevaient de charger leurs camionnettes. Rome était comme un fruit mûr que l'été commençait à pourrir et je craignis de m'enfoncer dans cette ville-marécage.

Je regagnai Paris par l'avion du soir.

Quand le taxi m'arrêta devant notre villa de Saint-Cloud je fus d'abord rassuré. Le salon au rez-de-chaussée était éclairé ainsi que la chambre de Judith au premier étage. J'ouvris le portail et m'avançai dans l'allée avec un sentiment de joie.

Puis Martine en quelques mots dissipa le mirage. Elle ne m'interrogeait pas. Elle n'employait avec prudence que les phrases les plus anodines. Mais elle était déterminée et ironique : « Puisque j'imagine que tu repartiras bientôt, il faudrait... »

Elle me parlait dépenses, signatures, compte en banque. Je prononçai le nom des enfants. Elle parut ne pas entendre, continuant d'évoquer la question des chéquiers, celle de mon retour à la Société Internationale de Banque et d'Industrie.

Simon Garelli s'était étonné de mon silence. Il tenait à me rencontrer car si mon état de santé ou — Martine s'interrompait, changeait de ton pour bien marquer qu'elle ajoutait d'elle-même cette nuance —, ou si mon état m'interdisait de reprendre rapidement mes fonctions, il fallait envisager l'avenir.

Je me taisais, accablé. J'avais oublié que les autres aussi prennent des décisions. Qu'un acte est comme une balle de tennis et qu'au-delà du filet un joueur vous la renvoie, avec violence, cherchant à imposer son jeu, à gagner le match.

Je ne désirais plus disputer la partie mais quitter le court.

— Les enfants ? demandai-je encore.

— Ne t'occupe pas des enfants, je t'en prie.

J'étais seul dans le salon que Martine venait de quitter, seul dans cet espace entre deux vies, ce *no man's land* où j'avais commencé d'errer.

Le lendemain était un dimanche. Quand je descendis, Martine, Judith, Nathalie et Serge achevaient de prendre leur petit déjeuner. Les enfants m'observèrent, inclinant leur tête pour que j'embrasse leur joue. Puis ils nous guettèrent. Martine me proposait une tasse de café tout en demandant aux enfants et à Judith de se préparer au départ. Elle avait organisé, m'expliquait-elle, leur séjour au bord de la mer, avec les Garelli, dans leur maison de Deauville. « Tu as sûrement des projets personnels, concluait-elle. Les enfants ne pouvaient rester à Paris tout l'été, n'est-ce pas ? »

J'ai assisté à leur départ depuis la fenêtre de ma chambre. J'ai salué les enfants d'un geste de la main.

Nathalie cria : « A bientôt, papa », et j'eus envie de hurler, de pleurer de désespoir, de mourir à cet instant. J'étais responsable de cette situation. Je m'étais moi-même exclu du monde que j'avais construit. Je ne pouvais rien reprocher d'autre à Martine que sa fidélité aux projets que nous avions élaborés en commun, ce contrat passé en silence entre nous et par lequel nous avions choisi l'un et l'autre la voie calme du conformisme. J'en rompais les termes. Elle en tirait les conséquences. Et tant pis pour moi si au moment où la voiture s'éloignait, franchissant le portail, j'apercevais derrière la lunette arrière les visages de Nathalie et de Serge et découvrais que j'étais lié à eux plus profondément que je ne le croyais. On ne décide pas à cinquante ans, sans que cela ne vous brise, de renoncer à dix années de sa vie. Banalités.

J'entendais les pas de la femme de ménage dans la cuisine. Puis elle partit. Je la vis, petite, vêtue d'une veste jaune et d'une jupe brune, qui marchait rapidement dans l'allée.

J'étais seul. Penser à Clara ne m'apportait aucun secours. Elle avait sa galaxie, Marcello, Ricardo. Je n'étais qu'un élément de plus, traversant comme d'autres avant moi ce monde, le sien. Vagabonde, elle disposait d'un port et de fidélités. Ses fils. Son œuvre. Je n'avais rien, qu'une vie que je reniais. Je venais — Martine venait — de trancher mes dernières amarres. J'allais dériver.

Ce jour-là, ce dimanche, peut-être parce que je ne pouvais supporter la solitude dans notre villa de Saint-Cloud, je me rendis au siège de la Sibani.

44

J'ai avancé dans le couloir du premier étage aux murs tendus de tissu beige. Je reconnaissais cette lumière rose et poudreuse qui frôlait les cloisons, se réfléchissait sur les plaques métalliques et faisait scintiller les lettres : « Direction générale, Secrétariat de M. S. Garelli, Président. »

J'ai relu tous ces noms de ma géographie défunte, Lederman, Rouvet, de Sarte, Gottlieb, Jeumont, Vanco, ma porte, mon bureau, les deux plantes vertes de part et d'autre de la fenêtre.

— Je vous laisse, monsieur, je crois ?

Le gardien, qui m'avait précédé hésitait. Ma visite inattendue le surprenait comme un acte anormal et scandaleux contre lequel il n'osait protester. Je dus, appuyé à ma canne, le regarder avec une autorité insistante pour qu'il s'éloigne à reculons jusqu'à l'ascenseur, me demandant de le prévenir au moment de mon départ — « Lorsque vous aurez terminé », répétait-il. Il s'interrompit. « Mais je vous verrai, monsieur », conclut-il d'un ton ferme.

Je pénétrai dans ma vie morte. Je poussai ces portes, l'une après l'autre, j'entrai dans le bureau de Garelli, je m'appuyai comme il le faisait souvent à sa bibliothèque. Les décors étaient montés. Le rideau se lèverait demain matin. Chacun était acteur et spectateur. Personne ne crierait jamais pour que cesse le jeu. Le rôle collait à la peau. J'entendais le cliquetis du téléscripteur qui tout à coup battait plus vite, puis reprenait haleine avant de marteler à nouveau ces lettres que Denis Rossi répartirait demain matin. « Bonjour, monsieur », dirait-il, posant une chemise sur le bureau. Lederman ou Rouvet l'ouvrirait, comme je l'avais ouverte, et ces phrases de couleur violette, ces chiffres deviendraient de nouvelles répliques, *Gold Exchange 371, 32, Hong Kong, Board of trade.* Je retrouvais l'odeur un peu aigre du papier sensible de la machine à photocopier, située à l'autre extrémité du couloir.

Mais j'étais sorti de scène, je visitais une ville ensevelie, miraculeusement conservée où les objets étaient demeurés en place, ce livre d'Emmanuel Chaves, posé sur le rebord de la bibliothèque, le stylo blanc de Garelli et son fauteuil mobile à demi tourné vers la fenêtre, les rideaux entrouverts. Pendant que nous parlions, nous avions tous l'impression qu'il guettait et suivait un passant sur le boulevard Haussmann.

Je me suis assis dans ce fauteuil. J'ai regardé. Le boulevard était désert. A intervalles réguliers un groupe de voitures passait, puis la chaussée était nue comme un fleuve figé.

Brusquement, j'eus hâte de partir. Le téléscripteur ne battait plus. Le silence et l'immobilité m'oppressaient. Je pris le stylo blanc de Garelli et l'enfouis dans la poche comme si l'on avait pu me surprendre. Mon geste était instinctif et je n'en eus conscience que plus tard, quand je fus dans la cour, échangeant quelques mots avec le gardien, qui me semblait soupçonneux. Il regardait les enveloppes bistre que je portais sous le bras gauche, ces dossiers que j'avais confiés à Denis Rossi et que j'avais trouvés dans l'un des tiroirs de son bureau. Le gardien s'étonnait que je n'aie pas de voiture, mais je lui demandai de m'appeler un taxi et cet ordre le rassura. Il connaissait la scène. Il courut jusqu'au téléphone, revint. « Cinq minutes, cinq minutes, monsieur. » Il sortit de la cour, se plaça sur le trottoir, fit de grands gestes quand la voiture s'approcha. Il m'ouvrit la portière et la claqua. Je l'ignorai. Cela aussi sans doute le rassura. Je dis : « Saint-Cloud. »

Je tenais les enveloppes sur mes genoux, les mains posées sur ces dossiers que j'avais volés.

Je pensai le mot plusieurs fois comme pour m'y accoutumer. Il m'effrayait. En quelques secondes, j'eus baissé la glace de la portière droite, saisi dans ma poche le stylo de Garelli et, laissant pendre mon bras à l'extérieur de la voiture, je jetai le stylo.

Cet acte puéril me libéra. Je donnai alors l'adresse de Jean Zorn, et comme le chauffeur bougonnait, je le rabrouai. J'étais libre de changer de destination, libre de choisir.

Libre, libre. Il haussa les épaules. « Vaut mieux savoir ce qu'on veut dans la vie. C'est plus simple pour tout le monde », marmonna-t-il.

Je savais.

Ce fut Erica Zorn qui m'ouvrit. Ses cheveux dénoués tombaient sur ses épaules. Ses lunettes étaient relevées sur son front. Sous sa robe de chambre de velours grenat j'aperçus une chemise de nuit blanche au bord de dentelle. Elle ne dit pas un mot quand elle me vit, s'effaça pour que j'entre puis referma la porte, faisant jouer les verrous.

— Je travaille, dit-elle quand nous fûmes assis en face l'un de l'autre dans le salon, une pièce obscure où Jean faisait attendre ses patients.

Elle m'observait, les mains croisées derrière la nuque, s'étirant, fermant les yeux parfois, comme quelqu'un qui s'éveille. Je dis : « Je pars, j'ai tout ça. » Je montrai les enveloppes.

— Sinistre ici, murmura seulement Erica.

Elle désignait les magazines entassés sur la table basse, les fauteuils et le canapé dont le cuir se fendillait. Elle se leva, je la suivis et le désir tout à coup me prit.

Je n'avais aucun souvenir d'une poussée aussi brutale, d'images aussi précises, de mots, d'actes violents qui envahissaient ma bouche et mes yeux. Il me sembla que chaque mouvement d'Erica était une invite. Elle se tournait vers moi à demi, et sa robe de chambre s'entrouvrait. Elle soulevait ses cheveux et dans l'ample échancrure des manches je devinais ses aisselles.

J'ai dû dire son nom, laisser tomber ma canne et les dossiers, la retenir en saisissant son poignet puis sa taille, l'appuyer contre la porte de sa chambre, chercher sa bouche. J'osai, ma main sur son sexe. Nous ne parlions pas. Nous entrions serrés l'un contre l'autre dans sa chambre et nous tombions sur son lit défait où elle avait posé des pages dactylographiées.

Libre, libre, je l'étais pour la première fois.

J'ouvrais sa robe de chambre, je repoussais sa chemise de nuit, je découvrais sa peau brune, je mordillais ses seins, je plaçais mes lèvres sur son sexe. Elle était chaude et moite.

Et nous ne parlions pas.

Et je ne pensais pas.

Elle avait les cuisses fortes, les seins fermes. Elle m'attirait à elle. Elle déboutonnait ma chemise, me frôlait de ses lèvres.

Ce fut bref comme une gerbe rousse dans la nuit au-dessus de la mer.

Puis nous avons repris nos visages et nos voix.

Elle me conseillait de m'installer chez Jean, au bord de la mer. Personne ne m'y rechercherait. Elle avertirait Clara. Elle prononçait ce nom sans gêne, mais elle laissait, après, s'établir le silence, avant d'expliquer qu'elle me donnerait les renseignements qu'elle détenait, si je le désirais. J'acquiesçais. Elle souriait, remettait ses lunettes, paraissait lire les phrases écrites sur la feuille glissée dans sa machine. Les bras croisés appuyés à la table devant sa machine, tassée, elle semblait même avoir oublié ma présence. Mais elle se tourna vers moi et dit avec un rire silencieux :

— Il ne faut jamais désespérer de quelqu'un.

Elle téléphona à Jean afin qu'il vînt m'accueillir à l'aéroport de Lourciez.

Quand nous nous sommes quittés, elle a pris ma nuque dans sa paume, tirant mon visage vers le sien.

— Je t'ai toujours bien aimé, Julien, a-t-elle murmuré. C'est comme ça.

Elle a ouvert la porte.

— Va jusqu'au bout, a-t-elle ajouté.

Ce n'est que dans l'avion qui volait vers Lourciez que je me suis rendu compte que j'avais oublié ma canne chez Erica et que j'avais marché sans difficulté.

Jean m'installa dans la chambre d'angle de sa maison. J'ai placé la machine à écrire devant la fenêtre.

J'aperçois le cap, cette avancée de rochers rouges.

J'écris.

J'aime Clara.

TROISIÈME PARTIE

LA GUERRE

45

Le maître d'hôtel apporta les poissons et Simon Garelli imagina Julien au bout d'un cap, du côté de Lourciez, du côté de leur jeunesse.

Sans doute était-ce le dernier été de la paix, à la fin août 39, un chauffeur de taxi de Lourciez, un communiste ami de Joseph Garelli, était venu les chercher en voiture. Les cannes à pêche attachées sur le toit étaient de fins mâts couchés qui oscillaient à chaque cahot. Les trois hommes étaient assis devant. Le père de Julien Vanco, Roberto, la tête penchée hors de la portière, ne participait pas à la discussion. Le chauffeur et Joseph Garelli parlaient de l'Espagne et Joseph brandissait son poing, jurant en italien, se tournant vers son fils : « Souviens-toi, Simon, souviens-toi », disait-il, cependant que sa femme, assise près de Mme Vanco tentait de le calmer, lui caressant parfois d'un mouvement à peine esquissé la nuque et le bras. Julien et Simon étaient côte à côte. Simon lisait.

On avait traversé le dernier village qui dominait le cap, puis on avait roulé le long d'une plage de sable déserte qui formait une anse largement ouverte. Au bout se trouvaient les pins, le cap, les rochers rouges.

La voiture avait été garée sous les arbres. Les hommes s'étaient éloignés vers les rochers et les femmes avaient allumé un feu entre des pierres plates, posé la grosse marmite remplie d'eau, de pommes de terre et d'oignons, de feuilles de laurier et d'une branche de romarin, et attendu que les hommes reviennent avec les poissons. Julien Vanco n'avait pas quitté Simon, s'installant sur le même rocher, surveillant sa ligne, lui touchant le genou quand le bouchon s'enfonçait, obligeant Simon à interrompre sa lecture, à retirer la ligne, à glisser un nouvel appât sur l'hameçon.

Au large, se souvenait Garelli, une crête blanche qui semblait immobile recouvrait des récifs d'où parfois s'envolaient des oiseaux.

Garelli pensa : Julien est là-bas. Il a eu la nostalgie de la mer. Mais il se reprocha cette pensée sentimentale, donc inutile. Julien avait tout simplement déserté, tiré sa vie du jeu, choisi une autre partie. Et Garelli se sentit abandonné et trahi.

Il était assis dans un restaurant de poissons où il avait l'habitude de rencontrer discrètement Dominique Calzi. Le moment était venu de lui parler de Julien Vanco et des dossiers qui avaient disparu. Mais Garelli hésitait encore. S'il avouait ses inquiétudes à Calzi — à qui d'autre pouvait-il se confier ? —, il lui serait impossible de les reprendre, pierres qu'on a lancées. Et d'une manière ou d'une autre, un peu plus tôt, un peu plus tard, elles frapperaient Julien Vanco. Le voulait-il ?

Garelli se tenait éloigné de la table et observait Calzi qui se frottait lentement les mains. Il avait les doigts gras, noueux pourtant, les ongles carrés, la peau très blanche. Calzi vida son verre.

— De bonnes nouvelles ? demanda-t-il distraitement.

Il devança le sommelier, se servit rapidement avec une avidité joyeuse, faisant claquer sa langue, levant son verre une deuxième fois, respirant le bouquet du vin. Simon Garelli avait d'un signe indiqué qu'il boirait plus tard et il avait croisé les bras, la tête baissée, marquant une sorte d'opposition ou de refus qui soulignait la distance qu'il maintenait entre la table et lui.

— Vous déjeunez ? dit Calzi en riant.

Ses yeux enfoncés allaient de Garelli au garçon qui, avec dextérité, à l'aide de petits coups secs écartait les chairs, isolait les arêtes, s'apprêtait à faire glisser les têtes dans un autre plat. Calzi l'arrêta. Il voulait qu'on les lui laissât.

— Le plus savoureux, dit-il à Garelli, mais ici on ne sait pas.

Sous les pins, là-bas, dans ce dernier été de la paix, ils s'étaient assis en rond, autour du foyer.

La mère de Simon Garelli servait et dans la passoire il était resté une grosse tête de poisson, les yeux comme de petites boules blanchâtres et durcies, les ouïes béantes. Elle avait déposé la tête dans l'assiette de Simon. « Mange le cerveau, avait-elle dit, toi tu étudies. »

Julien se tenait assis près de Simon, l'assiette posée sur ses genoux, regardant la grosse tête grise. Et Simon l'avait fait tomber d'un geste brusque dans l'assiette de Julien, puis avait continué à lire.

— Vous avez finalement tout obtenu de Carouge, ajoutait Calzi. Enfin, si j'en crois les journaux.

Il se servait lui-même, le bouillon recouvrant peu à peu les moules, les filets de poisson, les têtes. Puis, sans attendre Garelli, il commença à manger, soufflant sur sa cuillère, absorbé, semblant avoir oublié Garelli, mais il lui jetait de temps à autre un coup d'œil rapide et interrogatif.

Garelli chipotait. Le garçon avait laissé dans l'assiette la tête de la daurade dont la chair était trop rose et Garelli en éprouva un sentiment de révolte et de dégoût. Il avait seulement soif. Son corps lui pesait comme un vêtement étriqué et trop chaud. Tout le gênait. Les bruits de la place et de l'avenue, les voisins dont la table était trop proche, l'obséquiosité du garçon, la vulgarité de Calzi. Ce restaurant qu'il avait apprécié lui parut détestable avec sa fausse tonnelle, sa bouillabaisse et ses poissons du jour, tout ce clinquant des mœurs parisiennes.

Sous les pins, on mangeait le poisson à pleines mains et il s'effritait tant il était frais, à peine pêché, la chair douce et onctueuse, et cependant ce goût de mer, un peu âcre, mêlé aux parfums de l'ail, du laurier et de l'oignon.

Après la guerre, Simon Garelli avait retrouvé les pins, pour quelques jours. Il venait d'être démobilisé, il hésitait encore. Il s'était installé dans le dernier village, perché au-dessus de la mer. Chaque matin, l'hôtelier lui préparait un panier, comme il disait, puis Garelli descendait vers le cap. Il s'asseyait sur les rochers. Il était seul. Parfois, entre les pins, il frôlait des fils de fer tendus auxquels étaient accrochées des grenades. Et à quelques troncs d'arbres étaient cloués des panneaux de bois portant une tête de mort noire : « *Achtung ! Minen.* » Mais Simon Garelli allait sans inquiétude, avec insolence, sûr qu'il vivrait parce que la guerre l'avait déjà tué et qu'il avait vu tant de morts dans les fossés au bord des routes et dans les baraques des camps. Il regardait la mer. Il déjeunait seul, mordant dans ce pain rond à croûte dure et épaisse, puis savourant les courgettes farcies au fromage de chèvre et le jambon cru.

Un livre, toujours, était ouvert sur le rocher.

Simon Garelli était rentré à Paris, calme, comme si la guerre n'avait plus été déjà qu'un souvenir lointain, d'au-delà de la mer. Il avait annoncé sa décision de quitter l'Ecole Normale, renonçant à sa carrière universitaire. On ne comprenait pas. Il n'expliquait son choix que d'une phrase ironique et provocante : « Il faut transformer le monde, n'est-ce pas ? », qu'aucun de ses maîtres n'osait contester.

Sa vie s'était donc engagée, ces jours-là, au bout du cap. Il retrouvait la cadence d'un vers qu'il avait lu là-bas, dont il ne connaissait plus l'auteur, mais dont les mots lui revenaient, un à un, récifs qu'on découvre au ras des vagues.

« *Les sangliers comme des rochers bruns ont traversé la mer d'une montagne à l'autre.* »

Il les dit à mi-voix, se souvenant du plaisir qu'il avait pris à ces repas solitaires, de son appétit d'alors, vif comme l'espoir ou l'illusion.

Ne demeurait que la soif.

Garelli but, lentement, puis repoussa son assiette. La vue de la chair rose du poisson, de cette tête grise, lui était insupportable.

— Vous ne mangez pas ? dit Calzi.

Il marquait sa surprise, plissant le front, l'expression d'inquiétude bienveillante donnant à son visage lourd et rond une douceur presque féminine. Puis comme Garelli ne répondait que d'un hochement de tête, Calzi se servit une nouvelle louche, veillant à ne verser dans son assiette que le bouillon le plus épais. Cette gourmandise qui semblait faire gonfler les lèvres de Calzi, un peu brillantes de graisse, acheva d'irriter Garelli.

— Nous avons des ennuis, dit-il sèchement.

Calzi parut s'alourdir, s'enfoncer dans une immobilité générale. La tête rentrée dans les épaules, comme si le cou avait disparu et que Calzi, tel un animal, s'arrondissait pour offrir le moins de prise, de parties vulnérables à l'adversaire. Il continua à manger, plus lentement peut-être, les yeux fixés sur Garelli.

— Vous connaissez Vanco? Julien? Mon collaborateur direct, reprit Garelli sur le même ton agressif.

Il ouvrait à peine la bouche pour parler, comme s'il se méfiait des voisins de table alors que, même s'il avait voulu crier, il en eût été incapable, son visage et tout son corps crispés, paralysés presque par une contraction mauvaise des muscles, une sorte de hargne qui les raidissait, une aigreur qui brûlait la gorge et la peau, une amertume dont Garelli savait qu'elle l'enlaidissait, creusant des rides autour de sa bouche, tirant son visage vers le bas. Il éprouvait, tout en racontant à Calzi comment Vanco avait disparu, afin de rejoindre sans doute cette journaliste italienne, Clara Becker — et Calzi se tassait davantage, plus immobile encore, plus lourd, plus rond —, une sensation diffuse où se mêlaient le mépris de soi et la haine de tous les autres — de Calzi, des clients du restaurant dont les bavardages emplissaient la terrasse, de Julien, ce frère ou ce fils soumis qu'il s'était choisi et qui tout à coup se dérobait. Mais c'était surtout une jouissance aiguë qui dominait, celle des plaisirs cachés et ambigus que s'accordait Garelli, à laquelle il se préparait comme pour une célébration occulte. Cela tenait de la peur, de la certitude que Vanco pouvait le menacer, de l'imprévisible que ce danger introduisait dans la vie de Garelli, comme un défi supplémentaire qui ranimait sa curiosité et son goût de la lutte et du risque.

— Il a disparu avec les dossiers les plus compromettants, disait-il à Calzi.

Après un silence, il ajoutait avec détachement, rejetant sa tête en arrière, comme un observateur objectif :

— Julien possède désormais les dossiers de nos affaires les plus délicates.

Et parce que Calzi restait immobile, indifférent semblait-il, Garelli se penchait vers lui, chuchotait :

— Il nous tient, mon cher Calzi, il nous tient.

Il jouissait alors de l'attitude de Calzi qui croisait ses doigts, faisait craquer ses phalanges, appuyait ses avant-bras aux accoudoirs du fauteuil et frottait ses pouces l'un contre l'autre.

— On verra, murmurait Calzi.

Garelli haussait les épaules, avivait encore comme on excite un animal l'inquiétude et la détermination de Calzi. Il énumérait les dossiers que Julien Vanco avait retirés des archives de la Sibani.

— Naturellement, précisait-il, tout ce qui concerne Carouge, naturellement.

— Vous voulez quoi ? demandait Calzi.

Garelli s'écartait de la table, son fauteuil en équilibre sur les pieds arrière. Il commandait un café, puis un cigare et se laissait envahir par l'âcre douceur du tabac. Il ne voulait rien. Il imaginait. Il voyait naître la colère de Calzi et il éprouvait un sentiment d'impatience et presque de la jubilation, comme s'il attendait l'arrivée de Julien Vanco, affolé déjà, prêt à demander grâce.

Calzi parlait maintenant d'une voix lente et assurée. Il s'interrompait pour proposer à Garelli un alcool, puis, les paumes posées à plat sur la table, les doigts écartés, il ajoutait qu'on trouvait toujours, si on le désirait, les moyens de faire plier un homme.

46

Personne, jamais, n'avait fait plier Simon Garelli ou, plutôt — Garelli s'arrêtait, regardait la terrasse du café des Champs-Elysées où il avait donné son second rendez-vous —, il n'avait plié qu'après l'avoir décidé, comme on présente un leurre, parce qu'il faut parfois se dérober pour l'emporter.

Il aperçut Martine Vanco assise à l'une des tables. Droite, figée même, la veste de son tailleur strictement boutonnée, elle était gênée d'être seule à cette terrasse, craignant qu'on n'imagine qu'elle espérait une rencontre d'occasion, comme ces femmes que Garelli reconnaissait d'un coup d'œil, trop fardées ou trop distraites. Garelli, qui avait choisi ce café à dessein, décida de laisser Martine l'attendre encore. Il s'installa au bar. Il voyait Martine de dos, les épaules immobiles, ne manifestant son impatience que par de brefs regards jetés à sa montre. Dans quelques minutes le malaise et l'angoisse en feraient une proie. Alors Garelli pourrait s'avancer et l'interroger.

Il aimait préparer ces pièges, penser l'action, même si, quand elle était engagée, il laissait l'instinct le guider. Il avait une longue habitude de l'affrontement, de la chasse, si longue qu'il lui semblait s'être toujours battu, avoir toujours dû prévoir, méditer le coup suivant, demeurer aux aguets. A cette traque, il avait appris que même la faiblesse, si on la joue et l'utilise, est une force. Enfant, il s'était opposé dans la cour du lycée à ceux qu'on appelait « les grands ». Simon s'arc-boutait contre son adversaire qui riait de plaisir, croyant sa victoire assurée. Simon poussait, front contre front, de tout le corps sur les épaules de l'autre et brusquement il se laissait glisser sur le côté, il s'affaissait même. L'autre — et ce furent plus tard Jeumont et de Sarte quand ils voulaient s'emparer de la Société Internationale de Banque et d'Industrie, puis ce furent encore Thierry et Bernard de Carouge, et maintenant c'était Julien Vanco, et ce serait demain Calzi —, l'autre se découvrait. Et même Dominique Calzi, quand il faudrait lutter contre lui, Calzi le prudent et le retors, un moment viendrait où il s'imaginerait avoir vaincu. Alors il se découvrirait, comme le grand dans la cour du lycée de Lourciez. Et il suffirait de lui donner un coup de genou, là, dans le bas-ventre. Il s'étalerait. Il fallait bondir, empêcher qu'il ne se relève, peser d'une main sur sa nuque, lui tordre le bras dans le dos et, assis sur ses reins, crier : « Rends-toi, rends-toi. »

Ces deux mots, Simon les avait hurlés durant toutes ces années de l'enfance et de l'adolescence, quand on est maigre et qu'on court plutôt qu'on ne marche. Et tel avait bien été Simon Garelli avant que la vie l'entoure d'une peau flasque qui dissimulait le jeune homme d'autrefois, vif comme un chat. Il s'était battu dans la cour du lycée, mais aussi dans les vestiaires après les matches et dans ces étendues sableuses où poussaient les roseaux, au-delà de l'hippodrome, derrière leur maison. Et, parfois, Julien était à ses côtés, spectateur du combat.

Les surveillants qui punissaient Simon, les mères qui protégeaient leurs fils accusaient Simon de se battre comme un chiffonnier, un voyou qui se donnait des airs avec ses livres et qui n'était qu'un métèque, un fils de sales étrangers. Simon recevait ces insultes en plein visage, et s'il avait appris à ne pas tressaillir, son cœur semblait envahir sa gorge et Simon étouffait. Il ne reprenait souffle qu'après avoir frappé de la tête et du pied. On l'avait provoqué, pensant qu'il n'oserait pas donner le premier coup. Ceux qui l'insultaient gardaient leurs bras croisés pour bien montrer qu'ils se contentaient des mots. Mais Simon frappait par surprise, sans noblesse, comme un voyou, comme un chiffonnier, comme un métèque. Ils se jetaient tous sur lui, le sang coulait du nez et de la bouche. Mais qui peut vaincre celui qui ne veut pas être vaincu ? Deux bras, deux jambes, des dents, un front, cela fait des armes, sans compter les talons et les genoux.

Simon ne cherchait pas l'affrontement. Mais les autres n'acceptaient pas que, parlant le français maladroitement encore, il se détachât loin devant eux au classement général. Qu'est-ce qu'il foutait ici, ce voleur aux cheveux trop longs et au teint trop brun ? Dehors. Qu'il rentre chez lui, chez les macaronis. Il empoisonnait la France. Quand Simon lisait, assis seul dans la cour, ils le touchaient du pied. « Garelli, Garelli, disaient-ils, tu pues l'Italie. » Il semblait indifférent, puis il bondissait, tête en avant. Il faisait mal. S'ils étaient trop nombreux, il se laissait glisser. Dans cette lutte inégale, il avait appris à tromper l'adversaire. Et quand autour de lui couché à terre, les autres triomphaient, Simon les frappait là où la douleur est insoutenable.

A la fin, ils avaient eu peur de lui qui ne respectait aucune des règles du combat qu'ils appelaient loyal, et quand Simon Garelli découvrit que, selon Shakespeare, les puissants sont pires, il se persuada qu'il appartenait à la race des rois.

Comme eux, il était seul. Il ne trouvait pas d'allié parmi les élèves du lycée de Lourciez. Il avait peu de temps pour l'amitié et il était trop orgueilleux pour chercher à séduire. Certains qui eussent pu l'aimer, qui l'admiraient déjà, le devinaient méprisant, dédaigneux de ceux qui n'étaient pas aussi brillants ni aussi courageux que lui. Personne ne trouvait grâce à ses yeux et d'ailleurs Simon Garelli était prix d'excellence, lauréat du concours général en français et latin puis en philosophie, le meilleur, l'unique. On n'allait donc vers lui que pour le défier ou l'injurier. Il répondait pas des coups, puis jetait sur ceux qui, spectateurs prudents, avaient fait cercle durant la bataille, un regard chargé d'arrogance.

Il n'acceptait que la compagnie de Julien Vanco. Dans le terrain vague où poussaient les roseaux, au-delà de l'hippodrome, Garelli se retournait pour voir si Julien le suivait toujours et il éprouvait le plaisir du maître, cette assurance chaude que donne la soumission de l'autre. Plus tard, quand il retrouva le nom de Vanco dans l'annuaire des anciens élèves de l'Ecole Nationale d'Administration, il n'hésita pas à le convoquer, tant était fort le souvenir de ce plaisir, presque une émotion. Les rois ont toujours besoin de serviteurs et Garelli voulait alors conquérir la présidence de la Société Internationale de Banque et d'Industrie. Dans la lutte qu'il menait contre Jeumont et de Sarte, il lui fallait un homme fidèle.

Maintenant Vanco l'avait trahi.

Sa femme à la terrasse du café demeurait dans la même attitude, guettant pourtant avec une anxiété croissante les hommes qui entraient, n'imaginant pas que Garelli était là, derrière elle, à l'observer, à attendre qu'elle fût suffisamment inquiète pour s'approcher et lui dire : « Martine, vous devez, dès que vous la connaîtrez et peut-être la possédez-vous déjà, me donner l'adresse de Julien, me confier où il se cache. Il va vous appeler sûrement pour obtenir des nouvelles des enfants. Exigez qu'il vous révèle ses intentions. Il y va de son avenir et aussi — là, à ce point, il faudrait laisser s'étendre un silence, puis reprendre d'une voix grave —, et aussi de sa sécurité, de la vôtre et de celle de Serge et de Nathalie. »

Garelli, tout en buvant lentement, les coudes posés sur le comptoir, le corps tourné vers la terrasse afin de surveiller Martine, répétait ces phrases avec délectation, comme on déglutit. Il aimait le pouvoir des mots. Il l'avait appris dès l'adolescence quand il suffisait de couvrir quelques pages d'expressions dont il ne mesurait pas la qualité pour être distingué, convoqué sur l'estrade, sacré devant la classe médusée. Alors, il avait commencé à s'emparer des mots, lisant sans trêve, dans la cour, sur la plage, dans les rues, au cours des repas et même quand il était invité chez les Vanco. Il volait, il entassait, il apprenait à agencer. Il suivait les armées balzaciennes, les divisions de Zola, il chargeait avec les volontaires de Hugo. Il caracolait aux côtés des officiers de Stendhal. Il eût pu devenir écrivain et il y songea. Mais il voulait aussi posséder et dominer, parce que, dès l'adolescence encore, il se convainquit qu'il n'existait que deux catégories d'hommes, ceux qui commandent et ceux qui cèdent, les vainqueurs et les vaincus, les princes et leurs sujets.

Au début il ne s'avoua pas cette philosophie sommaire et n'évalua pas les conséquences qu'elle entraînait. Il ne sut pas qu'il se séparait insensiblement de son père, de ce peuple dont Joseph Garelli racontait les souffrances et la dignité. Simon écoutait et se révoltait silencieusement. Puisque son père et le peuple avaient le droit pour eux, puisque son père était un juste, pourquoi se laissaient-ils vaincre ? Pourquoi s'agenouillaient-ils devant ces Chemises Noires dont le père décrivait les violences et les médiocres exploits ? Quand dans la cour du lycée on criait à Simon qu'il devait rentrer chez lui, en Italie, que les hommes de Mussolini lui feraient boire une potion d'huile de ricin et qu'il chierait dans son froc — « Tu pues, tu pues, macaroni », lançaient-ils — Simon serrait les dents, insultait son père, regrettait de ne pas être l'un de ces fascistes qui réclamaient l'annexion de toute la région frontalière, de Nice à Lourciez. Son père, quoi qu'il prétendît, avait fui, laissant la victoire et le pays à ses ennemis. Et Simon Garelli ne le lui pardonnait pas.

Il s'empara donc des mots comme d'autres des armes. Et il gagna grâce à eux plusieurs guerres. Il fut reçu au concours de l'Ecole Normale Supérieure dès sa première tentative, ce qui le marqua définitivement du signe de la solitude. La plupart des admis provenaient des khâgnes parisiennes et avaient déjà constitué des réseaux d'amitié et de solidarité que Simon Garelli ne chercha pas à rejoindre. Il s'enferma dans le rôle du philosophe, grand lecteur, méditatif qui répond après un long silence aux questions qu'on lui pose. Mais il observait avec une attention soutenue ceux qui dictaient les modes ou paraissaient détenir les codes de ce nouveau monde de la culture française que Garelli découvrait. Simon les dévorait du regard, comme un mime qui, encore immobile, assimile les manières d'être et de parler. Il écoutait les exposés de Nicolas Germont, le philosophe marxiste dont les nazis mirent les livres au pilon, qui devint un héros de la Résistance et l'une des gloires intellectuelles de Paris. Germont tenta d'entraîner Garelli, lui proposant d'adhérer au Parti communiste, lui expliquant comment l'antifascisme pour être efficace et conséquent devait aller au bout de la logique révolutionnaire. Simon approuvait, marchant près de Germont dans le jardin de l'Ecole, autour du bassin. Mais quand Germont s'arrêtait, posait la dernière question : « Viendras-tu à la réunion ? » Simon se dérobait. Il ne voulait pas rejoindre l'armée des autres. Il était sa propre armée. Il combattait pour lui seul, même s'il se mettait au service du peuple. Il était trop fin pour expliquer à Germont ses mobiles, se contentant de faire part de ses hésitations, soulevant des points de doctrine qui obligeaient Germont à poursuivre ses explications tout aussi vainement. Et Garelli éprouvait, à dissimuler, à berner Germont, le brillant, l'intègre, l'extraordinaire Germont, une brûlante satisfaction. Il était une fois encore le maître du jeu. Germont pliait devant lui.

Un autre élève, Stanislas de Jeumont, ne fut vaincu que plus tard. Pour l'heure il paradait, vaniteux et désinvolte, marchant sur la pointe des pieds pour se grandir, racontant dans les couloirs de l'Ecole ses bonnes fortunes, invitant ceux qui le désiraient au bal que donnait la comtesse de Jeumont, sa mère. Il était, prétendait-il, un aristocrate libéral rallié aux valeurs républicaines. La preuve ? Il s'était soumis, comme Garelli, aux épreuves du concours, il n'était qu'un élève de l'Ecole, tout comme Garelli encore. « Nous sommes égaux », répétait-il à Garelli avec un sourire. Simon hochait la tête, regagnait la bibliothèque. L'âge était passé des affrontements à poing nu, des insultes brutales auxquelles on pouvait répondre par un coup de pied dans le bas-ventre. La guerre était devenue souter-raine et perfide. Garelli, à la subir, apprenait la patience, la force que donne le temps au ressentiment, la plaie ouverte que laisse dans la mémoire l'insulte, la jubilation que provoque l'idée de la vengeance. Il n'osait imaginer qu'un jour il retrouverait Stanislas de Jeumont, qu'il pourrait conduire contre lui un combat victorieux. Et pourtant ce jour vint quand, à la Société Internationale de Banque et d'Industrie, Jeumont voulut accéder à la présidence. Comprit-il que Garelli n'avait rien oublié des humiliations que Jeumont, peut-être aveuglé par sa suffisance, ignorait lui avoir infligées ? Garelli quand il fut nommé président déclara, fixant Jeumont d'un regard candide : « Nous restons égaux, en esprit bien sûr. »

Désormais, il était un roi reconnu. Mais quel est le souverain qui trouve la paix ? La guerre, après le sacre, s'élargit au contraire. Il faut défendre le trône, la prési-dence de la Sibani, contre Jeumont et de Sarte encore. Ils cherchent des appuis dans les milieux politiques ; il faut pour les vaincre étendre le royaume, lutter contre le groupe Carouge-Mortain, et s'allier pour cela comme le font toujours les rois avec le diable. Il avait le visage de Dominique Calzi. Avec son aide, Simon Garelli réussit à faire plier Bernard de Carouge.

Martine Vanco plierait-elle ?

Garelli quittait le bar, prenant son temps, se souvenant des circonstances de leur première rencontre, à Lyon, au terme d'une difficile journée de négociations avec Bernard de Carouge. Dominique Calzi n'était pas encore intervenu. Entre Garelli et Bernard de Carouge la guerre demeurait classique. Bernard croyait détenir tous les atouts. Le Groupe Carouge-Mortain contrôlait les brevets nécessaires au développement de l'énergie nucléaire. La Somemor (Société de Mécanique Mortain), que possédait la femme de Carouge, Lucie Mortain, était prête à se lancer dans la construction des cuves et des accélérateurs pour les futures centrales. Naïvement, Bernard imaginait qu'il pourrait imposer sa loi à l'Etat. Et Garelli, pour mieux le tromper, cédait du terrain, semblait admettre la domination de Bernard, ne réclamait qu'une participation de principe. Bernard, grisé, faisait ainsi le faraud au moment où la foudre allait s'abattre sur lui.

Garelli avait remarqué cette jeune femme nerveuse, mince, au visage dur, qui assistait Carouge dans les conversations, femme à tout faire, trop séduisante et trop assurée pour n'être qu'une secrétaire, le regard trop insistant pour être satisfaite de son sort. Un soir où Lucie Mortain avait rejoint son mari et où Martine, en retrait, observait Bernard de Carouge qui s'éloignait, Garelli s'était approché. Elle avait immédiatement accepté de dîner avec lui. Il s'était montré réservé durant tout le repas, mais dans le taxi il lui avait pris le poignet. « Je vous emprunte ? » avait-il demandé à mi-voix.

Elle avait su jouer la spontanéité avec habileté, puis se montrer experte.

Cependant qu'elle se rhabillait dans la salle de bains, Garelli demeurait dans l'obscurité de la chambre. Il avait allumé la radio. Le plaisir qu'il éprouvait était désormais sans émotion, comme si l'intérieur de son corps était devenu une masse compacte, dure et transparente, un bloc de lave que plus rien ne pouvait rompre. Ses mains, son sexe, ses yeux, ses lèvres répétaient automatiquement des gestes, mais Simon Garelli s'ennuyait. Le pouvoir sur les autres lui apportait une jouissance plus profonde. Eût-il même regardé Martine si elle n'avait pas été proche de Bernard de Carouge ? C'est lui qu'il voulait posséder en soumettant ce corps de femme.

Garelli avait croisé les bras. Il était assis les jambes écartées. Tout à coup, il imagina qu'il contraignait Martine à se déshabiller à nouveau, d'une phrase brutale, qu'il la forçait à s'accroupir devant lui. Il eut chaud. La lave qui alourdissait son corps commençait à fondre. Quand Martine sortit de la salle de bains, il lui demanda simplement, d'une voix peut-être un peu trop grave, de lui téléphoner à Paris. Elle acceptait. Elle s'approchait. Il demeurait immobile. Ce frémissement sous la peau, il ne le connaissait plus depuis des années. Il la tutoya, l'insulta à mi-voix, lui ordonnant de placer sa tête là.

Il posa les mains sur la nuque de la jeune femme.

Quand elle se redressa, il la força à dire qu'elle avait aimé être ainsi soumise. Puis il l'insulta à nouveau.

Il la revit souvent à Paris.

Ce fut elle qui lui téléphona d'abord, ne faisant aucune allusion à leur soirée lyonnaise, communiquant de la part de Bernard de Carouge un calendrier de rencontres, puisque les négociations continuaient. Garelli l'invita et ils se retrouvèrent dans l'un de ces palaces anonymes qui permettent les rendez-vous discrets. Elle portait une longue jupe noire fendue, et sa froideur, son silence provoquaient chez Simon le désir brutal, immédiat de rompre les convenances, de passer de l'extrême réserve à l'intimité la plus désordonnée. Il avait déjà retenu une chambre, il en posa la clé sur l'accoudoir du fauteuil près de la main de Martine. Il lui donna l'ordre de monter, de l'attendre nue. Elle serrait les lèvres comme pour s'empêcher de répondre ou de sourire, elle dévisageait Garelli et se levait lentement, après avoir saisi la clé. Elle traversait le hall.

Chaque fois il exigeait davantage d'elle. Elle relevait le défi, acceptant les nouvelles lubies de Garelli, se prêtant à ses mises en scène, s'agenouillant devant lui, sollicitant son pardon, puis le rabrouant et le bousculant au gré des indications qu'il donnait d'une voix que la passion assourdissait.

Parfois, parfois seulement, il jouissait, poussant un cri rauque qui exprimait plus qu'un plaisir, une douleur.

Il feignit de lui reprocher cette soumission, comme un dompteur qui suscite la révolte pour éprouver sa domination. Les mots claquaient comme des lanières. Il l'interrogeait avec brutalité, voulant qu'elle avoue les vices de Bernard de Carouge. Il ne se contentait pas de brèves réponses. Il fallait que Martine lui décrive minutieusement

le comportement de ce « salaud de Carouge ». Elle obéissait, racontant des scènes, ces dîners dans la villa de Jerzy
Borowski, le couturier, les corps qui se mêlaient. Elle
parlait sans hâte, comme on fait un rapport, son regard
droit obligeant Garelli à détourner les yeux.

Etait-ce ce qui le gênait ? « Rhabille-toi », lançait-il.

Quand elle rentrait dans la chambre, il avait ouvert les
rideaux et il était redevenu le président de la Société
Internationale de Banque et d'Industrie, un homme un peu
las, ironique, qui l'invitait à dîner au restaurant de l'hôtel.
Il continuait de la questionner, mais sur le ton de la
conversation. Il cherchait à connaître les boîtes de nuit et
les cercles de jeux que fréquentait Bernard de Carouge, les
stations de ski où il aimait se rendre, ses réactions aux
propositions d'association que la Sibani multipliait.

Martine savait. Elle livrait les petits secrets qu'une
femme connaît, les intentions qu'une assistante de direction peut deviner.

— Bien, bien, disait Garelli les yeux mi-clos. Ils sont
entêtés.

Il prenait la main de Martine, la serrait avec amitié.

— Ils deviendront raisonnables.

Puis l'affaire Carouge se transforma en fait divers. La
photo de Bernard occupa plusieurs colonnes dans les
journaux, son nom fit les titres. Lucie Mortain-Carouge
confia qu'elle craignait pour la vie de son mari. Elle était
prête, disait-elle, à toutes les conversations avec les ravisseurs de Bernard de Carouge afin qu'on le rende vivant à sa
femme, à son fils, à ses affaires.

Martine, durant cette période, vit Garelli plusieurs fois.
Elle se rendait à son bureau du boulevard Haussmann,
porteuse des dernières informations. Elle s'asseyait en face
de Garelli, devant la bibliothèque. « Lucie Mortain ne

s'affole pas », disait-elle d'une voix presque indifférente. Garelli hochait la tête, tapotait de la main droite sur le rebord de la bibliothèque, ne répondait pas quand Martine disait : « Je ne pourrai plus rester là-bas, après, vous en convenez, n'est-ce pas ? »

Il ne trouva la solution qu'après plusieurs jours, quand Julien Vanco entra dans le bureau, regarda Martine et qu'elle le dévisagea. Garelli eut une sorte d'élan enfantin comme un gosse espiègle qu'une idée enthousiasme, qui s'étonne lui-même de ce qu'il va entreprendre et provoquer. Il sortit du bureau, laissant Vanco et Martine en tête à tête, marchant vivement dans le couloir, soliloquant à mi-voix, avec le désir de rire, seul, parce qu'on pouvait tout faire des hommes, dès lors qu'on le décidait. Ils étaient une terre meuble qu'on modelait à sa guise.

Quand il pénétra dans son bureau, Vanco était debout devant la fenêtre, Martine assise l'observait.

— Nous allons réussir, dit Garelli.

Il se frottait les mains avec affectation.

Peu après les ravisseurs libéraient Bernard de Carouge, qui signait avec la Société Internationale de Banque et d'Industrie un accord d'association. « Un premier pas », précisait Garelli au dîner de victoire qu'il avait organisé.

Martine et Julien étaient placés à un bout de la table, côte à côte. Martine se penchait vers Vanco, lui parlait longuement avec la réserve qui convenait. Elle avait assez de cynisme et d'intelligence pour comprendre les intentions de Garelli, le marché — la récompense ou la compensation — qu'il lui proposait. Vanco écoutait, passif à son habitude. Il accepterait, dressé à obéir, flatté comme un chien fidèle qui trouve dans la soumission un sens à la vie. Ils étaient tous comme lui, faibles, malléables.

Garelli les dévisageait les uns après les autres. Lederman, le petit juif inventif et anxieux, évoquait l'avenir, la prochaine étape, quand la Sibani contrôlerait tout le groupe Carouge-Mortain et ne se contenterait pas d'une participation. Il sollicitait l'approbation de Garelli, riait de sa réponse imprécise, que Rouvet, servile, approuvait déjà. Cherchant ses mots, le corps bien droit, il essayait une nouvelle fois de séduire Garelli, fonctionnaire prudent qui parlait des risques à ne pas courir.

— N'est-ce pas, monsieur le président ? demandait-il.

— Vous êtes timoré, Rouvet, gestionnaire, pas banquier.

Ces quelques mots de Garelli suffisaient à affoler Rouvet, qui s'excusait, croyait se sauver en proposant une augmentation de capital.

— Là, vous êtes téméraire, disait Garelli, impassible.

Il détournait les yeux. Oui, on faisait des hommes ce que l'on voulait, il suffisait de chasser de soi la peur, de devenir insensible, de s'enfoncer en eux comme un métal, là où ils étaient friables. A de Sarte que le succès de Garelli irritait, qui s'ennuyait, il fallait à demi-mot faire savoir que l'on n'ignorait rien de son homosexualité, des compromissions auxquelles elle l'entraînait. Il n'était même pas nécessaire de parler. A le regarder avec une insistance ironique, un peu méprisante, on le troublait déjà. Il essayait de se dégager, se penchant vers Marie-France, née Pérenne, devenue Mme Simon Garelli, comme s'il pouvait trouver auprès d'elle protection, comme si Garelli eût hésité à l'atteindre, à le regarder dès lors qu'il parlait avec elle, qui retrouvait au cours de ces dîners sa distinction morose de fille d'ambassadeur. Mais dès qu'elle serait seule, elle hurlerait d'angoisse, allant d'une pièce à l'autre d'un pas rapide, la respiration courte, jetant de brefs coups d'œil derrière elle comme si l'ombre de son fils mort la poursuivait.

Car ils avaient entre eux, Simon et Marie-France, un fils mort.

Les autres le savaient et certains, peut-être Lederman, sûrement Jeumont, avaient cru qu'il dominerait grâce à lui, Garelli. Ils étaient entrés dans son bureau le lendemain du décès du fils, comme des voyeurs et des charognards. Lederman, trop désespéré pour que Garelli pût croire à la sincérité de ses sentiments, mais peut-être se trompait-il ; Jeumont, empressé, répétant de sa voix haut perchée des condoléances conventionnelles et des affirmations d'amitié : « Tout ce qui a pu nous séparer s'efface, n'est-ce pas, devant ton drame. »

— Quel drame ? avait dit Garelli, ouvrant ses dossiers.

Il était resté maître de la partie. Il les dominait tous. Il les plierait comme il avait réussi à soumettre Bernard de Carouge et, d'une autre manière, cette jeune femme qu'on pouvait croire fière et qui était devenue, parce qu'il l'avait décidé, Mme Julien Vanco.

Il allait lui rappeler ces souvenirs qu'elle avait repoussés comme un rêve imprécis.

Garelli s'avança vers Martine.

Elle l'attendait, surveillant l'avenue, mais il surgit dans son dos, lui posant la main sur l'épaule. Elle sursauta et il prit, dès ces premières secondes, l'avantage.

Pour vaincre, il ne faut rien négliger.

47

Garelli regardait Martine et se taisait. Il s'était assis, lui avait embrassé la main avec affection et ironie, puis le silence, le regard qui s'attardait sur le corps, le chemisier de soie verte, le cou, serré par un foulard jaune dont les extrémités étaient rejetées dans le dos, le visage lisse.

Martine avait tenté d'ouvrir la conversation, parlant du bout des lèvres. Elle attendait depuis près d'une heure, elle n'avait pas aperçu Simon Garelli, comment allait Marie-France, il y a quinze jours à Deauville elle paraissait détendue, mieux qu'elle n'avait été depuis... A la fin Martine s'interrompait et subissait le regard de Garelli qui revenait sur le collier fait de petites perles d'or serrées l'une contre l'autre, sur les doigts alourdis de bagues, une large alliance, une émeraude, un diamant, sur les ongles peints d'un rouge brun, aux reflets noirs.

Elle dit pourtant lentement :

— Vous paraissez préoccupé. Julien, n'est-ce pas ?

Garelli souriait. Chaque détail exprimait chez Martine une perfection dédaigneuse, une attention à soi. Martine s'isolait, comme si l'élégance, la beauté qui en naissait étaient une défense, une façon de se tenir éloignée et séparée.

Face au mutisme de Garelli, elle se tut, allumant une cigarette, s'enfermant dans une indifférence méprisante, une moue de dépit venant à peine pincer sa bouche. Jadis cette attitude, cette distance que Martine créait entre elle et les autres, avait attiré Garelli. Mais depuis que Martine avait épousé Julien Vanco, il s'était désintéressé d'elle, ne la rencontrant qu'à l'occasion de dîners officiels ou amicaux, chez elle ou chez lui, à Saint-Cloud ou bien en week-end dans leur maison de Deauville. Il dit, pour conserver son avantage, la contraindre à répondre :

— Vous êtes de plus en plus belle, mais quelle froideur, avant...

Il s'interrompit, la laissant imaginer, se souvenir de leurs rendez-vous passés, non loin de cette terrasse, dans l'un de ces hôtels proches du rond-point des Champs-Elysées, quand elle l'attendait dans le hall, assise entre deux vitrines d'exposition de joyaux.

— Parure entre les bijoux, reprit Garelli à mi-voix sans expliquer le sens des mots, le souvenir qu'ils évoquaient.

Elle se rapprocha un peu, sourit à son tour.

Il ne l'avait plus vue peut-être par loyauté à l'égard de Julien ou bien parce qu'elle l'avait lassé, et par prudence aussi. Car il avait le désir d'aller plus loin dans ces voyages qu'il entreprenait avec des femmes dont c'était le métier, au-delà de la raison, dans un imaginaire qui refusait les limites, ce qu'il appelait la « poésie baroque des sens », une parodie de vie sociale, à deux, pour quelques heures, qu'il organisait avec une lucidité gourmande, choisissant les femmes et les lieux, les déguisements parfois, comme on sélectionne les grands crus.

Et chaque fois dans ces chambres d'hôtel ou d'auberge il s'étonnait de la facilité avec laquelle, dès qu'il avait posé sur la table de nuit la somme convenue, il franchissait la frontière, oubliant ses fonctions, sa dignité, jusqu'à son nom, se livrant, comme un enfant qui perd la notion du temps et s'évade du réel, à ces jeux d'adulte qu'on nomme des perversions. Mais il ne s'agissait pour Garelli que d'une exploration des sens, semblable à la dérive poétique des mots, aux agencements inattendus des sons et des images, une poésie des corps.

— J'aime toujours votre impassibilité, dit-il, continuant de parler à mi-voix pour contraindre Martine à se rapprocher encore, je sais, moi...

Il suspendit sa phrase sur cette allusion, parut être distrait par le spectacle de la terrasse, le garçon qui prenait la commande, une femme seule qui, jetant autour d'elle un regard interrogatif, entrait dans le café. Il eût pu se lever, la rejoindre, s'absenter pour quelques heures, donner à Martine un nouveau rendez-vous, il en eut un instant la tentation, à moins que ce ne fût le plaisir de jouer avec les possibles, ces univers si opposés qu'il aimait à superposer en lui et dont la confusion des images lui procurait une jouissance aiguë.

Quand il rentrait de l'un de ces « voyages », il s'attardait dans les couloirs du siège de la banque, échangeant quelques mots avec les employés qu'il croisait. Il s'amusait de leur déférence. Il provoquait les femmes d'un regard appuyé et jouait de leur émotion. Il les imaginait, témoins de ses fantaisies, les contraignant à quelques confidences. « Votre mari », commençait-il... Si elles répondaient — et comment pouvaient-elles l'éviter ? Elles n'étaient pas assez rouées pour deviner le piège — il les interrompait brusquement par une question précise sur le service. Il paraissait connaître chaque détail et l'agilité de sa mémoire le surprenait. Qui était-il ?

Il continuait de sourire à Martine. Il buvait lentement cette liqueur rose, trop sucrée mais glacée, sans quitter Martine des yeux. Il eût pu lui dire qu'il se moquait de la fuite de Julien, de la disparition de ses dossiers, que le danger l'excitait au contraire mais qu'il devait tenir son rôle de banquier qui s'inquiète, de patron ou d'ami trahi dans sa confiance, de chef qui ne doit pas être vaincu. Martine comprendrait-elle qu'au fond de lui il se désintéressait, qu'il avait — peut-être depuis l'adolescence — le sentiment de n'être qu'un imposteur, un faux banquier qui doit faire illusion, un flambeur.

— Et vous, demanda-t-il seulement, vous Martine ?

Eprouvait-elle aussi, à chaque moment de sa vie, cette sensation de n'être pas, vraiment, le personnage qu'on montre ?

Elle esquissa un mouvement des épaules, comme si elle allait répondre : « Peu importe, je suis ce qu'on voit de moi. » Il la fixa avec tant d'intensité qu'elle se figea. Il n'avait pas encore remarqué la finesse de son maquillage, ces lignes bleues autour des yeux qui s'accordaient à la couleur de l'iris, ces prolongements noirs des sourcils, ce rouge sombre sur les lèvres. Martine — toutes les femmes — était toujours déguisée comme si elle compensait la simplicité de son rôle social, par ces masques qu'elle modifiait si souvent, se composant une physionomie, actrice dont la scène était la rue.

— Il me semble, dit Garelli, que vous avez changé de regard depuis...

Il est vrai qu'elle interprétait un nouveau personnage, celui de l'épouse d'un cadre supérieur de la Société Internationale de Banque et d'Industrie, bourgeoise de Saint-Cloud, mère de deux enfants, membre actif du Club de Tennis de la Colline. Mais quelle différence avec lui, sinon qu'il savait avoir toujours joué des rôles sans jamais pouvoir combler cet intervalle qui subsistait, comme une frustration, entre sa peau — lui — et le déguisement qu'il revêtait. Quelques-uns de ceux qui l'avaient côtoyé avaient perçu cette duplicité involontaire de Garelli, maladive, pensait-il parfois lui-même. A l'Ecole, Germont, au terme de l'une de leurs longues conversations philosophiques, s'était emporté, bousculant Garelli d'un coup d'épaule : « Au fond, avait dit Germont d'une voix bourrue, la philosophie, le marxisme, tu t'en fous, tu joues avec, tu passes le temps, tu m'emmerdes, tu es aussi con que

Jeumont, et encore, lui, il a le ton, toi tu es un imitateur, un truqueur. »

Mais rares étaient ceux qui comme Germont avaient été perspicaces. Qui se souciait de savoir si on parlait du fond de soi ou simplement des lèvres ?

Tout à coup, presque par défi, Simon Garelli se mit à soliloquer devant Martine, comme si l'alcool qu'il avait bu lui avait donné l'audace de se confier. Il assurait Martine de son affection et de l'amour que lui portait Marie-France. « Je ne vous ai jamais vraiment parlé de Marie-France... », reprenait-il. Il racontait, comme si le but de ce rendez-vous n'avait été que de faire à Martine le récit de sa rencontre à Washington, alors qu'il était membre du cabinet de Pierre Mendès France, de la fille de l'ambassadeur Georges Pérenne, Marie-France. « Vous la connaissez mais..., répétait-il, vous savez ce qui a pu me séduire chez elle. »

Martine écoutait, ses traits exprimant la surprise, attentive pourtant. Elle connaissait Marie-France, une grande femme maigre, osseuse même, au nez légèrement busqué, au front bombé. Georges Pérenne avait dit avec insolence à Garelli que Marie-France avait un physique personnel mais qu'elle était d'une grande bonté.

Avait-il cru, lui, à l'amour de Garelli pour sa fille ? Ou bien avait-il compris que cet homme jeune, auquel on promettait un grand avenir, que les hebdomadaires de gauche interviewaient au moment où il publiait ses essais sur la planification monétaire, cherchait simplement un appui auprès de lui, prêt pour cela à ce mariage, à ce nouveau rôle ?

— J'ai trouvé Marie-France..., commença Martine.

Garelli se récria. Les phrases qu'il prononçait lui semblaient n'être qu'un écho. Il ne fallait pas être dupe, disait-il, Marie-France restait sous le choc de la mort de son fils, elle était cette femme hagarde qui depuis treize ans survivait.

— Grâce à des amies comme vous, Martine. Vous l'aidez. Elle réussit à oublier la mort de Pascal.

Garelli inclinait la tête. Cessait-il de jouer ? Parvenait-il enfin à ne plus être ce ventriloque au moment où il évoquait la mort de Pascal, cet enfant de sept ans renversé sur le trottoir par une voiture dont le conducteur avait perdu le contrôle ?

— J'imagine, j'imagine, répétait Martine.

Elle s'apitoyait, mais réussissait-elle à deviner qu'après la mort de Pascal les réserves d'émotion de Garelli s'étaient taries ? Une lave durcie et compacte l'avait ankylosé.

— Vous savez, dit-il interrompant Martine, pourquoi j'ai besoin de certaines choses, vous comprenez ?

Il lui sembla que Martine rougissait. Elle était tombée dans le piège, ces souvenirs de ce qu'il l'avait contrainte à faire, de ce à quoi elle s'était livrée, passive et cruelle comme il le voulait.

— Vous vous souvenez ? insista-t-il.

Il commanda un nouvel alcool. Martine refusait mais il passait outre, poussait l'un des verres qu'apportait le garçon vers elle, murmurait : « Buvez, buvez. » Et elle se soumettait.

Il était libéré, comme à l'instant où, dans ces chambres anonymes, il rétablissait la lumière, reprenait son identité et se préparait à regagner le boulevard Haussmann, son bureau, afin d'y continuer la mascarade. Il les trompait tous, Vanco, Lederman, Gottlieb, de Sarte, et maintenant Martine.

— Il faut me dire, Martine, murmura-t-il.

Le moment était venu. Le prologue s'achevait.

Martine paraissait ne pas comprendre et il eut la tentation de retirer le masque, d'être simplement Simon Garelli, un homme de soixante ans que la vie ennuyait souvent, qui avait le sentiment d'en avoir compris les lois, de savoir les appliquer avec brio, comme un équilibriste ou un prestidigitateur. Mais s'il s'était confié, il eût fallu remonter sur la scène et cette certitude l'avait toujours retenu au seuil des aveux. Il n'avait ainsi jamais expliqué à Vanco pourquoi il s'absentait un après-midi par semaine, le jeudi, sans laisser de numéro de téléphone où l'on eût pu le joindre. Son seul dialogue vrai était avec les poètes, Pound, Perse, Chaves. Avec les autres, tous les autres, il devait garder le secret de l'imposture et s'inquiéter de ce qu'un homme comme Dominique Calzi, dont le métier était d'espionner, pouvait savoir. Calzi avait peut-être pris des gages, interrogeant certaines femmes qui dépendaient de lui ou des siens. Il faudrait alors engager le fer contre Calzi, assumer un nouveau rôle, faire disparaître le maître chanteur. Garelli était prêt.

— Vous vouliez quoi, Simon ? dit tout à coup sans presque desserrer les lèvres Martine Vanco.

— Julien, seulement Julien, répondit Garelli.

Penché vers Martine, il lui frôlait la main de l'index comme s'il se fût agi d'un geste machinal, alors qu'il se voyait agir et refermer sur Martine le piège du passé équivoque. Il ne la quittait pas des yeux, s'efforçant de jouer avec conviction, sûr qu'il obtiendrait d'elle ce qu'il désirait. Elle était prise, entravée, et il pouvait la retourner d'un coup de patte.

Elle assurait ignorer tout des intentions de Julien. Garelli savait bien, insistait-elle, qu'elle avait séjourné à Deauville — « chez vous Simon, chez vous » — avec Serge et Nathalie. Quand elle était rentrée à Saint-Cloud, Julien avait déjà quitté la villa, emportant les dossiers de son bureau, ne laissant qu'un court message. Il s'absentait pour une durée indéterminée, avait-il écrit.

Garelli se voyait hochant la tête, souriant avec scepticisme, irrité de ce qui était peut-être une dérobade, l'interrogeant alors avec insistance, la tutoyant même, brutalement. Elle se raidissait comme s'il venait d'ouvrir la porte de l'une des chambres où ils s'étaient retrouvés jadis, les seuls moments où il avait été familier avec elle.

Devant son émotion, qu'il percevait à ce mouvement du corps en arrière, pour s'éloigner de lui, à la main que Martine retirait, qu'elle plaçait sur son collier à hauteur de ses seins, les doigts jouant avec les perles d'or, Garelli se fit pressant, autoritaire. Jouait-il encore, ou bien le désir de violence l'emportait-il plus loin qu'il ne le voulait dans une improvisation menaçante ? Il avait besoin de tout savoir, répétait-il, l'adresse de Julien, ses projets. Il saisissait le bras de Martine, au-dessus du coude, le serrait. Il fallait rendre Julien raisonnable avant qu'on lâche contre lui des gens sauvages qui ne respectaient rien, expliquait-il. Elle le savait, n'est-ce pas ? Garelli se leva, s'appuya à la table, posa un billet sur la soucoupe. Même la vie des enfants ne les arrêtait pas, chuchota-t-il. Il fallait qu'elle s'en persuadât.

Elle ferma sa main sur sa poitrine autour de son collier.

48

Garelli avait dit : « Même la vie des enfants. » Il sut aussitôt qu'il avait parlé comme un roi que le pouvoir rend fou, qui lance un défi aux dieux. Et la tempête allait se déchaîner. Les images déjà se succédaient sans qu'il pût s'y opposer, contraint de subir ce déferlement de souvenirs, la première vengeance des dieux qui lui rappelaient ce fils mort qui ne cessait pas de vivre. Pascal, auquel il apprenait à jouer aux échecs, c'était la première image, la table de marbre dans le parc du château des Pérenne sous les tilleuls, et Pascal le menton dans ses paumes, mordillant ses lèvres, fixant les pièces de bois, s'apprêtant à dire : « Echec et mat, papa. »

Quand on lui avait annoncé la mort de Pascal, Garelli, quelques secondes, avait eu la tentation de tomber à genoux, de prier les dieux pour qu'on le tue lui et qu'on rende Pascal à la vie.

Puis Lederman avait ouvert la porte du bureau, puis Jeumont était entré à son tour et Garelli avait oublié les dieux pour se battre à nouveau.

Garelli se retourna. Martine était toujours assise à la terrasse du café. Il lui fit un signe amical, que peut-être elle ne vit pas. Il était trop tard pour qu'il reprît les mots qu'il avait chuchotés, les chiens étaient lancés, les portes ouvertes, il fallait que Garelli se souvînt du premier mot de

Pascal, du sommeil de Pascal, des doigts de Pascal qui s'accrochaient à son index. Aucun ordre dans ces souvenirs, le flot souterrain qui surgissait.

Garelli traversa l'avenue des Champs-Elysées légèrement voûté, les mains derrière le dos, ignorant les voitures qui, heureusement ralenties par les embouteillages, s'arrêtaient, le laissant avancer d'un pas que sa lenteur rendait provocant. Puis Garelli s'immobilisa au milieu de l'avenue, à l'emplacement réservé aux taxis, les bras croisés maintenant, la nuque ankylosée, la tête pleine de ce sifflement qui l'assourdissait parfois, tel un cri aigu.

Le plus souvent il réussissait à refouler les images, à effacer ce cri, à dissoudre le souvenir de Pascal, si vif malgré la vingtaine d'années écoulées. Mais il avait suffi de ces quelques mots, comme un traquenard qu'il s'était tendu à lui-même, pour que Garelli cédât. Ce chantage qu'il commençait à exercer sur Martine Vanco, dont il connaissait l'attachement à ses enfants, allait le perdre, il s'en persuadait parce qu'il ne parvenait plus à fuir Pascal, dont le visage s'imposait à lui comme s'il avait été peint sur toutes les façades des Champs-Elysées, sur le sol de l'avenue, et qu'il fût aussi la teinte du ciel.

Les traits de Garelli changeaient. Il portait la marque de sa défaite, du regret inutile d'avoir prononcé des mots interdits. Le menton paraissait plus lourd, presque prognathe, les yeux ternes et une expression de mépris et de dégoût qu'accentuaient les rides le vieillissaient.

Je vais mourir, pensa-t-il. Il eut la certitude qu'il commençait à cet instant son dernier parcours, qui serait bref, qu'au bout déjà la mort avait levé son bras et le désignait.

Il ne répondit pas à l'appel d'un taxi qui chargea un autre client. Il se souvint de ce temps d'avant le gel quand il regardait Pascal avec un émerveillement et un étonnement anxieux, peut-être même de la terreur, car il semblait à Garelli impossible que ce miracle d'une vie qui lui était plus chère que la sienne se prolongeât dans un monde dont il connaissait l'insensibilité et la cruauté.

Ces lois du monde l'avaient emporté.

Quand en pleurant la secrétaire de Garelli était entrée dans son bureau, balbutiant : « Monsieur le président, monsieur... », les doigts sur les lèvres comme pour s'interdire d'annoncer la nouvelle, Garelli l'avait congédiée d'un mouvement de tête. Il avait pris la communication et s'était assis, calmement, se faisant répéter les détails par le commissaire du quartier. Un chauffard, expliquait le policier, ivre peut-être, Pascal projeté contre le mur, coincé.

Garelli écoutait en silence puis remerciait.

Et la tentation de s'agenouiller, si vite enfuie parce que recommençaient la guerre, la vie.

Après, le gel, cette lave durcie, cette paralysie de l'émotion, cette raideur intérieure que seules certaines femmes, violentes et soumises, réussissaient à briser, quand elles animaient cette stratégie de la perversion, de la douleur donnée et reçue, ces procédés que Simon Garelli en acteur et en voyeur avait peu à peu découverts, le hasard et l'instinct le guidant, le besoin le conduisant toujours plus loin.

Et voici que ces quelques mots, prononcés comme par quelqu'un d'autre que lui, agissaient à leur tour, le bouleversaient, l'aveuglaient. Il se voûtait davantage. Ses épaules le tiraient vers la terre. Il laissait les taxis passer l'un après l'autre. Comme une boule de feu, la certitude que Pascal n'était pas mort d'un accident venait de le frapper.

Il était calme. Il ne se trompait pas. Il savait qu'il venait enfin d'atteindre la vérité cachée au fond de son angoisse. Comment n'avait-il pas démasqué plus tôt, le jour même de la mort de Pascal, la machination de ses ennemis dont l'évidence lui paraissait maintenant fulgurante ? Ceux qui le combattaient étaient comme lui capables du pire, presque sans haine, mais parce qu'il faut tuer pour vaincre.

Garelli commença à marcher, à petits pas, les bras toujours croisés, au milieu de l'avenue. Les faits s'ordonnaient. Ni Jeumont, ni de Sarte n'avaient admis sa désignation au poste de président de la Sibani. Derrière eux, s'enfonçant dans le marécage politique et financier, des hommes avaient décidé de l'abattre. Garelli pouvait les nommer et deviner leurs mobiles. Ils voulaient couvrir des transferts de fonds de l'Espagne au Luxembourg, du Liechtenstein à la France. Ils s'enrichissaient et remplissaient les caisses d'un parti politique. Le contrôle de la direction de la Sibani eût facilité leur tâche. Garelli appartenait à un autre clan. Jeumont et de Sarte eussent été plus compréhensifs.

Ils avaient dû espérer que la démission du général de Gaulle affaiblirait Garelli. Ils n'étaient pas inutilement cruels. Si Garelli perdait toute influence, comme son beau-père l'ambassadeur Pérenne, pourquoi le frapper ? Mais l'Elysée avait continué de soutenir Garelli.

Alors, ils avaient convoqué l'un de ces hommes qui, comme Calzi, savent conduire ce genre d'affaires. Ils avaient pu, ils avaient dû concevoir qu'en tuant le fils ils brisaient le père. Il avait suffi de repérer le trajet que Pascal et sa gouvernante faisaient chaque jour, puis de recruter un chauffard.

Il avait agi. On l'avait arrêté et après quelques jours on l'avait retrouvé pendu dans sa cellule. Qui peut s'étonner du suicide d'un homme qui a écrasé un enfant contre un mur ?

Ils avaient dû attendre avec une impatience nerveuse les réactions de Garelli au drame. Mais il n'avait pas cédé. Au contraire, ce qui demeurait en lui de tendresse et d'émotivité, ces pensées qu'il avait tout à coup pour son fils et qui au cours d'une négociation le rendaient compréhensif et conciliant, s'était figé.

Il n'avait pas eu le temps de s'agenouiller. Il était devenu ce bloc qui avait répondu à Lederman et à Jeumont que rien ne s'était produit, sinon un accident comme il en arrive tant, il suffit de lire la rubrique des faits divers ou de consulter les statistiques.

Simplement, avait-il pensé, la vie selon sa logique impitoyable avait frappé là où l'on est le plus faible.

Il n'avait pas été au-delà. Aucune autre hypothèse, aucun soupçon venant effleurer sa raison.

Mais il s'était engagé avec une rage tranquille dans des guerres impitoyables, comme s'il avait connu les causes de la mort de Pascal. Jeumont et de Sarte avaient été peu à peu relégués à des besognes de figuration. Le conflit contre le Groupe Carouge-Mortain avait commencé et Garelli avait utilisé les services de Dominique Calzi.

En quelques mois, le président Garelli avait ainsi acquis la réputation d'un adversaire redoutable, d'un « requin de la finance », avait écrit un syndicat des employés de banques. Dans un portrait qu'il avait tracé du « plus secret des banquiers français », un journaliste, André Machard, concluait que « *la tragédie personnelle qu'a subie Simon Garelli semble avoir décuplé son énergie et ses ambitions* ».

Et encore Garelli ne s'était-il jamais avoué jusqu'à ce jour que la mort de Pascal était un crime.

Maintenant, pensait-il, tout en arrêtant un taxi, il savait.

Garelli entra dans le taxi avec vivacité, lançant l'adresse de la Sibani avec une telle violence que le chauffeur se retourna, le dévisagea, puis haussant les épaules, démarra lentement en marmonnant.

La guerre. La mort de tous. Le jeu pervers de la vie. Pas d'autre choix possible.

De son bureau, boulevard Haussmann, Garelli appela Calzi à son numéro privé.

Il appuya sur les touches lentement, laissant un long intervalle entre chaque chiffre, et reconnut aussitôt la voix sourde de Calzi. Il ne donna pas son nom, sûr que Calzi l'identifierait.

— Je n'ai rien obtenu de précis, dit Garelli. Elle ne sait rien.

— Gênant, mais c'est un peu tôt, non ?

— Vous y pensez ?

— Bien sûr.

Ils se turent, puis Calzi reprit :

— Dès aujourd'hui ?

Comme Garelli ne répondait pas à la question, Calzi ajouta :

— C'est possible.

— Si vous voulez, dit Garelli.

— Vous choisissez.

Calzi avait mis dans sa réponse une nuance d'ironie, la voix un peu moins sourde.

— Dès aujourd'hui, répondit Garelli.

Calzi eut une longue respiration bruyante pour marquer son étonnement.

— Bon, ce sera fait, conclut-il.

— Mais rien de spectaculaire, dit Garelli, vous recueillez les informations.

— Je sais, je sais, coupa Calzi, c'est vous qui décidez.

— Et vous exécutez, dit Garelli lentement.

Le rire de Calzi fut bref, mais sonore.

— Un mot excessif, dit-il.

Garelli se tut un long moment, comme s'il hésitait à commenter la réflexion de Calzi.

— Vous m'apportez les éléments et nous faisons le point, précisa-t-il.

— Vous me donnez une semaine ? dit Calzi.

— Une semaine, répéta Garelli.

— Il n'aura rien entrepris, dit Calzi. Il doit regretter. Ce qu'il a n'est pas facile à utiliser.

— Vous oubliez..., commença Garelli.

— Je n'oublie personne, coupa Calzi d'un ton autoritaire. Mais même pour elle, ce sera difficile. Ça leur prendra du temps.

— Dans une semaine, dit Garelli.

— Je fixerai le rendez-vous.

— J'attends votre appel.

Garelli raccrocha, se leva, marcha jusqu'à la bibliothèque. Il choisit l'un des livres posés à plat sur le rebord du meuble et l'ouvrit au hasard. Il lut le premier vers :

« *Les sangliers comme des rochers bruns ont traversé la mer d'une montagne à l'autre.* »

Ce poème était donc d'Emmanuel Chaves.

Garelli sut qu'il ne l'oublierait plus.

50

Martine avait peur de Garelli. Depuis la terrasse du café elle l'avait observé alors qu'il paraissait attendre un taxi, au milieu de l'avenue. Mais il avait refusé plusieurs voitures, allant et venant, les bras croisés, sa silhouette trapue penchée en avant. Elle avait craint qu'il ne l'attendît. Elle était sûre qu'il l'avait à plusieurs reprises regardée, appelée peut-être, mais elle avait détourné la tête au moment où il esquissait un signe. Elle n'osait se lever, car il pouvait la rejoindre, lui prendre le bras, l'inviter à le suivre. Et elle l'aurait fait.

Enfin, il était monté dans un taxi. Martine avait quitté la terrasse et s'était fait conduire, rue du Faubourg-Saint-Honoré. Elle s'était attardée devant chaque vitrine, elle était revenue sur ses pas, entrant dans les boutiques, elle ouvrait des sacs, caressait le cuir, déployait des foulards, essayait de longs gants blancs évasés, elle tendait sa paume afin qu'on l'asperge de quelques gouttes de parfum qu'elle respirait avec délectation, elle hésitait entre plusieurs maquillages, passait dans le boudoir des essayages. Elle aimait cette fraîcheur de la soie sur ses cuisses et ses bras, cet affairement autour d'elle des vendeuses, ces miroirs que l'on présentait et où l'on s'enfermait seule avec ses propres reflets. Elle tendait sa carte de crédit, arrêtait d'un geste la caissière, elle voulait encore voir ces chaussures, elle s'approchait de l'étalage, oui, celles-là. Elle signait d'une écriture ferme, le *V,* grand et ouvert, avec une assurance un peu exaltée, comme à chaque fois qu'elle achetait sans se soucier des prix, tout entière à son plaisir. Elle recommença, plus loin, vers le Palais-Royal, dans ce magasin de vêtements pour enfants où elle venait souvent avec Serge et Nathalie. Elle choisit pour eux avec la même joie, entassant les paquets, demandant qu'on lui appelle un taxi. Elle passait la porte de la boutique qu'on lui tenait ouverte, la tête levée, répondant d'un bref sourire aux politesses des vendeuses. Elle jetait ses paquets sur la banquette, s'asseyait le dos droit et commandait d'une voix sèche : « Saint-Cloud, je vous indiquerai après le pont. »

Elle avait posé sa main sur les paquets. Tout ça était à elle. Elle n'y renoncerait jamais.

Brusquement, elle eut chaud, le visage empourpré, la respiration difficile. Elle abaissa l'une des vitres de la voiture mais elle continua d'être mal à l'aise. Elle avait à nouveau peur. Garelli ne la lâcherait pas. Bien sûr, elle lui livrerait tout ce qu'elle saurait de Julien. Pourquoi l'aurait-elle protégé ? Elle avait respecté son contrat. Deux beaux enfants, une maison en ordre, des dîners dont tous les convives vantaient la perfection. Lui brisait le pacte. A sa guise. Mais Garelli ne se contenterait peut-être pas des renseignements qu'elle lui donnerait. Il avait dit... Elle n'osa même pas se répéter sa dernière phrase, cette menace contre Serge et Nathalie. Elle savait Garelli capable de ce chantage. Depuis qu'elle l'avait rencontré, il lui inspirait une sorte de terreur qu'elle dissimulait comme elle pouvait par le silence, l'immobilité, la passivité, une fausse indifférence. Etait-il dupe ? Elle ne le comprenait pas. Il était si différent des autres. Elle avait deviné Julien, ses faiblesses, ce système rigide auquel il s'était soumis pour tenir sa place, paraître semblable aux puissants qu'il côtoyait. Mais elle ne s'était pas laissé tromper par cette façade. Julien était un faible, un hésitant, un anxieux, qui s'efforçait de donner le change. Il était fait pour l'obéissance, à Garelli ou maintenant à cette Clara Becker. Un serviteur, Julien. Au lit, si emprunté, si mesuré, si timide, si convenable qu'elle en riait dans l'obscurité, ne lui facilitant en rien la tâche, toute raide, parce que les hommes l'ennuyaient.

Mais Garelli, un salaud.

Bernard de Carouge avait aussi ses vices, mais c'était un homme sain, les muscles fermes, la peau tendue, beau, des cheveux blonds mi-longs qu'il repoussait de ses doigts ouverts, une gaieté dans le plaisir, celle d'un carnassier, qui passait sa main sous les jupes de Martine, lui emprisonnait la cuisse ou bien plaquait sa paume sur le sexe, riant, disant : « Ne bouge pas », de la même voix dont il répondait à Garelli au cours de leurs négociations : « Je possède, ma femme possède, le Groupe Carouge-Mortain est à nous, à nous, Garelli, nous n'avons de comptes à rendre à personne. » « Croyez-vous ? » répondait Garelli en souriant, en regardant Martine, qui se tenait assise aux côtés de Bernard, le bloc de sténo posé sur ses genoux.

Dès cet instant, il l'avait terrorisée. Que voulait-il ?

Carouge, le vieux Thierry de Carouge, ou bien Bernard ou Lucie Mortain, elle les comprenait, elle les sentait. Ils aimaient, comme Martine aimait, ce que donne l'argent. Ils possédaient des châteaux, des banques, des aciéries. Ils voulaient les conserver, accroître leurs biens, dîner d'une soupière de caviar, comme Martine l'avait vu faire un soir par défi à Bernard de Carouge devant les invités qui s'esclaffaient. Lucie aimait les bijoux, les chevaux, quelquefois les jeunes hommes, les voyages, un peu l'alcool ; Bernard les femmes, toutes les femmes, les stars et les adolescentes, les voitures de sport, le tennis, son corps qu'il polissait comme un joyau, les casinos et le poker, les amis ; Thierry de Carouge avait la passion des premières œuvres de Georges Braque, il aimait sa banque, l'argent, les jeunes femmes aussi, et Mussolini et Hitler. Mais Simon Garelli ? « Ce métèque », disait Thierry de Carouge, « Ce parvenu », ajoutait Bernard, « Tout au plus un fonctionnaire, un commis », concluait, méprisante, Lucie Mortain. Garelli semblait ne rien apprécier vraiment, peut-être la poésie, mais Martine n'en était même pas sûre. Il ne donnait de l'importance à rien, et pourtant il était de ceux qui gagnent. Martine avait plusieurs fois entendu les Carouge et leurs amis se moquer de Garelli, de sa laideur et surtout de son accoutrement, de ses cravates extravagantes, des rayures trop larges de ses costumes trop amples. « Ce clown ne durera pas », avait prétendu Jeumont quand il cherchait des appuis auprès de Bernard de Carouge afin de supplanter Garelli à la présidence de la Sibani. Mais Martine n'avait jamais douté de l'issue de la bataille. Garelli l'emporterait même si, et c'était ce qui inquiétait Martine et l'angoissait, Garelli paraissait ne rien désirer de ce qui plaisait aux puissants et demeurait étranger à leurs préoccupations. Il se moquait même de l'apparence de son corps. Il était plutôt gras, avait le visage empâté, et ses cheveux noirs semblaient toujours sales. Il ne faisait aucun effort d'élégance. Ses vêtements étaient taillés dans le meilleur tissu, mais il les déformait et ils prenaient très vite l'aspect de vieux costumes, les poches gonflées par un livre, les coudes et les genoux usés. Et, cependant, il imposait sa présence en quelques mots, ces questions ironiques qu'il posait à Bernard de Carouge, ces menaces voilées qu'elles contenaient et que Bernard paraissait ne pas saisir.

« Croyez-vous que la politique industrielle ressemble à une partie de poker, mon cher Carouge ? » interrogeait Garelli dans l'un de ces cocktails où ils se retrouvaient tous. « On me dit que vous aimez le poker », ajoutait-il.

Carouge riait, disait qu'il était prêt à mettre dans le pot tout son Groupe si Garelli y engageait la Société Internationale de Banque et d'Industrie. « Je n'en ai pas le pouvoir, répondait Garelli, mes actionnaires ordonnent, moi je ne suis qu'un président, je gère, je passe. » Bernard de Carouge prenait Garelli par l'épaule : « Voulez-vous que je vous engage, cher président ? » disait-il.

Ils ne connaissaient pas la perversité et la cruauté de Garelli d'autant plus implacables et retorses qu'il semblait aussi maîtriser les vices auxquels il se livrait. Il avait affolé Martine par cette détermination à la plier, violent, désireux de l'humilier, et elle n'avait pu que masquer sa peur par la soumission impassible, l'acceptation de ce qu'il souhaitait qu'elle fît.

Elle l'avait fait. Et ce seul souvenir l'accablait, parce qu'elle n'avait décelé aucune joie chez Garelli, aucun de ces élans du corps que Bernard de Carouge éprouvait. Garelli n'était qu'un cerveau et des yeux, avait-elle pensé parfois. Elle savait pourtant par Bernard de Carouge qu'il suivait des cures de rajeunissement à la clinique Juventus, qui appartenait à la Société Genevoise de Finance. Thierry de Carouge s'y rendait chaque mois, convaincu que le Dr Georgewitch qui la dirigeait possédait les secrets de la vie. Mais Martine ne pouvait croire à la naïveté de Garelli. Elle l'imaginait profitant de son séjour pour circonvenir le vieux Carouge, tenir Bernard en influençant le père, lier le Groupe Carouge-Mortain à la Sibani, en influençant la Société Genevoise de Finance. « C'est un impuissant, disait Bernard de Carouge, qui croit comme mon père aux miracles. Mais quand on ne bande plus, on ne bande plus. »

Martine avait au contraire la conviction, l'expérience aussi, que Garelli attachait peu d'importance à cette jouissance physique, brutale, que Bernard de Carouge recherchait et où il voyait la preuve de sa virilité. Quand elle s'agenouillait devant Garelli, qu'il l'insultait, Martine saisissait parfois, avant de baisser la tête et de fermer les yeux, le regard de Garelli, un mélange de curiosité, d'indifférence et d'ironie, de méchanceté et de lubricité. Il lui semblait même que, comme ceux des chats, les yeux de Garelli brillaient et voyaient dans la nuit.

Puis après ces déchaînements, il redevenait mondain, alors qu'elle était encore sous le coup de ce qu'il lui avait demandé, des mots qu'il avait employés. Il paraissait avoir tout oublié, comme s'il avait refermé une petite mallette qui aurait contenu ses désirs et les moments de ses vices. Il vouvoyait Martine, à nouveau sarcastique, il lui embrassait la main, simplement il la gardait longuement entre ses doigts parce qu'il voulait connaître les intentions de Bernard de Carouge, savoir si Lucie Mortain-Carouge était prête à céder. « Il faudrait qu'ils acceptent, n'est-ce pas ? » disait-il en souriant, avec l'indifférence d'un spectateur distrait.

Puis on avait enlevé Bernard de Carouge. Les ravisseurs exigeaient une rançon considérable et leur audace surprenait la police. Les journalistes remarquaient qu'ils disposaient de renseignements précis, qu'ils semblaient dans les négociations conduites par Thierry de Carouge et Lucie Mortain ne craindre aucune intervention. Ils jouaient comme des hommes qui savent ne pas pouvoir être découverts.

On avait interrogé Martine. Elle avait répondu calmement, avec cette maîtrise d'elle-même qui faisait illusion. Elle parlait, espaçant les mots pour mieux les retenir, comme si elle avait craint de laisser jaillir ce nom, cette certitude : Garelli, Garelli, Garelli. Elle ne disposait d'aucun indice, mais elle était persuadée que Garelli était à l'origine de l'enlèvement.

On libéra Bernard de Carouge. Un matin, on le retrouva épuisé dans l'une des petites rues qui, à Paris, entourent la place de la Contrescarpe. Il avait maigri. Ses yeux étaient fiévreux, ses cheveux longs. Il boitait parce qu'on l'avait frappé avec une barre de fer enveloppée de chiffons. On le battait chaque jour au-dessus des genoux, silencieusement, régulièrement, à coups espacés. Il avait les yeux bandés et une éponge était enfoncée dans sa bouche. L'homme qui le frappait s'approchait lentement. Bernard l'entendait sans le voir, et la peur amplifiait la douleur.

Martine eut de la peine à le reconnaître. Bernard de Carouge avait perdu son assurance et sa fierté. Plusieurs semaines après sa libération, il était encore aux aguets, anxieux au moindre bruit, avec de brusques crises de larmes durant lesquelles il étouffait. Il décida de voyager, d'abandonner pour un temps la direction du Groupe Carouge-Mortain. Et les négociations reprirent entre Thierry de Carouge et Garelli.

Bernard décida de s'installer au Brésil, de ne s'occuper que de la Somebra — la filiale de la Société de Mécanique Mortain — et des investissements du Groupe dans ce pays. Il avait dû admettre qu'il ne possédait plus la volonté nécessaire à la direction de l'ensemble du Groupe.

Peu après, Thierry de Carouge signa avec Garelli, au nom de son fils et de Lucie Mortain, le protocole marquant la participation de la Sibani au Groupe Carouge-Mortain.

Déjà Martine était allée au-devant de Garelli. Il avait été le plus fort, comme elle l'avait pensé. Il fallait donc le rejoindre. Elle accepta d'épouser Julien Vanco comme Garelli le lui suggérait. Pourquoi pas ? C'était un marché, un gage de sécurité, la preuve que Garelli ne voulait pas la détruire, mais simplement la contrôler, s'assurer de son silence.

Il continua pourtant de l'effrayer.

Maintenant, elle devait lui livrer Julien.

Le chauffeur de taxi, d'une voix bourrue, la fit sursauter. Elle le guida dans Saint-Cloud, et de donner ces indications, de reconnaître le dessin inchangé des rues la rassura.

Elle vit Judith et les enfants qui l'attendaient sur le perron de la villa. Ils vinrent à sa rencontre et Martine distribua les paquets.

— On a téléphoné, commença Judith.

La jeune femme raconta qu'à trois reprises, il y avait moins d'une heure, on avait appelé. Elle avait décroché mais personne n'avait répondu. C'était irritant, commentait Judith, ce silence.

Martine l'interrompit sans paraître prêter attention à ses propos. Elle interrogea les enfants, les invita à jouer dans le parc, puis tout à coup, alors qu'ils s'éloignaient, elle les rappela d'une voix aiguë, presque un cri angoissé : « Rentrez, rentrez », lança-t-elle, comme si quelqu'un dans l'ombre des arbres avait menacé Serge et Nathalie.

51

Souvent Julien Vanco cessait d'écrire parce qu'il pensait à eux.

Il levait la tête. Devant lui s'étendait le promontoire des rochers rouges que la mer battait. Le soleil avait disparu derrière le cap. Les voix portaient loin et Julien guettait celle de cet enfant qui presque chaque soir, depuis la route qui surplombait la maison, appelait sa mère, sans doute la locataire de l'une des maisons perdues dans la pinède.

Julien tentait de se remettre au travail. Mais les mots avaient cessé de vivre pour n'être qu'une poussière noire recouvrant des pages. Calzi, Carouge, Garelli, les manœuvres des uns et des autres, leurs accords, même le vol des terres, que Bernard de Carouge réalisait au nom de la Sibani et de la Somebra, tout ce qui, des heures durant, avait retenu l'attention de Julien n'était plus qu'encre séchée, successions de traits, de lignes, de courbes, traces sans épaisseur que la voix d'un enfant suffisait à effacer.

Julien repoussait la machine, fermait les dossiers. Il n'avait pas imaginé que Serge et Nathalie lui manqueraient à ce point. Il quittait sa chambre, préparait son repas, descendait jusqu'au promontoire, revenait, allumait la télévision, mais les images se succédaient sans qu'il pût les lier les unes aux autres. Il retrouvait sa chambre, essayait une nouvelle fois d'écrire ou de lire, puis s'abandonnait à la

mélancolie qui peu à peu creusait sa sape. A quoi bon ces
mots, ces preuves qu'il accumulait, ces accusations précises
qu'il formulait contre Calzi et Garelli, complices dans
l'affaire Carouge, contre Thierry et Bernard de Carouge,
coupables de spolier des milliers de paysans, ces *poseiros* de
la forêt, qui s'efforçaient de mettre en valeur une terre
sableuse qu'on leur volait ? A quoi bon ? Comment avait-il
pu croire arrêter ce déferlement d'actions, d'hommes,
d'intérêts, à l'aide de ces quelques signes, de ces quelques
mots ?

A quoi bon ?

Il n'avait pas apprécié les risques, le prix. Il ne savait pas
qu'il avait besoin de ce retour, chaque soir, chez lui, parce
que Serge et Nathalie le guettaient.

Julien, quand il arrêtait la voiture devant le portail, les
voyait qui traversaient en courant la pelouse pour rejoindre
cet espace plus sombre, sous les arbres, où ils aimaient se
cacher, afin qu'il les cherchât, comme s'ils avaient voulu le
contraindre à se souvenir d'eux et lui dire qu'ils attendaient
qu'il les aide, qu'il leur donne, lui qui en était si avare, un
peu de son temps.

Contre eux et contre lui, Julien avait le sentiment d'avoir
choisi une nouvelle fois des apparences, ces mots, ce
monde lointain, ce théâtre d'ombres, le jeu social, et qu'on
s'enrôle dans le camp des puissants ou celui des pauvres, et
qu'on dise la vérité ou le mensonge ne changeait rien au
dérisoire de la pièce, cette gesticulation de funambules qui
ne cessait jamais.

Et il s'était privé de Serge et de Nathalie pour ces
duperies, hier celle de la carrière, de la fidélité à Garelli,
aujourd'hui celle de la dénonciation, de l'amour pour
Clara. Il les avait abandonnés alors qu'ils l'attendaient sous
les arbres du parc et qu'ils ne devaient pas comprendre sa
disparition, Martine n'expliquant rien, se bornant à dire :
« Votre père est absent pour ses affaires, allons, ce n'est
plus le moment de jouer, rentrez, rentrez. »

Lui avait l'habitude de s'avancer lentement vers la pénombre. Il lançait leurs noms et retrouvait une gaieté oubliée, venue de son enfance. Il se souvenait de s'être blotti dans les replis du sable afin que sa mère s'inquiétât. Quand il répétait : « Serge, Nathalie », modulant joyeusement sa voix, il entendait l'écho de son nom que sa mère criait depuis leur maison, enfouie sous tant d'années, sa mère morte dont la voix se mêlait à la sienne : « Julien, Julien, Serge, Nathalie. »

Brusquement Nathalie surgissait, serrait les jambes de Julien entre ses bras : « Tu es prisonnier, papa », disait-elle cependant que Serge s'enfuyait vers la maison, criant qu'on ne le rejoindrait pas. Il fallait le poursuivre, le saisir, le soulever au-dessus de soi, lire sur son visage la peur et la joie, plus que de la joie, un ravissement dont Julien retrouvait le souvenir, là, assis devant la fenêtre, dans cette chambre de la villa de Jean Zorn qui donnait sur le promontoire des rochers rouges.

Il suffisait de cette voix d'enfant sur la route pour que Julien cessât d'écrire. Il s'allongeait, la main proche du téléphone, comme s'il espérait un appel. Parfois il décrochait, commençait à former le numéro de Saint-Cloud, puis reposait l'appareil. Erica Zorn et Clara lui avaient recommandé de ne donner aucune nouvelle, de ne livrer aucun indice qui eût pu permettre de situer son refuge. Elles étaient persuadées qu'on allait chercher à le blesser.

— Tu remues trop de choses, avait dit Erica.

— Ces dossiers, avait ajouté Clara, ils n'accepteront jamais que quelqu'un les publie. Ils voudront les récupérer, te récupérer. Disparais. Ne téléphone à personne. Méfie-toi, on est toujours plus faible qu'on ne le croit. Ils trouveront un moyen pour te faire céder. Ne téléphone même pas chez toi.

Clara l'avait regardé avec cette absence d'expression qui souvent inquiétait Julien.

— Es-tu sûr de ta femme ? avait-elle demandé.

Elle ne lui avait pas laissé le temps de répondre, poursuivant :

— Tu ne peux pas être sûr de ta femme et tu le sais.

Julien avait plusieurs fois surpris dans les yeux de Garelli, dans la façon désinvolte dont il prenait le bras de Martine, une familiarité dont il s'étonnait. Mais puisqu'il avait constitué par lassitude ou lâcheté, et peut-être par calcul, ce couple avec elle, il avait refusé de s'interroger. La solitude l'obligeait à reconstituer chaque scène, à accumuler des indices, à se persuader que Martine avait dû être la maîtresse de Garelli et peut-être avant lui de Bernard de Carouge.

Il en éprouvait du dégoût, une sensation de fatigue, de honte, comme s'il s'était livré, lui, aux deux hommes. Il n'utilisait jamais des expressions vulgaires et pourtant il pensait, dès qu'il évoquait ces scènes : « Ils m'ont baisé », « Ils me l'ont foutu jusque-là. » Et il esquissait un geste, lui aussi venu de l'enfance. Commençaient alors des minutes de désordre, des souvenirs mêlés, cette morte allongée sur la piste cavalière et qu'entouraient des chevaux, ce dîner sous la pinède, quand les mères servaient des poissons bouillis au ventre blanchâtre et que Simon donnait son assiette à Julien, cette odeur de romarin, de laurier et de safran, ces voix lointaines des pères qui parlaient entre eux de la guerre. Ce jour aussi de la mort de Pascal Garelli, quand Stanislas de Jeumont avait répété avec une excitation et une fébrilité qu'il ne réussissait pas à dissimuler que Garelli serait désormais un homme affaibli, parce qu'on ne résiste pas à la mort d'un enfant. Et la déception de Jeumont quelques jours plus tard, quand il était sorti du bureau de Garelli, qu'il avait murmuré :

— Ce type est un monstre.

Jeumont écarté, tenu en laisse, gardé à portée de main

par Garelli comme un souffre-douleur dont on veut mesurer la servilité et l'avilissement. Car Garelli n'oubliait rien. La mort de Pascal l'avait redressé comme un homme qu'on fouette et que la douleur cambre. Elle avait accentué chez lui le pouvoir de se dédoubler, une part de lui à jamais accrochée à Pascal, fermée sur elle-même, celle qui récitait les vers de Chaves, et l'autre plus affûtée, tranchante, dure comme la haine.

C'est celle-là que Julien aurait à affronter désormais. Il le savait. Garelli ne lui pardonnerait pas cette fuite, ces dossiers emportés, ces secrets ouverts, la confiance trahie, les articles ou le livre qui en naîtraient. Il n'avait jamais accepté de perdre. Il avait déjà dû engager la guerre avec ce cynisme que Julien connaissait et dont les dossiers qu'il consultait étaient imprégnés. Il s'allierait une fois encore à Calzi. L'un et l'autre avaient le goût de l'affût et de la chasse. Ils avaient le flair des prédateurs. Ils aimaient se battre et vaincre.

Julien maintenant mesurait les risques. Il avait dilapidé une vie de prudence en quelques jours de témérité. Avait-il choisi librement cette voie ? Parfois, parce qu'elle était absente et qu'il souffrait de ne pas la voir, il accusait Clara Becker et avait contre elle de brèves rancœurs, comme si elle l'avait poussé sur la pente puis s'était dérobée.

Ces pensées-là aussi l'empêchaient d'écrire.

Il ressortait.

Il essayait d'évaluer le danger. Que pouvaient-ils ?

Il prenait le sentier qui fait le tour du cap à quelques mètres au-dessus de la mer. Le vent, toujours vif, soufflait du large, chargé de sel. Les vagues battaient fort avec un son rauque. Les rochers étaient lisses, partagés comme un damier.

Julien marchait vite. Les embruns et le cri des mouettes

lui rappelaient si précisément la femme morte qu'il se mettait à courir pour s'essouffler, afin de tenter d'étouffer sa peur. Car Calzi et Garelli pouvaient décider de l'atteindre par ricochet, en menaçant d'abord les enfants.

Il s'arrêtait. Il s'asseyait sur le bord du sentier. L'eau s'engouffrait au-dessous de lui dans l'un de ces chenaux que la mer a creusés. Les algues allaient et venaient, poussées par le courant. La vie s'accrochait à la roche.

Quel était le sens ? Quelle folie de s'exposer et de les exposer, eux, Serge, Nathalie ! Il avait envie d'attendre là qu'une vague le prenne.

Puis Julien se redressait et rentrait lentement à la villa. Il allait téléphoner. Il fallait qu'il entende leurs voix.

— Il a téléphoné, dit Calzi.

Garelli d'une inclinaison de tête demanda à sa secrétaire de quitter le bureau. Quand Elisabeth eut refermé la porte, il demanda :

— Quand ?

— Hier soir, répondit Calzi.

— Intéressant ?

Calzi maugréa, exprimant son doute.

— Pas d'adresse, pas de numéro de téléphone, dit-il. Mais il voit la mer, il l'a répété aux enfants, une conversation très familiale, pleine de projets.

Sur un ton ironique, Calzi expliqua que Julien Vanco avait dit aux enfants qu'il voulait dans quelques mois s'installer au bord de la mer, avec eux.

Garelli imagina Julien téléphonant d'une pièce d'où il apercevait des rochers, des mouettes, le paysage de leur enfance, celui qu'il avait voulu faire découvrir à Pascal. Mais le temps avait manqué. Il eut soif.

— Je ne le voyais pas comme ça, continuait Calzi. Je l'avais cru dur comme de l'acier. Vous l'aviez choisi...

Il s'interrompit. Il devait faire la moue.

— Bref, reprit-il, un type qui a des regrets, un type emmerdé qui pleurniche avec ses gosses.

— Elle ? demanda Garelli.

— Ça..., commença Calzi.

Martine avait été glaciale, hostile, demandant à Julien de lui communiquer son adresse, le numéro de téléphone.

— Quelle femme ! dit Calzi.

— Il a donné les renseignements ?

Garelli avait parlé d'un ton sourd, comme quelqu'un dont l'attente, peut-être même l'émotion modifient la voix.

— Il se méfie, répondit Calzi.

Garelli savait qu'à cet instant Calzi haussait les épaules, faisait la moue, les lèvres boudeuses. Il devait de la main gauche lisser sur sa tempe ses cheveux gris et brillants.

— Mais, reprit-il, elle les obtiendra, parce qu'il retéléphonera, il l'a annoncé. Il a besoin de nouvelles.

Calzi se tut sans que Garelli interrompît ce long silence.

— Ce type est fragile, ajouta Calzi. Vous aviez choisi un drôle de collaborateur.

Le silence de Garelli obligea Calzi à reprendre.

— Il téléphonait d'une cabine, dit-il. Il a dû manquer de monnaie. La communication a été coupée.

— Qu'est-ce que vous proposez ? demanda Garelli.

— Il sera facile à piéger, murmura Calzi du ton las de quelqu'un qui évoque une question déjà résolue.

— Attendre, en somme, dit Garelli si brutalement que Calzi s'exclama.

— Quelle impatience ! dit-il. Vous êtes trop impulsif.

Garelli ne répondit pas.

— On n'aime pas être trahi, reprit Calzi. Je vous comprends. Comptez sur moi.

Dès qu'il eut raccroché, Garelli demanda à Elisabeth de lui servir un verre d'eau qu'il teinta lui-même d'un peu de whisky.

— Mme Vanco a téléphoné, dit la secrétaire. Vous étiez en communication.

Garelli renonça à rappeler. Martine d'elle-même, comme il l'avait prévu, collaborait. Il suffisait d'attendre. Puis Calzi agirait.

Le pouvoir de Dominique Calzi, Garelli ne l'avait découvert que peu à peu. Il avait rencontré Calzi une première fois lors d'une réception au ministère du Commerce extérieur. L'homme avait une voix grasseyante, la main épaisse et sans fermeté. L'impression de Garelli avait été déplaisante. Calzi, qui se présentait comme un importateur, avait félicité Garelli qui venait d'accéder à la présidence de la Sibani. « C'est considérable, avait-il dit. Vous allez faire ou défaire des ambitions. Vous avez la puissance. » L'insistance du regard avait intrigué Garelli. Cet homme chauve au visage lourd tranchait sur la médiocrité ou la prétention des autres invités.

Quelques jours plus tard, une carte de visite avait rappelé à Garelli cette rencontre. L'écriture était appuyée, presque maladroite. « Heureux de vous avoir vu, écrivait Calzi. J'ai un problème pour vous. A votre dimension. » La phrase était étonnante, si singulière par rapport aux habitudes du milieu des affaires que Garelli chargea Vanco d'obtenir quelques renseignements sur le personnage. Julien ne rapporta que des indications imprécises. L'homme arrivait de l'étranger et prenait peu à peu possession des cercles de jeux. Vanco avait noté en marge des quelques lignes de son rapport : « Se méfier. Origine des fonds ? Moralité ? Liens avec le milieu ? »

Ces réserves, au lieu de détourner Garelli, suscitèrent sa

curiosité. Il s'était persuadé depuis longtemps que seule une apparence séparait le légal de l'illégal. L'argent et le pouvoir se moquaient de ces différences, seuls les naïfs tenaient à ces préjugés et n'utilisaient, comme de mauvais joueurs d'échecs, qu'une partie des pièces. Calzi était peut-être le moyen que Garelli recherchait d'accéder à l'autre face du miroir.

Il ne l'oublia pas, mais Calzi n'avait donné aucune suite à son message.

Garelli le rencontra une deuxième fois à l'une de ces soirées de résultats électoraux qu'organisent pour le Tout-Paris les stations de radio. Calzi était en smoking, un nœud papillon de soie grise mettant une touche de fantaisie dans une tenue trop austère. Il avait été familier, entraînant avec autorité Garelli à l'écart, lui parlant à voix basse : « J'attendais les élections, disait-il, je crois qu'elles seront bonnes, nous allons nous voir, j'ai besoin de vous. »

Un instant Garelli avait imaginé que l'homme était l'un de ces mythomanes que l'on croise si souvent à Paris, mais le ministre de l'Intérieur du nouveau gouvernement l'avait appelé, dès le lendemain de la constitution du ministère, pour lui suggérer d'accepter de recevoir Calzi. Au téléphone, le ministre était allusif et prudent. « Bien entendu, cher ami, il ne saurait être question, vous vous en doutez, d'influencer votre décision. » Il insistait, précisait qu'il venait d'accorder à Calzi l'autorisation de prendre la direction de la Société des Jeux Français. « C'est une garantie appréciable, vous en conviendrez. » Cependant — le ministre répétait qu'il refusait, évidemment, d'entrer dans des détails qui ne le concernaient pas —, cependant, reprenait-il, Calzi avait besoin d'un long crédit et d'un ample découvert financier. « Votre banque, votre décision pèseront lourd. »

Garelli savait écouter sans répondre, tout en faisant naître un climat de complicité qui favorisait les confidences. Il murmurait : « Je comprends, monsieur le ministre. » Il apprit que Calzi avait rendu, durant la campagne électorale, de « sacrés services ». Il n'était pas question de contrepartie : « Cela va sans dire. » Et tout à coup, avec une brusquerie inattendue, le ministre avait ajouté : « Je ne vous le cache pas, nous avons besoin de Calzi. »

Le ministre de l'Intérieur avait été l'allié de Garelli dans sa lutte contre Jeumont pour la présidence de la Sibani. Il demandait son salaire. Tout cela parut naturel à Garelli.

Il attendit la visite de Calzi avec beaucoup de curiosité. L'homme venait de sortir de l'anonymat. La journaliste Clara Becker lui consacrait un article sévère. Elle désignait même le ministre de l'Intérieur comme l'un des soutiens occultes de Calzi. Elle prétendait que le nouveau président de la Société des Jeux Français n'était qu'un prête-nom de la Mafia. Elle l'avait fait photographier à Rome en compagnie de banquiers italiens dont la réputation était détestable. Calzi lui fit un procès et le gagna. Les confrères de Clara Becker, on s'en souvient, ne la défendirent que du bout des lèvres.

L'épisode, inattendu, avait avivé encore l'intérêt de Garelli. Les accusations de Clara Becker contre Calzi ne le choquaient pas. Il était attiré par ce pouvoir de l'ombre auquel peut-être participait Calzi. Il était sûr qu'un homme ne domine que s'il dispose d'un réseau d'obéissances et de fidélités. Les organisations occultes, avec leurs lois discrètes, lui paraissaient composer la structure même de la société, en dicter le rythme, comme la césure et la rime peuvent scander la phrase. Il était donc impatient de rencontrer Calzi.

L'homme ne le déçut pas.

Ce qu'il avait pris au cours de leurs brefs entretiens précédents pour de la mollesse ou de la familiarité n'était que placidité, rondeur, assurance. Calzi était puissant, non d'une force qui tient aux apparences, mais d'une sève souterraine. La Mafia ? Le mot avait peu d'importance pour Garelli. Naturellement, il ne le prononça pas. Calzi, assis en face de lui, les jambes croisées, lui avait tendu un dossier, puis les doigts joints, les coudes posés sur les genoux, le buste penché, il avait fermé les yeux comme s'il somnolait. Mais il guettait Garelli, et quand celui-ci eut refermé le dossier, il dit :

— Solide, n'est-ce pas ?

Garelli hocha la tête. L'homme avait derrière lui une banque suisse et le Banco Ambrosiero de Rome. Les garanties internationales étaient indiscutables. Calzi n'était pas, à l'évidence, un homme seul.

— Vous êtes étayé, dit Garelli. Le montage de votre opération...

— J'utilise de bons experts, coupa Calzi.

Il se rejeta en arrière dans le fauteuil.

— Il faut toujours choisir les meilleurs, reprit-il.

Après avoir observé Garelli, il se pencha à nouveau en avant.

— Je vous ai choisi pour cela. Je pense que vous êtes le meilleur.

Garelli fit une grimace, haussa les épaules.

— Vous êtes le meilleur pour moi, dit Calzi en souriant.

Ils élaborèrent, rapidement, le calendrier de la mise à disposition des fonds. Calzi était informé et précis. Il connaissait la rivalité qui avait opposé Garelli à Jeumont. Et il n'ignorait rien des appuis politiques dont avait disposé Garelli.

En quittant Garelli, il dit en souriant :

— Je crois que nous avons des amis communs.

Il levait la main, fermait le poing.

— Nous allons travailler ensemble. Vous ne le regrette-
rez pas.

Cet homme-là, Garelli le voulut pour complice. Il
accorda de nouveaux crédits, accepta les découverts, pris
des risques tels que Vanco et Lederman s'en étonnèrent. Ils
n'obtinrent de Garelli qu'un vague : « J'investis. »

Garelli ne pensait à aucun projet précis, se laissant
guider par l'intuition et le besoin. Il lui fallait un allié.
Julien Vanco ne pouvait être qu'un subordonné, un fidèle
qui donne son obéissance. Calzi était un initiateur.

Ils se virent souvent. Pascal venait de mourir. Garelli
commençait de s'aventurer, chaque jeudi après-midi, dans
la découverte de ses désirs. Il déplaçait les limites de ce que
les autres appelaient le normal. Il achevait de se convaincre
que la sexualité n'admet aucune autre loi que le plaisir. Le
normal est ma jouissance, le normal est ma curiosité,
pensait-il. Et en écho Calzi lui confirmait que la seule
logique du pouvoir est la réussite.

Ils se retrouvaient dans la salle à manger de l'un des
cercles de jeux que contrôlait Calzi. La pièce était petite et
sans fenêtres, la porte se confondait avec les boiseries
sombres qui tapissaient les murs. Le serveur frappait avant
d'entrer.

Calzi n'était pas de ceux qui remercient, mais quand les
fonds avaient été débloqués par la Sibani, il avait dit d'une
voix plus grave, comme une indiscrétion suggérée : « Ma
règle, ma loi, c'est d'être fidèle en amitié. »

Ce n'avait été qu'une phrase à la fin d'un repas, au
moment des alcools et des cigares. Il avait longuement
regardé Garelli, puis repris un ton plus haut, parlant de son
village de Sartelica, de la châtaigneraie, de la pierre austère
des maisons, des cochons noirs qui courent le long des
chemins et du brouillard qui enveloppe les sommets : « On

·nous croit des gens de la mer, expliquait-il, mais non, mais non, nous sommes des montagnards, durs, fidèles. »

Garelli aimait cette simplicité et cette rudesse, la franchise brutale de leurs rapports. Car il devait aussi se méfier de Calzi. C'était le jeu, le plaisir. Calzi le faisait bander. Calzi était de ces pervers déguisés en personnalités respectables qui savent que la loi n'est qu'un paravent dont ils se servent pour mieux la violer. Avec lui Garelli achevait son éducation, abandonnait ses dernières illusions. Le ministre de l'Intérieur protégeait Calzi. Des hommes politiques utilisaient ses compétences. Calzi prononçait le mot avec ironie.

— Ne vous moquez pas, Garelli, disait-il. Quand on a le pouvoir, et vous l'avez, un jour ou l'autre on fait appel à des experts pour résoudre certains petits problèmes.

Il riait.

— Je suis un excellent expert.

Ils déjeunaient ensemble dans un restaurant de poissons, proche de la place de l'Alma. On les y accueillait avec prévenance, leur réservant une table à la terrasse sous la fausse tonnelle. Ils parlaient peu, composaient lentement leur menu, hésitant, revenant sur leurs choix, puis, comme entraînés par cet échange anodin, Calzi commençait à bavarder. Il connaissait, par les indiscrétions des joueurs, les conversations des cercles de jeux, bien des ragots. Il avait des amitiés dans la police et parmi les indicateurs. Il retournait toutes les cartes. Il savait que Jeumont continuait de comploter contre Garelli.

— Il voit Bernard de Carouge, vous ne l'ignorez pas.

Il humait le vin blanc, faisait quelques commentaires gastronomiques, puis reprenait :

— Carouge est un gros joueur. Il perd presque toujours.

Calzi buvait, faisait claquer sa langue.

— On n'aime pas beaucoup Carouge, là-haut.

D'un mouvement de tête il désignait le pouvoir, le gouvernement.

— Si vous preniez le contrôle du Groupe Carouge-Mortain, belle opération, non ? Ils en seraient très satisfaits.

Garelli expliquait lentement que Carouge refusait toute négociation, qu'il était stupidement obstiné.

— Il passe ses nuits dans l'un de mes cercles, disait Calzi.

Il souriait.

— Il rentre très tard, des faiblesses, tout ça, non ? Des imprudences.

— S'il s'ouvrait à des négociations, murmurait Garelli.

Calzi buvait à nouveau.

— On peut voir, disait-il, on peut réfléchir.

En quelques mois la toile d'araignée avait été tissée. Et Bernard de Carouge y avait été pris.

54

Une force, pourtant, Bernard de Carouge. Grand, le
teint hâlé, il avançait d'une démarche rapide. Au siège du
Groupe Carouge-Mortain, avenue Hoche, il n'empruntait
jamais l'ascenseur, montait l'escalier avec vivacité et poussait les portes à double battant de ses paumes, les bras
tendus. Il avait l'arrogance de ceux qui héritent, et Garelli
détestait sa désinvolture, son élégance, ses gestes assurés,
son sourire insistant de séducteur, sa jeunesse surtout.

Ils se rencontraient régulièrement dans des conseils
d'administration, Carouge d'une cordialité exubérante :
« Alors, Garelli, toujours l'espoir de me croquer ? C'est
moi qui vous dévore. »

Garelli avait d'abord cru n'avoir en face de lui qu'un fils
de famille noceur qui conduisait trop vite et préférait les
salles de jeux aux réunions de travail. Carouge d'ailleurs
semblait accréditer cette légende. On le photographiait sur
un court de tennis, enlaçant une jeune altesse. Quelques
semaines plus tard, les magazines annonçaient qu'il finan-
çait un film dont il appréciait la vedette. Puis on l'apercevait, sortant, le teint blafard, un peu effaré, mais peut-être
n'était-ce que l'effet du flash, d'un cercle de jeux de
l'avenue Montaigne. Il avait les mains dans les poches, ses
cheveux blonds tombant sur ses joues, l'air d'un perdant
qui tente de sauver la face. Il jouait gros au poker, le

reconnaissait, disait même avec arrogance qu'il était libre d'utiliser ses bénéfices à sa guise, que cela le concernait seul.

Mais ce n'était qu'un des visages de Bernard de Carouge. Garelli avait découvert un négociateur obstiné, un concurrent coriace, ambitieux et décidé — parce qu'il aimait le jeu et la lutte — à pousser ses avantages.

Il possédait des atouts. La Société Genevoise de Finance appartenait à son père, Thierry de Carouge, et apportait aux usines du Groupe de l'argent frais et des garanties internationales d'autant plus appréciées que la Banque Carouge était domiciliée en Suisse.

Carouge, dans les discussions avec Garelli, répondait sèchement, reprenait de volée.

— Voyons, Garelli, disait-il, nous avons les brevets, nous avons les fonds pour les investissements et vous voudriez que nous vous laissions entrer, mais pourquoi, dites-moi, pourquoi ?

Il se levait, faisait le tour de la table, s'étirait, mordait dans un citron à pleines dents, en suçait le jus bruyamment, revenait s'asseoir en face de Garelli.

— Sur le terrain industriel, vous ne faites pas le poids.

Avec compétence, d'une voix aiguë, il analysait les propositions de participation de Garelli, répétait, le menton levé, qu'il était le seul maître à bord de son Groupe, qu'il ne céderait à aucune pression. Il se taisait un instant, observait Garelli.

— Je sais bien, Garelli, que derrière vous il y a le gouvernement, mais...

Il fermait les dossiers bruyamment, se levait à nouveau, appuyait ses deux mains sur les épaules de Garelli.

— Je ne céderai jamais, concluait-il. Répétez-le à qui de droit.

Son mariage avec Lucie Mortain l'avait encore renforcé. Le Groupe Carouge-Mortain étendait son emprise sur la métallurgie (la Somemor et la Somebra au Brésil), la chimie et l'industrie nucléaire. C'était là le secteur névralgique, là que la Société Internationale de Banque et d'Industrie et les soutiens de Simon Garelli voulaient pénétrer et dominer.

— Nous voulons contrôler ça, avait dit Jalard, le chargé de mission de l'Elysée. On ne peut pas laisser ça à un zozo qui joue au poker et dont le papa est suisse. Un soir il va nous perdre les brevets pour un brelan d'as. Vous croyez qu'on peut accepter ça ?

Jalard était brutal. A l'Elysée il traitait des dossiers confidentiels et délicats. Petit, trapu, le visage empâté, des lunettes à grosse monture, des vêtements trop larges, il était de ces hommes ronds dont on n'imagine pas la détermination. Mais dès qu'il parlait on savait qu'il avait le goût du pouvoir et la volonté têtue que cela suppose. Jalard ne se regardait pas agir, il n'était ni esthète, ni dilettante.

Garelli le rencontrait dans l'un de ces bureaux sombres de l'Elysée dont le plafond bas, l'exiguïté, la forme souvent étrange créent déjà une atmosphère de secret.

— Avez-vous une solution ? avait demandé Jalard.

Dans ses rapports avec le pouvoir politique, Garelli redoublait de prudence. Il savait qu'il n'était qu'une pièce de l'échiquier, pas un pion, une Tour peut-être, mais que le Roi sacrifierait si c'était nécessaire. Il jouait donc sa partie, essayant de préserver ses intérêts, préférant l'enveloppement à l'affrontement, désireux pourtant d'abattre Bernard de Carouge, vieux règlement de compte personnel, comme si se poursuivaient avec Carouge les luttes du lycée de Lourciez, un garçon exilé contre l'héritier. Et Garelli avait la rancune tenace.

— Vous connaissez Calzi, bien sûr, disait Jalard regardant Garelli par-dessus la monture de ses lunettes. C'est un homme plein de ressources.

Garelli souriait, approuvait d'un hochement de tête, mais ne répondait pas quand Jalard, semblant réfléchir à haute voix, murmurait qu'une intervention « un peu pressante de Calzi ou de certains de ses amis » pouvait rendre Carouge raisonnable.

— Carouge n'est qu'un joueur, ajoutait-il avec une moue de mépris.

— Un bon joueur, précisait Garelli.

Il développait sa solution : prendre contact avec Thierry de Carouge, montrer au père l'intérêt d'une participation de la Sibani aux activités du Groupe Carouge-Mortain, faire quelques concessions.

— Si cela échoue, vous pourrez toujours essayer autre chose, après, concluait Garelli.

Jalard enlevait ses lunettes, en mordillait l'une des branches, puis tirait machinalement sur sa lèvre inférieure, pincée entre le pouce et l'index. Il était de ceux qui, quand ils réfléchissent, ne contrôlent pas ces petits gestes qui trahissent la nervosité et l'hésitation.

Jalard reprit ses lunettes.

— Il faudrait aller vite, dit-il.

Garelli acquiesça silencieusement, puis il rassura Jalard. Il explorerait cette possibilité rapidement. Dans une quinzaine de jours, il aurait une vue claire de la situation.

— Très bien, très bien, répétait Jalard en reconduisant Garelli. Evidemment si nous pouvons éviter Calzi.

Garelli traversa lentement la cour de l'Elysée. Il aimait la blancheur du gravier, le calme tendu de cet espace clos qu'entouraient les bâtiments trapus où se dissimulaient l'activité et le pouvoir.

Souhaitait-il vraiment empêcher Calzi d'intervenir ? La prudence seule lui conseillait d'autres voies. Il fallait rencontrer Thierry de Carouge. Le rendez-vous était déjà pris, mais il savait que Bernard ne céderait pas. Et il en éprouvait une sourde satisfaction.

Certains gosses dans la cour du lycée de Lourciez n'avaient compris qui était Garelli qu'au moment où ils avaient commencé à saigner du nez. Bernard de Carouge leur ressemblait.

55

Ils se rencontrèrent d'abord à Genève, au siège de la Société Genevoise de Finance, puis à Bergwald, un village du Haut Jura. Thierry de Carouge — le « vieux Carouge », comme on le nommait dans les milieux financiers — avait accepté la discussion avec Garelli. Il sembla même vouloir la prolonger, multipliant les diversions, proposant à Garelli ce séjour à Bergwald, dans la clinique-maison de repos-palace du Dr Georgewitch, « un guérisseur, disait Carouge, un faiseur de miracles ». Et Simon Garelli accepta à son tour, se prenant au jeu.

Le vieux Carouge l'étonnait. Autant il ressentait pour Bernard de Carouge une antipathie instinctive, autant le père le séduisait. Garelli n'était pas dupe de sa politesse exagérée, de l'amitié même que Carouge manifestait, mais il y répondait, par curiosité et habileté. Il était de ceux qui pensent que pour éviter un piège il faut parfois y succomber. Il suivit donc Carouge sur son terrain.

Il le vit d'abord dans un bureau de Genève, qui donnait sur l'étendue apaisante du lac. Les rapports entre eux furent feutrés, la conversation lente.

— Je comprends votre position, cher Garelli, dit Carouge, mais Bernard est un lutteur — Carouge sourit, se leva —, un sportif plutôt.

Il entraînait Garelli dans un petit salon attenant au bureau.

— Voyez cette merveille, dit-il.

Il tendit le bras, montrant sa dernière acquisition, un tableau de Braque, bleu et blanc. Le corps de l'oiseau comme une trace claire écartelée séparait l'espace de la toile.

— Je le trouve admirable, répéta Carouge. Bernard...

Il secoua la tête, marquant ses regrets. Puis debout devant le tableau, le corps légèrement penché en arrière, le col de sa chemise noire bâillant sur son cou maigre, il dévisagea longuement Garelli et lui sourit. Son visage exprimait de la sensibilité, presque de la tendresse. Le menton affirmé, les pommettes marquées rappelaient seuls les traits du fils.

— Cette fusion des bleus, reprit-il, et cette ligne dure qui s'enfonce dans leur épaisseur, vous devez comprendre cela, le sentir, vous qui avez goûté à la philosophie.

Il s'écarta du tableau.

— J'aurais aimé que mon fils, continua-t-il, eût une passion noble, ajoutât une morale, une esthétique à sa richesse et à sa puissance, le goût de l'art.

Il prenait Garelli par le bras, retournait lentement dans son bureau.

— Je crois au devoir, Garelli, au devoir d'intelligence des puissants, nous sommes des guides, je suis sûr que vous en êtes persuadé.

Garelli négligea de répondre. Il aimait l'élan du tableau, l'inachèvement qu'il suggérait et qui créait le mouvement. Il murmura :

> « *La couleur divise et l'œuvre réunit*
> *Je peins le cœur étroit du monde*
> *Et parcours l'infini.* »

Il s'en voulut d'avoir livré ces vers de Chaves, presque une confidence et donc une faiblesse, mais Carouge était un adversaire rusé qui possédait l'énergie de l'intelligence, plus difficile à vaincre que celle du corps, la seule qu'utilisait le fils, tout en muscles et en caractère.

— Voilà, voilà, répéta Carouge, un poète, seulement un poète peut dire ce que nous ressentons, le reste — Carouge haussait les épaules —, même si nous ne parvenons pas à un accord, quelle importance, n'est-ce pas ?

Il s'asseyait, faisait pivoter son fauteuil, tournait le dos à Garelli, regardait le lac.

— Vous ne me croyez pas, Garelli ? Et vous avez raison. Je pense aussi qu'il faut imposer ses vues et ses intérêts. Ma famille est de souche guerrière, nous contrôlions la route, les cols, et nous prenions l'argent des marchands et des banquiers à coups d'épée. Le vol et la rapine, voilà nos origines.

Il avait parlé avec vigueur, faisant maintenant face à Garelli.

— Bernard est persuadé qu'il vous tient, continua-t-il, vous et même le gouvernement français.

Garelli, immobile, s'était un peu tassé.

— Est-ce qu'il se trompe ?

— Je crois, dit Garelli. Je crois qu'il a tort.

— Votre solution ?

Garelli commençait à répondre qu'il suffisait d'admettre une participation de la Sibani aux activités nucléaires du Groupe Carouge-Mortain, quand Carouge se leva à nouveau.

— Et si nous continuions à Bergwald demain ? Là-bas nous avancerons.

Le temps était aussi un élément de la négociation. Carouge devait téléphoner à son fils, débattre avec lui des propositions de Garelli. Garelli le savait. Il fallait avant de ferrer laisser filer la ligne, donner du mou, comme on disait à Lourciez, jeter un nouveau leurre.

— Pourquoi pas ? disait Garelli.

Ils se retrouvèrent donc le lendemain à Bergwald, dans le parc de la clinique Juventus. Georgewitch était assis à leur table et le vieux Carouge s'enthousiasmait pour le paysage, d'une beauté déjà picturale, disait-il.

— Vous comprenez, Garelli, la nature ici est une idée de la nature, elle est au-delà de la réalité.

Il montrait la forêt, le chapelet des lacs, ces arbres isolés comme une avant-garde.

— Docteur, dit-il tourné vers Georgewitch, que conseillez-vous à mon ami Garelli?

Georgewitch, le visage rond et souriant, répondit qu'il ne décelait pas le moindre indice de tension chez Garelli, à peine une légère fatigue.

— Un monstre d'équilibre, en somme, dit Carouge. Comment voulez-vous que mon fils l'emporte? Garelli est trop jeune, trop maître de lui.

Prudent, Georgewitch s'éloigna. Des patients à surveiller, disait-il. On les apercevait dispersés dans le parc ou somnolant sur les balcons noirs qui striaient la façade blanche de la clinique.

— Il nous vend un peu de vie supplémentaire, chuchota Carouge. Vous y viendrez, dans quelques années. Vous serez comme moi, vous n'y croirez pas et vous essaierez. Si l'argent et la puissance ne nous permettent pas cela, à quoi bon?

Il paraissait avoir oublié l'objet de leur rencontre, commença une longue promenade dans le parc avec Garelli, évoquant le mythe de Faust, cette jeunesse qu'il fallait conserver coûte que coûte.

— Il faut se débarrasser de sa vieillesse, Garelli, comme d'une graisse inutile, répéta-t-il, passant sa main ouverte sur son torse maigre que moulait un pull-over à col roulé noir.

Garelli se laissait conduire, ouvrant de temps à autre, par de courtes questions, de nouvelles pistes. Il voulait compléter le portrait du vieux Carouge dont on disait qu'il avait favorisé les transferts de fonds vers l'Amérique latine après la guerre, quand la débâcle de l'Allemagne contraignit les nazis à fuir l'Europe.

— Bien sûr, avoua Carouge, bien sûr, je ne démens rien.

Il touchait son pull-over noir.

— Je suis fidèle à ma couleur. Venez, venez, Garelli, il faut aussi que nous discutions de tout cela.

Dans le salon puis dans la salle à manger de la clinique, dans ce décor qui ressemblait à celui d'un grand hôtel de luxe, Carouge parlait avec une conviction étonnante.

— Vous croyez à la puissance de l'ambition, disait-il. Je connais votre itinéraire, Garelli. Vous êtes un guerrier, à votre manière, mais un guerrier. Et vous savez qu'il n'y a pas deux façons de gouverner. Un chef ne peut qu'être fasciste, sinon il ne gouverne pas, il subit.

Il fermait le poing.

— Alors la foule le chasse, et c'est justice. Il faut respecter les lois élémentaires de la vie, la nature du pouvoir.

Garelli aurait dû s'insurger au nom de son passé, de ce père qui était mort de l'implacable logique du cynisme politique. Et pourtant il écoutait passivement, fasciné, comme si Carouge exprimait ce que Simon Garelli croyait désormais.

Il se tut donc.

— Et si mon fils, reprit lentement Carouge, refuse les suggestions de la Sibani ?

— La guerre, dit Garelli d'un ton hargneux qu'il ne put dissimuler, la guerre.

Carouge hocha la tête.

— Je ne réussirai pas à le faire changer d'avis, dit-il.

Il se leva, empêchant Garelli de répondre, proposant de dîner, choisissant une table, invitant cérémonieusement Garelli à s'asseoir, à choisir le menu.

— Je ne sais pas, murmura-t-il après que le serveur eut noté la commande, je ne sais pas si Bernard est capable d'affronter une guerre — il hésita — et de vaincre.

— Un conflit est toujours regrettable, dit Garelli.

Carouge plissa les yeux, comme on le fait quand le soleil éblouit et qu'on tente cependant de regarder.

— Je ne déteste pas la guerre, dit-il. Elle trie, écarte les lâches, les faibles.

— Les morts, ajouta brutalement Garelli.

Il avait la nausée. Il avait envie de taper du poing, de hurler : « J'ai fait la guerre. » Il revoyait ces corps entassés et cireux que les bulldozers dans le halètement du moteur et la poussière jaune accumulaient dans les fosses creusées contre les barbelés du camp.

Il se leva, murmurant qu'il revenait dans quelques minutes, et monta dans sa chambre.

Il s'y lava longuement les mains, s'aspergeant le visage. Puis il recommença plusieurs fois. Il se sentait sale, vieux et lourd, avec la bouche sèche.

Il redescendit, se maintenant à la rampe de l'escalier comme s'il avait craint de tomber. Il traversa la salle à manger au sol de marbre avec le sentiment qu'il ne parviendrait jamais jusqu'à la table de Carouge. Les convives le saluaient d'un regard complice et leur sympathie discrète accablait Garelli.

Chacun de ces visages était le sien. Il appartenait définitivement à ce monde, paisible et souriant, sauvage et criminel.

Il s'assit, s'excusant d'une inclinaison de tête. Carouge sourit.

— Décidons de rester en vie, voulez-vous, Garelli ?

— La guerre tue, murmura Garelli.

Carouge fit signe qu'il ne croyait pas au danger.

— Pas nous, dit-il, pas nous, pas encore, conclut-il.

56

Et lui, Simon Garelli, à Bergwald, il y a maintenant plus de dix années, quand il eut quitté Thierry de Carouge au bas de l'escalier, signifiant d'un mouvement de tête qu'il refusait de prendre l'ascenseur, lui qui s'aida de la rampe encore, comme pour se hisser, quand il fut seul dans sa chambre, qu'il eut poussé les volets de bois et vu depuis le balcon étroit la forêt, les parois presque blanches dans la nuit des massifs, il eut pour la première fois si fort le désir de ne plus durer.

C'était comme un étouffement, un poids de chair dans le corps, les cuisses trop lourdes, la taille dont les replis le serreraient, l'empêchant de respirer librement.

Il se tenait debout sur le balcon, les mains agrippées à la rambarde, une salive âcre emplissant sa bouche, et pourtant les lèvres étaient sèches. Il connaissait son visage à cet instant comme s'il l'eût détaillé dans un miroir et il haïssait ces plis entre les sourcils, ces cercles du cou.

Peut-être étaient-ce les propos du Dr Georgewitch, qui, cédant à l'insistance de Carouge, avait examiné Garelli, passant la main sur son corps, formulant à mi-voix un diagnostic, signalant ici et là, le cou, la taille, les cuisses, une surcharge, rien qui ne fût définitif, mais il était temps de remodeler le corps, afin qu'il résiste à l'insidieuse destruction des années.

Garelli avait seulement souri, haussé les épaules, dit :
« Plus tard, docteur, plus tard », et Georgewitch, apaisant,
avait répondu que rien ne pressait, Garelli n'était pas
encore aux frontières de la vieillesse, elles étaient seulement à l'horizon, comme une ligne de crêtes, et Georgewitch avait montré les sommets qui fermaient vers le sud la
vallée. Carouge avait énergiquement contredit Georgewitch : « Il n'est jamais assez tôt, avait-il dit, et vous le
savez bien, revenez ici, à Bergwald, Garelli, prenez une
semaine par mois, comme je le fais, on vous masse, on vous
vide, on vous fait renaître, quelle folie de renoncer à son
corps. » Et frôlant la poitrine de Garelli de ses doigts
maigres, Carouge avait ajouté : « Vous êtes trop lourd,
Garelli, ça vous paralyse, comme un gros déficit dans une
balance de paiements, n'est-ce pas ? »

Etait-ce à cause de cela que Garelli sentait que son corps
le tirait vers le bas, comme une pesanteur qui distendait les
chairs ? Il lui semblait qu'entre les jambes ses parties elles-
mêmes s'étiraient, cessant d'être compactes pour devenir
ces chairs ridées couvertes de poils gris.

Il mit sa paume entre ses jambes pour soutenir d'un geste
instinctif son sexe et ses parties comme s'ils allaient se
détacher de lui, fruit qui tombe.

Mais tout son corps lâchait, la chair de la taille et celle de
sa poitrine, le bas des joues, le dos, des rides, des vagues de
peau qui, lourdes, allaient vers la terre et l'ensevelissaient,
lui, détruisant ses formes, sa jeunesse, le transformant en
un volume gris, comme un tas de sable sur le sol.

Il rentra dans la chambre et, se déshabillant, découvrit
qu'il faisait avec peine certains gestes, se baisser et se
redresser, que ses reins étaient douloureux, sa nuque raide.
La vieillesse, la mort.

Il s'allongea.

Que faisait-il ici, seul, dans cette chambre aux murs
tapissés de lattes de bois ? Se prolongeait-il alors que le

père, la mère et le fils Pascal s'étaient l'un après l'autre dissous dans la terre et le souvenir ? Qui aimait-il encore ?

« *Quelqu'un a ouvert la porte*
Les papiers se sont dispersés »

Il ne trouva pas le dernier vers, imagina que Chaves nommait la mort ou le vent, commença de somnoler, cherchant les mots, se calmant peu à peu.

Puis le téléphone sonna.

— Garelli ? Ici Carouge. Je ne vous réveille pas ? J'ai parlé longuement avec mon fils.

Naturellement Bernard de Carouge refusait toutes les propositions de Garelli. Jamais, répétait Thierry de Carouge, jamais le Groupe Carouge-Mortain n'accepterait une participation de la Sibani.

— Je l'avais craint, répétait Thierry de Carouge. Je ne peux plus rien.

Garelli raccrocha.

Il avait envie d'enfoncer son poing comme autrefois dans un visage, de donner un coup de tête dans la mâchoire, de serrer jusqu'à ce que l'autre batte des mains, demande grâce et se relève en chancelant, disant avec l'effroi dans les yeux : « Mais tu es fou, Garelli, tu es fou, tu m'étranglais ! » Et ne pas lui répondre, le regarder les mâchoires serrées, être prêt à recommencer, le lui crier avec les yeux jusqu'à ce que l'autre s'éloigne, les épaules voûtées, secouant la tête, se retournant, répétant : « Tu es dingue ! »

Dingue. La folie comme raison de vivre, la haine pour se sauver de la mort, pour étouffer ce désir de mourir par l'envie de tuer.

Demain matin, Garelli téléphonerait à Jalard.

57

Il avait suffi de quelques mots. Jalard s'emportait,
reprochait à Garelli la semaine perdue. Garelli l'imaginait
renvoyant la secrétaire d'un geste autoritaire de la main
gauche, puis fermant ses dossiers, enlevant ses lunettes,
mordillant l'une des branches de la monture, multipliant les
signes d'irritation, d'impatience, comme si tout à coup
Jalard étouffait dans ce bureau surchauffé, au bout du
couloir gris bleuté, à gauche de la cour. Il se tournait vers la
lucarne, apercevait une voiture qui se rangeait lentement
devant le perron de l'Elysée, les huissiers ouvrant la haute
porte vitrée, le chef du protocole en costume noir descendant les marches.
— Vous me laissez conduire la partie maintenant, poursuivait Jalard ironique. Je crois que vous êtes persuadé,
désormais, qu'on ne peut plus attendre, ou bien...
Mais Garelli ne répondait rien. La vallée était encore
étouffée par le brouillard. Seuls émergeaient au premier
plan le clocher à bulbe de l'église du village et les toits
d'ardoise de quelques maisons bâties sur un replat qui
dominait Bergwald. Les sommets les plus élevés semblaient
constitués d'une succession de pans brillants et sombres,
dont la place et l'importance se modifiaient au fur et à
mesure que le soleil se dégageait des brumes. Garelli
laissait la voix de Jalard le traverser sans accrocher un seul

mot, il écartait même l'écouteur de son oreille comme pour
affirmer son indifférence. Il eût pu reposer l'appareil et
demeurer là, dans ce fauteuil, à composer touche après
touche un tableau qui serait une accumulation de mots et
de sensations. Il répéta un mot que lui suggérait le volume
de l'un des sommets, les facettes alternées de la montagne :
« Polyèdre, polyèdre aux couleurs mouvantes », murmura-
t-il.

Jalard s'interrompit, interrogea Garelli. Il n'avait pas
entendu.

— Je vous approuvais, dit simplement Garelli.

Il se redressa, appuya son dos droit au fauteuil.

— Vous allez empocher les enjeux, reprit Jalard.

— Je ne suis que votre prête-nom, votre instrument dans
cette affaire, rectifia Garelli.

— Instrument, instrument, dit Jalard, ce n'est pas vous
qui allez agir.

— Ni vous, dit Garelli.

Il avait répondu trop vite, agressif comme un joueur qui
dévoile trop tôt la qualité de son revers. Il recula donc,
ajouta qu'ils étaient dans cette affaire tous solidaires, qu'ils
assumaient ensemble les risques et les profits, que lui
Garelli était très reconnaissant à Jalard d'avoir l'audace
nécessaire, le sens des responsabilités pour commander
l'action.

— J'ai toujours accepté mes responsabilités, dit Jalard
sèchement. Nous sommes là pour ça.

Il parla longtemps du courage politique, de l'esprit de
décision, mais parce que peu à peu il mesurait les risques,
sa voix s'enflait, rageuse. Il s'en prenait à Bernard de
Carouge, sans le nommer. Il dénonçait l'obstination
rageuse de « ce zozo suisse », son refus de négocier qui les
contraignait à choisir — il hésitait sur l'emploi des mots —,
puis répétait : à choisir des voies parallèles, « comme si
Carouge n'avait pas pu comprendre qu'un Etat, un Etat,

pas une caricature de pouvoir », ne peut laisser échapper un secteur stratégique. Il doit le tenir dans sa main.

— Quel con, quel emmerdeur! conclut-il d'une voix sourde. Il va le regretter.

— Je rentre et j'attends, dit Garelli.

Il s'était exprimé d'un ton calme, délibérément paisible. Jalard devait savoir qu'au-delà de phrases de circonstances, Garelli ne serait qu'un spectateur passif, n'intervenant qu'après, comme un croupier.

— C'est cela, dit Jalard, attendez.

58

Le portier du Cercle des Jeux Français avait été formel
dans son témoignage. Il était 3 h 5 du matin, ce mardi de
septembre, quand Bernard de Carouge avait franchi les
portes de l'établissement et commencé à monter les sept
marches qui conduisent à l'avenue.

Le portier avait attendu avant de refermer que Carouge
ait atteint le trottoir. Une fois le battant repoussé, il avait
encore regardé par la lucarne grillagée. Carouge était
debout, paraissant hésiter, puis il s'était dirigé comme à
l'habitude vers le rond-point. Le portier était alors rentré
dans la pièce qui servait de vestiaire. Les trois derniers
clients, les partenaires de jeu de Bernard de Carouge au
cours de la soirée, y bavardaient. Il était 3 h 9.

Un chauffeur de taxi avait remarqué, peu avant le rond-
point, cet homme seul en smoking qui marchait lentement
sur le bord du trottoir. Il avait ralenti, s'était approché et
avait fait un appel de phares. L'homme dont le nœud
papillon était défait avait le col de sa chemise entrouvert. Il
était dépeigné, une mèche blonde assez longue tombant sur
le côté droit du visage. Il refusa d'un geste énergique le

taxi, renouvelant son refus comme s'il avait craint que le chauffeur ne s'arrête malgré tout.

En s'éloignant celui-ci avait vu dans le rétroviseur l'homme immobile, s'apprêtant sans doute à traverser. Jetant quelques secondes plus tard un nouveau coup d'œil, le chauffeur de taxi avait noté que l'homme avait disparu et qu'une voiture démarrait, faisant un demi-tour dans l'avenue déserte. Il s'agissait d'un véhicule noir, dont il ne pouvait préciser la marque bien que la luminosité des feux arrière lui fît penser à une voiture allemande, probablement une Mercedes.

A 13 heures précises, ce même mardi, les ravisseurs de Bernard de Carouge prirent contact avec Lucie Mortain-Carouge à son domicile de l'avenue Hoche.

Lucie Mortain ne s'était pas inquiétée de l'absence de son mari. Il disposait d'un appartement personnel, au dernier étage d'un immeuble situé boulevard du Montparnasse. Il s'y rendait en sortant de l'un des cercles de jeux qu'il fréquentait plusieurs fois par semaine. Qu'il y passât ce qui restait de la nuit seul ou avec une amie de rencontre ne préoccupait pas Lucie Mortain. La vie privée de Bernard ne la concernait pas. Elle était Mme Lucie Mortain-Carouge, possédait par héritage la majorité des actions de la Somemor et de la Somebra ainsi que, par contrat de mariage, une minorité de blocage dans l'ensemble du Groupe Carouge-Mortain. Elle avait de Bernard un fils, Jacques, avec qui elle déjeunait chaque jour à 13 heures. Parfois Bernard se joignait à eux. Ce mardi, il n'était pas présent et quand le téléphone sonna, Lucie crut qu'il annonçait sa venue avec quelques minutes de retard.

Les bureaux de la direction du Groupe étaient situés dans l'immeuble de l'avenue Hoche. On accédait à l'appartement par un escalier et un ascenseur privés. La salle à manger ouvrait sur une terrasse dont la forme triangulaire évoquait celle d'une proue. Elle était dallée de marbre blanc et de son extrémité on dominait l'Arc de Triomphe et la place de l'Etoile. « Une vue impériale », avait coutume de dire avec emphase Bernard de Carouge à ses invités. Il ajoutait si aucun de ses proches ne le devançait : « Le Groupe Carouge-Mortain n'est-il pas un empire ? »

Décrochant le téléphone, écoutant la voix qui l'interrogeait : « Vous êtes Mme Lucie Mortain-Carouge ? C'est important, je ne veux parler qu'à Mme Bernard de Carouge », Lucie Mortain éprouva le sentiment désagréable — un battement plus vif de son cœur — d'être contrainte à subir. Seuls les membres de la famille et quelques rares amis et collaborateurs de Bernard possédaient le numéro privé de l'appartement et cet interlocuteur insistant et autoritaire lui était inconnu. Elle pinça les lèvres, au bord de la colère. Elle n'avait appris ni l'obéissance, ni la soumission. On lui parlait sur un autre ton. Elle s'apprêta à reposer l'appareil, mais comme s'il avait pressenti ce mouvement brusque, l'homme haussa un instant la voix, criant presque, l'invitant à ne pas raccrocher, renouvelant la question : « Mme Lucie Mortain, c'est bien vous ? » Elle répondit d'une affirmation impatiente.

— Parfait, dit-il, écoutez-moi sans m'interrompre, s'il vous plaît.

La voix était claire, dénuée d'accent. Celle d'un homme jeune qui parlait vite mais sans hâte, presque joyeusement, annonçant qu'il était le porte-parole d'un groupe qui avait enlevé Bernard de Carouge et le détenait depuis l'aube de ce mardi.

— Vous m'entendez, vous comprenez ?

Lucie Mortain avait exigé d'un geste de tête que le domestique fermât les portes de la salle à manger.

— Je vous écoute, dit-elle en s'efforçant à l'indifférence.

Elle ne pensait rien encore. Elle avait participé à trop de conseils d'administration, animé trop de soirées, entendu trop de propos de table ou de salon pour ne pas avoir acquis cette maîtrise apparente, ce calme qui permet d'enregistrer les mots comme si l'on était devenu une machine insensible, l'émotion et la réflexion renvoyées à plus tard, quand on laisse se dérouler la mémoire et les phrases qui s'y sont gravées.

Tout au long de cette conversation qui fut longue — une dizaine de minutes, devait estimer Lucie Mortain au cours de sa déposition —, l'homme conserva la même assurance, ne manifestant aucune émotion. Il paraissait parfaitement informé des rouages du Groupe Carouge-Mortain, des liens du Groupe et de la Société Genevoise de Finance. Il indiquait que Thierry de Carouge, à Genève, négocierait. « Il acceptera, répondit l'homme quand Lucie Mortain émit un doute. Il s'agit de son fils. Et vous serez en relation avec lui. » La rançon, disait-il, était considérable. Le chiffre en serait communiqué à Thierry de Carouge. Naturellement, la voix devint gouailleuse : « Si vous ne payez pas, on le tue. Peut-être est-ce que ça vous arrange ? Mais on tuera aussi le fils, plus tard, vous voyez — le ton devenait bienveillant —, il faut négocier, madame. C'est la solution. Il s'agit d'une affaire. C'est tout. » Il n'interdisait pas à Lucie Mortain d'avertir la police : « C'est votre devoir. Cela ne servira à rien, mais faites-le. » Il y eut un silence, puis il dit sèchement : « Je rappellerai », et raccrocha.

Dans la soirée, quand les policiers organisèrent une écoute téléphonique dans l'appartement de l'avenue Hoche, le commissaire principal Gérard s'étonna de ne pas avoir été prévenu plus tôt. « Chaque minute compte dans un enlèvement, répétait Gérard. Vous avez eu tort d'attendre. »

Lucie Mortain fut insensible à ces reproches. Comment

leur expliquer ? Son fils Jacques était entré au moment où l'homme venait de raccrocher. Fallait-il qu'elle prive Jacques de ce déjeuner en tête à tête au bout de la longue table, devant la terrasse, leur seul moment d'intimité de la journée ? Elle ne le voulut pas, le prenant par l'épaule. « Tout va bien, chéri ? » lui demanda-t-elle. Elle le coiffait de sa main droite ouverte, prolongeant le mouvement jusqu'à la nuque, recommençant en lui tenant le front.

Elle s'efforçait de dissimuler son inquiétude, penchée sur son fils, écoutant ses récits, incapable pourtant de ne pas penser, tentant de se rassurer. Les ravisseurs devaient être des professionnels qui respectaient les clauses d'un accord. Il suffisait donc d'attendre, de négocier avec eux. L'affaire se dénouerait par une transaction. Mais à chaque bruit, le tintement d'un couvert, le pas du domestique, elle sursautait, saisissant le poignet de Jacques, se détendait et, brusquement, elle se levait et serrait son fils contre elle, disant qu'elle lui offrait un séjour aux Etats-Unis, chez son amie Merely, dans l'Oregon, c'était une surprise. Elle parlait avec exaltation, téléphonait, gardant Jacques près d'elle, lui chuchotant : « Nous organisons ça tout de suite, tu partiras ce soir. » Donner des ordres, préparer une valise, convoquer le secrétaire et le chauffeur, bousculer les habitudes la calmait. Il fallait que Jacques parte, dès ce soir, qu'il leur échappe puisqu'il était menacé lui aussi. Elle l'entourait de ses bras, elle suscitait son enthousiasme. « Maman, maman », répétait-il. Mais oui, disait-elle, elle le rejoindrait dans quelques jours.

Ce n'est qu'après l'envol de Jacques qu'elle put, enfin, méthodiquement penser à l'enlèvement.

Thierry de Carouge qu'elle appela avait déjà été averti par les ravisseurs. Il s'indignait. Il avait essayé de joindre Lucie depuis plus de trois heures, n'osant pas prendre seul la décision de prévenir la police. Elle répondait avec vivacité qu'elle avait jugé bon de mettre Jacques à l'abri, d'abord.

— Vous voulez leur donner une autre carte ? lançait-elle.

Elle le sentait incertain, affolé même.

— Cette somme, commençait-il, comment...

— Tout se négocie, vous le savez mieux que moi, vous êtes banquier, pas moi.

Elle était sûre qu'elle pouvait l'être. Les idées lui venaient comme une succession ordonnée et rapide de mots et d'images. Elle avait un sentiment de supériorité, une assurance qui l'étonnaient. Elle était la plus forte. Elle décidait.

— Ne mélangez pas tout, disait avec irritation Thierry de Carouge, nous n'avons pas en face de nous des banquiers, mais des gangsters.

— Qu'en savez-vous ? répondit-elle.

Elle avait prononcé ces mots avant même de les penser. Ils avaient surgi par défi mais elle s'en saisissait, les répétait plus bas : « Qu'en savez-vous ? », comme si elle voulait les entendre, mesurer les conséquences de son intuition, libérer toutes les hypothèses.

Thierry de Carouge se tut, puis il demanda d'une voix calmée :

— Mais avez-vous des informations à ce sujet ?

Elle ne disposait d'aucun renseignement, mais les ravisseurs n'ignoraient rien du Groupe, des habitudes de Bernard. Ils paraissaient sûrs de leur impunité. Ils avaient peut-être reçu des assurances.

Thierry de Carouge s'exclamait, maudissait l'obstination de son fils. Le Groupe Carouge-Mortain provoquait des convoitises. L'entêtement de Bernard lors des conversations avec la Sibani n'avait pas été raisonnable. Il l'en avait averti. Derrière la Sibani s'avançait l'Etat. Simon Garelli ne l'avait jamais caché. « Quand un Etat veut... », concluait Thierry de Carouge. Il s'étonnait pourtant que la rançon, dans ces conditions, fût élevée tout en ne mettant pas en danger l'équilibre du Groupe. Si l'on désirait faire céder Bernard il aurait fallu formuler d'autres exigences.

— L'argent, dit Lucie Mortain, n'est jamais qu'un enjeu apparent.

Elle parlait avec détermination, sûre d'avoir raison. Les ravisseurs n'étaient que des exécutants. La rançon, leurs honoraires. Derrière eux, les vrais inspirateurs, dont ils ignoraient le mobile et les identités. Tant d'affaires semblables, que celle-ci en devenait limpide, comme la répétition d'une pièce déjà connue.

— Ne perdez pas de temps, ne discutez pas, payez dès qu'ils l'exigeront, dit-elle brusquement à Thierry de Carouge. Il faut sortir Bernard de là.

Car si l'argent n'était qu'un prétexte, Bernard souffrirait beaucoup plus qu'elle ne l'avait pensé. C'était lui qu'on voulait atteindre et non ses biens.

Un instant elle l'imagina, mais les scènes étaient si violentes qu'elle les refoula. Il ne servait à rien de s'apitoyer. Il fallait l'aider. Il ignorait tout de la souffrance. Aux douleurs qu'on lui infligerait s'ajouteraient le désarroi et le désespoir.

Alors elle téléphona à la police.

59

Ils avaient dit à Bernard de Carouge en lui enfonçant une éponge dans la bouche :

— N'espère rien. Tu paies ou tu crèves. Prie pour qu'ils comprennent ça, ta femme et ton père, et tous ceux qui vont être emmerdés de payer.

Ils savaient ce qu'il pensait puisqu'ils avaient ajouté, toujours la même voix hargneuse mais sans éclat, quelqu'un qui haïssait calmement, et Bernard, bien qu'il eût les yeux collés par un ruban adhésif, voyait ce visage, maigre, brun, peut-être des moustaches, les tempes rasées, les yeux enfoncés. Bernard imaginait l'expression de cet homme, le seul qui avait parlé et qui reprenait :

— Tu te dis, un mec comme moi, président, et tout le reste, on laissera pas faire. Comprends-moi, conard. Rien, personne ne peut rien, ils vont payer ou tu vas crever.

Bernard avait commencé à vouloir vomir. Ça le prenait au-dessus de l'estomac, ça montait, envahissait la gorge, un flux instinctif des muscles, la gorge qui essayait de rejeter l'éponge enfoncée si profond qu'elle raclait le palais, le gosier, provoquant ces réflexes. L'un des hommes, sûrement un autre, avait quelques secondes retiré l'éponge, mais des bribes, des filaments de caoutchouc étaient restés accrochés dans sa bouche et il avait vomi à nouveau de manière plus saccadée encore, se mettant à pleurer.

— Tu nous emmerdes.

Ils avaient enfoncé l'éponge, mais moins profondément, et Bernard s'était recroquevillé. Elle sentait l'eau savonneuse, l'urine. Elle était un sexe sale et poisseux qu'on l'obligeait à embrasser, et des poils se mêlaient à sa salive, glissaient vers sa gorge et il vomissait encore.

Il devait avoir perdu conscience.

Il était couché sur un sol froid, de la joue il reconnaissait des planches. Ses mains n'étaient plus attachées dans son dos comme durant le trajet en voiture, mais enchaînées à ses chevilles. Il pouvait cependant les bouger un peu, les lever jusqu'à hauteur de sa poitrine, sans pouvoir atteindre sa bouche.

Il était devenu un chien. Il avait envie d'aboyer et de lécher. Il sentait qu'il avait sous le ruban adhésif le même regard que les chiens. Il bavait. Il pissait et l'urine coulait contre sa jambe. Il était plus sale qu'un chien.

Avant, dans une autre vie qu'il essayait parfois de reconstituer, il avait joué au poker, sa veste accrochée au dossier de sa chaise, les manches de sa chemise blanche retroussées, le nœud papillon défait, le col entrouvert, et il avait rejeté d'un mouvement rapide de la main droite la mèche blonde qui couvrait sa joue.

Ces cheveux étaient des poils sales.

Il était un chien malade et vieux qui allait crever.

Il avançait à quatre pattes. Il avait peur, la tête levée, craignait d'être surpris. Ils entraient. On le soulevait. On retirait l'éponge de sa bouche. On le forçait à boire du lait. Il aimait d'abord cette fraîcheur un peu sirupeuse qui glissait dans sa bouche, débordait de ses lèvres jusque dans son cou, sur sa poitrine, puis il s'étouffait, cependant qu'on continuait à verser, à lui remplir la gorge. Il essayait de cracher. On écartait le verre, on lui donnait un coup de poing à peine appuyé sur les lèvres.

— Bois, conard.

Cela recommençait.

On le changea de pièce. On l'assit sur une chaise. On l'y attacha. On commença à le battre, sans raison, sans un mot. Il entendait l'homme qui approchait et il recevait un coup de barre de fer sur la cuisse, la douleur d'abord n'était pas vive, puis elle devenait aiguë, comme une aiguille qu'on enfonce peu à peu. Il ne pouvait pas hurler, la bouche pleine de cette éponge pulpeuse qui le faisait vomir.

Parfois un autre homme, sûrement, le giflait.

Un jour, peut-être au milieu de sa détention, quelqu'un qui n'avait pas encore parlé évoqua les mutilations que d'autres ravisseurs avaient infligées au fils Getty et au baron Empain, une oreille, une phalange, répétait-il — il se trouvait derrière lui. « Et lui, qu'est-ce qu'on lui coupe, une couille ou les deux ? »

Bernard ne pouvait compter les rires. Ils riaient longtemps et la voix reprenait.

— Il a dû en baiser, on lui demande combien il en a baisé, ce con ?

Ils s'approchaient. Ils lui mettaient la main sur l'épaule, ils le giflaient, le bousculaient. Il était un chien.

— Tu crois que tu sauras encore baiser ?

Il ne pourrait plus rien. Il avait un trou à la place du sexe. Ils ne l'avaient pas châtré et pourtant il savait que désormais il douterait toujours de sa virilité.

60

On humiliait Bernard. On le torturait. Lucie en était sûre. Elle se levait, rejetant avec violence les draps et les couvertures. Il fallait intervenir. Elle ne supportait plus cette inaction, cette attente. Elle avait d'abord accepté les longues périodes de silence des ravisseurs comme une preuve de leur calme. Ils semblaient respecter des plans minutieux. Elle avait conseillé à Thierry de Carouge de ne pas les presser. La sauvegarde de Bernard était peut-être à ce prix. Trois semaines déjà. Les coupures de journaux qui s'entassaient dans le bureau, qu'elle refusait d'abord de lire, mais, la nuit, elle commençait à les feuilleter, puis elle s'asseyait et systématiquement elle regardait chaque titre, chaque photo : Bernard avec elle à Megève ; Bernard sortant d'un club à New York, une jeune femme grande, en robe de soie noire, collée à lui ; Bernard et son fils.

Elle téléphonait à Merely sans se soucier du décalage horaire. Elle parlait longuement et voulait connaître chaque détail, elle riait quand Jacques lui racontait son premier rodéo, un poney jaune, qu'il avait réussi à maîtriser, et on lui avait offert une tenue de cow-boy. Elle raccrochait à regret, s'allongeait, somnolait une heure, à peine plus. Elle voyait Bernard. Pas un article qui ne rappelât d'autres enlèvements, les conditions de détention, les brimades infligées. Elle découvrait qu'elle était liée à

Bernard plus qu'elle ne l'avait cru. Un mariage qui célébrait l'intégration de deux groupes industriels, des relations superficielles, chambre à part, vies séparées, un fils pourtant, parce qu'il faut bien sceller l'association et assurer la descendance, on croit s'en tenir là, on croit qu'il ne s'agit que d'ajouter un trait d'union et un nom, et devenir Mme Lucie Mortain-Carouge. On se trompe. Jacques ressemble à Bernard. Les mêmes cheveux blonds, la même peau laiteuse, la même odeur salée. On veut continuer de se tenir à distance et pourtant la trame s'est resserrée. On espère que Bernard viendra déjeuner. On hausse les épaules imperceptiblement s'il est absent, mais on embrasse Jacques avec plus de fougue. Et maintenant qu'elle est sûre qu'on le blesse, Lucie Mortain se bat. Procès intentés contre les journaux pour atteinte à la vie privée, démarche personnelle auprès du président de la République pour qu'il mette tout en œuvre afin d'obtenir la libération de Bernard. Le Président téléphonait, assurait Mme Bernard de Carouge de l'attention avec laquelle il suivait cette affaire et des directives que lui-même et M. le ministre de l'Intérieur avaient données aux services de police. Lucie appelait Thierry de Carouge plusieurs fois par jour, l'incitait à multiplier les déclarations conciliantes, les propositions de négociations avec les ravisseurs. Puis elle descendait dans le bureau de Bernard où les policiers avaient établi une permanence.

Elle ne s'y attardait pas, ne laissant même pas à l'inspecteur le temps de plier son journal, de la saluer. Déjà elle claquait la porte, méprisante, retrouvant les mots de Bernard pour condamner les fonctionnaires, cet Etat médiocre qui avait la prétention d'imposer ses lois alors qu'il était incapable d'assurer la sécurité des personnes et des biens. Elle se promettait, dès qu'elle aurait obtenu la libération de Bernard, de le convaincre de quitter la France, l'Europe mourante et lâche, et de s'installer dans un pays neuf, les Etats-Unis, ou mieux encore, le Brésil. La Somemor y avait créé une filiale très active, la Somebra.

Elle remontait chez elle. Elle étouffait dans la chambre, prenait une douche, réveillait le domestique, exigeant qu'on lui préparât immédiatement — elle détachait chaque lettre — un thé et des toasts, puis elle s'installait sur la terrasse, à l'extrémité, et malgré le froid, les mains sur la théière, buvant le thé brûlant, elle pouvait demeurer là jusqu'à l'aube. Elle aimait ces teintes gris-rouge qui s'effilochaient au-dessus de Paris, le clignotement des feux multicolores qui semblait donner le rythme au recommencement de la vie. Elle s'engourdissait, recroquevillée, presque paisible, rassurée par cette rumeur croissante qui montait de la place et des avenues.

Tout à coup, elle se raidissait, devinant une présence derrière elle. Depuis l'enlèvement de Bernard elle était aux aguets, comme si ses sens s'étaient affinés, son esprit échappait aussi à la torpeur tranquille où il s'était enseveli dès l'adolescence, de réception guindée en double au tennis, de séjour en Angleterre en leçon d'équitation.

Martine Delay, l'assistante de Bernard, attendait debout au centre de la terrasse, les bras raides le long du corps.

— Vous étiez là, disait Lucie Mortain en se levant.

Elle dévisageait la jeune femme, la contraignait à baisser les yeux, passait devant elle, la frôlant de l'épaule, l'obligeant à reculer d'un pas. Elle se vengeait. Elle était peut-être injuste. Comment Martine aurait-elle pu éviter de succomber à Bernard, au président du Groupe Carouge-Mortain, au patron ? Mais précisément, puisqu'elle avait cédé, et de cela Lucie Mortain était sûre, Martine n'était rien d'autre qu'un objet d'usage courant, l'expression — qu'elle avait employée et qui avait fait éclater Bernard d'un rire complice, presque un aveu — revenait à Lucie chaque fois qu'elle voyait Martine.

Lucie se retournait, faisait face à Martine.

— Vous êtes toute chiffonnée, disait-elle.

Elle pesait de son regard sur le visage de Martine, s'arrêtant aux cernes sous les yeux, aux petites rides au coin de la bouche.

— Si vous voulez être utile, reprenez-vous.

Lucie haussait les épaules.

— Je n'ai pas besoin ici d'un masque tragique, n'est-ce pas ? continuait-elle. Le mien suffit.

Elle traversait la salle à manger rapidement, sachant que Martine la suivait à quelques pas, elle l'interrogeait, n'attendait pas les réponses, donnait quelques ordres : voir le commissaire Gérard, dépouiller les journaux du matin, téléphoner à Thierry de Carouge. Elle dévisageait à nouveau Martine.

— Nous sommes d'accord, vous ne répondez pas aux journalistes, ou plutôt vous ne répondez plus, car il est inutile d'alimenter comme vous l'avez fait, avec plus ou moins de complaisance, les ragots de ces messieurs.

Lucie s'irritait de l'immobilité de Martine, de cette attitude à la fois soumise et passive. Voilà ce qui avait dû plaire à Bernard, dupe des femmes, comme Lucie en avait l'intuition, Bernard qui croyait posséder ce qui ne résistait pas.

— Quelque chose ? interrogea Lucie.

Elle cherchait à provoquer Martine, observait le mouvement de ses paupières, le tressaillement des muscles des joues, le tremblement presque imperceptible du menton.

Lucie resta ainsi, silencieuse, face à la jeune femme, rendant leur tête-à-tête peu à peu insupportable. Au moment où elle allait se détourner, Martine leva les yeux. L'iris bleu était entouré d'un cercle gris. Aucune émotion, aucune inquiétude dans ces couleurs de métal, mais un éclat vif, comme un défi. Le visage s'était figé, le teint devenait plus pâle.

— Alors, dit Lucie, s'étonnant elle-même de cette voix rauque, de la difficulté qu'elle avait eue à prononcer ce petit mot, comme si sa gorge était durcie et que peu à peu

cette ankylose gagnait sa poitrine, serrant le haut des pou-
mons, à la hauteur des omoplates.

Elle pensa : le froid, cette nuit, sur la terrasse. Elle
s'efforça de répéter : « Alors ? » ne sachant même pas si
elle était parvenue à faire entendre une nouvelle fois la
question.

— Vous devriez rencontrer Simon Garelli, dit Martine.

Elle s'exprimait lentement, ajoutant, sans que Lucie pût
déceler la moindre allusion équivoque, qu'elle connaissait
bien — elle insistait sur ce mot — le président de la Société
Internationale de Banque et d'Industrie, qu'il était un
homme puissant et sûrement de bon conseil dans cette
affaire. Elle détachait ce mot, pour marquer qu'elle le
chargeait de sens, puis elle s'interrompait, serrait les lèvres,
de fines commissures aux extrémités de sa bouche lui
donnaient une expression tout à coup menaçante. Mais,
reprenait-elle, elle ne jouait pas les intermédiaires, elle
n'était chargée d'aucune mission, et — elle avançait son
visage comme si elle s'apprêtait à toucher celui de Lucie
Mortain — elle ne désirait pas que Garelli sût qu'elle avait
suggéré cette rencontre, elle ne le voulait à aucun prix.

— Ils sont puissants, dit-elle, continuant de fixer Lucie.
Plus que vous.

Sans un mot, Lucie lui tourna le dos.

61

Quand Simon Garelli était entré dans le salon de réception, Lucie Mortain-Carouge était debout, à droite de la porte, regardant la tapisserie composée de longues zébrures jaunes et noires qui décorait l'un des murs. Elle ne se retourna pas, et il put ainsi, longuement, la voir de profil. Elle avait le front haut et bombé, un nez petit et légèrement retroussé, des lèvres fortes, un menton droit et un cou haut. Le chignon allongeait encore le visage, mais quand elle fit face à Garelli, l'impression de fragilité qu'il avait ressentie d'abord, peut-être à cause de ce cou, s'effaça. Le visage était large, les pommettes marquées, la mâchoire forte. Lucie avait un port fier, les épaules dégageant le cou, un regard qui ne se dérobait pas, un sourire un peu narquois quand Garelli s'excusa de l'avoir fait attendre, s'empressant de la conduire à son bureau, demandant les dernières nouvelles de cette « scandaleuse et ignominieuse péripétie » — elle le dévisageait avec étonnement, comme si sa façon de qualifier l'enlèvement de Bernard la surprenait. Il hésitait un instant, puis haussant un peu le ton, s'effaçant pour la laisser entrer dans son bureau, Garelli ajoutait : « Car ce n'est qu'une péripétie. Je suis sûr que tout se terminera bien pour Bernard de Carouge. »

Il fermait la porte, lui désignait un fauteuil et quand elle était assise, lui-même s'installant contre la bibliothèque, il reprenait : « J'ai beaucoup d'estime pour votre mari, madame, l'un des plus remarquables industriels d'Europe, un entrepreneur au sens noble de ce mot, et — Garelli se courbait cérémonieusement — l'importance de votre groupe, dont vous êtes un élément essentiel, madame, je ne l'ignore pas, qui peut oublier la place de la Somemor et de la Somebra, leurs perspectives... »

Lucie se taisait, son sac posé sur le genou, les jambes croisées, la main droite à plat sur le sac, la gauche sur l'accoudoir du fauteuil. Elle savait que Garelli l'observait, tournait autour d'elle avec ces compliments, ce bavardage. Elle l'avait plusieurs fois rencontré au cours de dîners ou de réceptions, mais elle n'avait échangé avec lui que quelques mots. L'homme lui paraissait vulgaire, médiocre même, un air de professeur déguisé en banquier de comédie. Et pourtant elle le savait redoutable, hargneux en affaires, obstiné, décidé à gagner. A la colère et au mépris qu'il suscitait chez Bernard, chez Jeumont ou de Sarte, à la considération méprisante que lui manifestait Thierry de Carouge, elle l'imaginait dangereux. « Plus puissant que vous », avait dit Martine. Elle n'acceptait pas cette prééminence. Elle affrontait Garelli. D'un coup d'œil il jugeait cette robe blanche qu'elle avait choisie parce qu'elle était à la fois stricte et provocante. Boutonnée sur le côté, serrée par une large ceinture de cuir fauve, elle était fendue en son milieu, robe faussement austère qui devait plaire à un homme gras. Entre chaque phrase il effleurait ses lèvres du bout de la langue.

— Je suis tout entier à votre disposition, disait-il, moi, notre société, mes collaborateurs, dans des circonstances pareilles, c'est la solidarité...

Sous la bonhomie et la générosité, Lucie discernait la ruse, le calcul et l'attente. Et Simon Garelli pensait que cette femme hautaine, assurée, valait mieux que Bernard de Carouge. Il allait traiter avec elle. Elle avait dû comprendre seule les mobiles de l'enlèvement, car ni Jalard, ni Calzi n'étaient hommes à trahir des secrets, à moins que Martine, Martine peut-être, intuitive elle aussi, ne lui eût confié ce qu'elle avait pressenti. Il se tut. C'était à Lucie Mortain-Carouge d'avancer. Elle le fit avec finesse et intelligence, suivant une spirale qui peu à peu conduisait vers le centre, cet accord qu'elle se déclarait prête à signer, puisqu'elle était majoritaire à la Somemor et à la Somebra et dont elle était persuadée que son mari confirmerait les termes. D'ailleurs Thierry de Carouge — « Vous négociez depuis longtemps avec mon beau-père, n'est-ce pas ? » — garantirait la convention et, dit-elle, la tête un peu penchée, « dois-je vous rappeler que la Société Genevoise de Finance est une banque honorable ? »

Elle faisait glisser sa jambe gauche sur la droite, tenant le bord de sa jupe du bout des doigts, discrète et équivoque cependant.

— Telle est ma suggestion, disait-elle.

Garelli écartait les bras, marquait son étonnement d'une mimique, sa gêne, disait-il, à répondre, l'impossibilité où il était, compte tenu des circonstances, de conclure un accord, son désir pourtant d'aider Bernard de Carouge. Lucie l'interrompait, une moue condescendante donnant à son visage une expression ironique, les lèvres boudeuses. Comment Garelli pouvait-il refuser, s'étonnait-elle, alors qu'il négociait depuis des mois déjà avec Thierry de Carouge ? Elle acceptait toutes ses propositions.

— N'est-ce pas simple ? concluait-elle.

Garelli se levait, convoquait son collaborateur personnel comme à regret, marquant d'une hésitation qu'il ne cédait qu'aux sollicitations pressantes de Lucie Mortain. Il présentait cet homme mince, à la tête ronde, aux cheveux grisonnants, « Julien Vanco », qui avait suivi le dossier. Lucie, en présence de Vanco, changeait d'attitude, haussait les épaules, affirmant avec impatience et presque violence qu'elle se moquait des détails puisqu'elle était décidée à

tout. Elle était même prête, disait-elle, à quitter l'Europe
avec son fils et son mari. Garelli s'appuyait à la bibliothèque, penchait la tête, à quoi bon de telles décisions
prématurées, murmurait-il. Mais elle ne voulait pas pourrir
sur ce continent de la décadence. Après une telle épreuve,
Bernard de Carouge resterait vulnérable. Il serait affaibli,
peut-être davantage. « Vous le seriez aussi », disait-elle en
se levant à son tour. « L'air de l'Europe ne me convient
plus », répétait-elle. Elle tendait à Garelli une fiche, le
nom de ses conseils. Elle avait averti Thierry de Carouge,
bien entendu. L'accord serait confirmé par Bernard, dans
les jours qui suivraient sa libération par les ravisseurs.

— Naturellement, ajoutait-elle, nous payerons la
rançon.

Comme par défi, elle se rapprochait de Garelli mais ne le
regardait pas, s'adressant à Vanco.

— Nous payerons aussi la rançon, disait-elle encore.
Mais cela ne vous concerne pas directement, j'imagine.

D'un geste affecté, presque ridicule ou souverain, elle
tendait sa main, le bras haut, à Garelli, et parlant d'une
voix posée elle expliquait, comme si elle s'adressait à deux
domestiques qu'elle engageait et auxquels elle faisait faire
le tour du château, que les Mortain et les Carouge
appartenaient à des dynasties qui avaient construit l'Europe économique. « La métallurgie, la banque, l'industrie
chimique, le textile, aujourd'hui le nucléaire, ce sont nos
familles, vous le savez, n'est-ce pas ? » Et elle allait choisir
l'exil. Elle ne supportait pas l'égalité qui s'installait ici,
cette illusion trompeuse, ce métissage. Elle regardait
alternativement Garelli et Vanco, s'attardant sur Vanco,
comme si elle voulait marquer que l'opinion de Garelli lui
importait peu et qu'elle ne tenait à s'expliquer que pour
Vanco. Mais elle les provoquait l'un et l'autre, reprenant,
affirmant que le métissage atteignait toutes les couches de
la société, les parvenus s'introduisaient partout.

— Je ne partage pas tous les sentiments de mon beau-
père, il est excessif, il est vieux, cabré, mais...

Elle croyait comme lui aux hiérarchies. Elle ne voulait
pas que son fils grandît dans un pays dont les élites étaient
menacées par les bandits ou les lois.

Elle parlait comme si elle énonçait des évidences qui ne
la concernaient pas.

— Ma position est limpide, n'est-ce pas ? interrogeait-
elle, les yeux maintenant fixés sur Garelli.

Il hochait la tête, mais on ne pouvait deviner s'il
approuvait ces propos ou si simplement il les comprenait.

Elle s'attarda quelques secondes, la bouche entrouverte
pour un sourire, puis elle traversa le bureau sans que ni
Garelli ni Vanco ne songent à la raccompagner.

62

Bernard de Carouge
s'explique

Un homme encore affaibli et dont le regard parfois est celui de quelqu'un aux aguets. Un homme qui reprend pied et recommence sa vie : tel est aujourd'hui Bernard de Carouge, président du Groupe Carouge-Mortain.

Il nous a reçu à Bergwald, dans une maison de repos luxueuse située au cœur des Alpes suisses. Un paysage de sommets, de lacs et de forêts crée un climat de calme austère et apaisant. Bernard de Carouge séjourne dans cette résidence depuis sa délivrance, il y a près de trois mois.

Un enlèvement mystérieux
Des questions
sans réponses

On se souvient des circonstances de l'enlèvement du célèbre industriel. Plus mystérieuses sont les conditions de sa libération. On n'a jamais pu connaître exactement le montant de la rançon, payée sans doute par l'intermédiaire de la Société Genevoise de Finance, dont le père de Bernard de Carouge, Thierry de Carouge, est le président.

Le rôle de la police est lui-même obscur.

Deux des ravisseurs ont été abattus dans un guet-apens tendu quelques heures après la mise en liberté, dans le quartier de la Contrescarpe à Paris, de Bernard de Carouge.

Leurs complices — deux ou trois hommes — n'ont jamais été retrouvés. Ont-ils même été recherchés ? La question a été posée. D'autant plus que l'enlèvement par ses conséquences économiques et financières pouvait, selon certains commentaires, avoir un arrière-plan politique.

Tous les ravisseurs agissaient-ils seulement pour leur compte ? N'a-t-on abattu que les truands mêlés naïvement à cette affaire ? Les exécutants d'une autre origine gardant leur anonymat et leurs protections ? La rançon ne présente-t-elle que les honoraires d'un contrat autrement important où les brevets, les marchés, les secrets industriels sont l'essentiel ?

Une rançon considérable

Nous avons posé ces questions à Bernard de Carouge, qui nous a paru décidé à dire toute la vérité. Sa femme, Lucie Mortain-Carouge, héritière de la famille Mortain est actionnaire majoritaire de la Somemor et de la Somebra, qui assistait à l'entretien, est intervenue à maintes reprises. Le couple, que l'épreuve a rapproché, fait face avec beaucoup de détermination à l'avenir.

— Un mauvais roman d'espionnage, commente Bernard de Carouge quand nous expo-

sons les hypothèses qu'a fait naître sa libération.
Ne trouvez-vous pas que la réalité est suffisamment extraordinaire ?

« Nous rêvons quelquefois
de nous venger »

Le président du Groupe admet qu'il a souffert
physiquement et surtout moralement. La brutalité des ravisseurs, leur sadisme étaient
« effrayants ». « J'ai cru plusieurs fois qu'ils
allaient me mutiler », dit-il. Il imaginait être un
homme résistant, aux nerfs trempés par les
affaires et par des sports violents qu'il pratique
depuis l'adolescence, mais, dit-il : « La torture
est autre chose, et j'ai été soumis à une forme de
torture. »
« Nous rêvons quelquefois de nous venger. »
A deux reprises, Bernard de Carouge a prononcé cette phrase, sans colère mais avec
conviction. Sa femme approuvait.

« Nous sommes
des pionniers »

Il commente sans réticences l'accord passé
avec Simon Garelli, le président de la Société
Internationale de Banque et d'Industrie.
— Nous négociions depuis des mois et nous
étions prêts d'aboutir quand j'ai été enlevé.
Mme Lucie Mortain intervient avec force.
Cette femme élégante et belle, qui a montré tant
de courage quand la vie de son mari était
menacée, est aujourd'hui résolue à l'aider.
— Je suis fille d'industriel, dit-elle. La Somemor et la Somebra sont ma propriété. J'incitais
depuis longtemps mon mari à se séparer des

activités nucléaires — trop lourdes — et à faire porter l'activité du Groupe sur ce véritable continent qu'est le Brésil. Après cette péripétie je souhaite de nouveaux espaces, un pays à bâtir que nous pourrons aider de notre expérience. Nous avons un fils, nous voulons qu'il soit tourné vers le futur.

L'adieu
du joueur de poker

— Mais nous n'abandonnons pas l'Europe pour autant.

Bernard de Carouge décrit avec beaucoup d'émotion ces paysages de Bergwald qui sont ceux de son enfance et son attachement pour la France — il est citoyen français. Mme Lucie Mortain précise qu'il n'est pas question pour eux de se déraciner.

— Le groupe dont je continue d'assurer la présidence est européen mais c'est aussi une multinationale, répète Bernard de Carouge. Ni lui, ni Lucie Mortain n'hésitent à employer ce terme. Ils le font avec orgueil.

— Ma famille a inventé au Moyen-Age les multinationales, dit Bernard de Carouge, je reste fidèle à mes traditions. Les multinationales ouvrent la voie au développement. Elles unifient le monde par le haut, voilà ce qu'il faut oser dire.

Le joueur de poker, le noctambule, le viveur, le play-boy, l'homme qui a défrayé si souvent la chronique mondaine semble décidé à oublier son passé.

— Cette épreuve, dit-il, a été l'occasion d'un bilan. C'est un homme différent qui quitte l'Europe pour le Brésil.

63

Récit de Clara Becker
(notes pour un article)

Bernard de Carouge et Lucie Mortain-Carouge sont arrivés au Brésil, il y a une dizaine d'années, dans les mois qui ont suivi l'enlèvement de Bernard.

J'ai reconstitué avec la minutie et l'obstination qui ont fait ma réputation de journaliste leur arrivée et leur séjour. Mes confrères brésiliens, pour qui le nom de Clara Becker est toujours associé à celui de Klaus Stucki, m'ont aidé. « Pour vous Clara, disaient-ils, bien sûr... »

J'ai ainsi appris que le directeur général de la Somebra — la filiale brésilienne de la Société de Mécanique Mortain —, Molinas Helder, était un Brésilien d'origine allemande. C'est lui qui avait organisé l'installation à Rio de Janeiro d'abord, puis à São Paulo, de Bernard et de Lucie.

J'ai rencontré Molinas Helder.

L'homme est de très haute stature et de teint cuivré. Son élégance est celle d'un Européen excentrique, chemise et pochette de soie rose, costume bleu roi d'une couleur trop soutenue. Ce vieux séducteur n'a pas résisté au désir de connaître une nouvelle femme, journaliste et européenne de surcroît.

Il répétait mon nom tout en m'observant, feignant de rechercher dans sa mémoire un souvenir. Lorsque j'ai précisé que mon père était viennois, il s'est exclamé : « Becker, oui c'est cela », comme si enfin il m'avait identifiée. Il avait dû décider qu'il pouvait m'accorder quelques minutes afin de tenter sa chance.

Il ne me déplaît pas de berner ces importants personnages qui imaginent qu'il suffit de montrer à une femme leur bureau, de sonner une secrétaire, de tirer le rideau afin de faire admirer le centre de Rio depuis le trente-septième étage du building de la Somebra pour séduire. M. Helder était d'autant plus facile à tromper qu'il ignorait le genre de journalisme que je pratique. Il crut donc sur ma mine que je m'intéressais à la vie mondaine des personnalités brésiliennes, à leurs distractions, à l'ameublement de leurs demeures et à la beauté de leurs femmes. Il m'expliqua comment Bernard de Carouge et Lucie Mortain-Carouge avaient été accueillis.

— Madame Becker, disait-il, nous sommes une société ouverte.

Bernard était devenu l'un des présidents du Club de polo que Helder présentait comme le plus huppé de toute l'Amérique latine. Et j'y étais invitée, il va de soi.

Je rassemblai au cours de cette conversation futile quelques autres renseignements, puis je posai brutalement deux questions sur les liens qu'avait entretenus Bernard de Carouge — « et sans doute vous-même, monsieur Helder » — avec la Consultores Industrias Associados et l'organisation Operacao Bandeirantes.

Serait-il excessif d'écrire que Molinas Helder bondit ? Un peu, mais il me donna cette sensation. Il se leva aussitôt, la voix changée, plus gutturale, m'invitant à consulter le chargé des relations publiques de la Somebra.

Il me reconduisit jusqu'à la porte de son bureau, ne prononçant plus un seul mot, inclinant à peine la tête au moment où il s'effaça pour me laisser sortir.

J'ai changé d'hôtel. Malgré la démocratisation du régime brésilien, il demeure dans ses rouages suffisamment d'individus violents — faudrait-il dire plus simplement de tueurs ? — pour gêner l'enquête d'une journaliste têtue. Je suis sûre que le fichier où mon nom est inscrit à côté de celui de Klaus Stucki n'a pas été détruit. Et même si les années ont passé, même si j'ai pu entrer au Brésil sans difficultés, la trace est indélébile.

A mon arrivée, j'ai pris contact avec l'ambassadeur italien Mario Fanti, qui est l'un de mes amis romains. J'aime sa fausse nonchalance, son regard bleu rêveur qui étonne dans un visage très brun. Il est doux, rieur. C'est un vieux combattant anti-fasciste en qui j'ai toute confiance. Je lui donnerai de mes nouvelles tous les lundis matin. Les fins de semaine sont parfois tragiques pour les curieux.

Mais je ne suis pas inquiète. Je sais reconnaître les atmosphères orageuses. Mario Fanti m'a confirmé que la société brésilienne n'est plus cette masse désossée, cette chair affaissée et flétrie par les militaires, les policiers et les tueurs. Elle est à nouveau fibreuse et nerveuse. Des juristes ici, des journalistes là, des prêtres d'un bout à l'autre du pays, des syndicalistes, des paysans, des métallurgistes résistent et revendiquent. On ne peut plus assassiner en silence. Les victimes et les témoins hurlent. Stucki aujourd'hui ne disparaîtrait pas sans susciter des protestations. Un cri suffit parfois à sauver une vie.

J'ai donc travaillé presque librement. Parfois je me sentais (je me savais ?) suivie. Je passais alors deux ou trois heures au bord de la piscine de l'hôtel. Ceux qui m'attendaient dans le hall s'interrogeaient.

Je sortais très tôt chaque matin. La brume épaisse et tiède envahissait déjà les rues, laissant flotter cette odeur d'essence un peu douceâtre. Je me faisais conduire devant la demeure qu'avaient occupée, en arrivant à Rio, les Carouge. Je voulais voir ce mur haut de pierres noires qui entourait le parc. Au-delà, on n'apercevait que la cime des arbres, leurs fleurs exubérantes, jaunes et bleues, on entendait dans ce quartier résidentiel, aéré et frais, le piaillement des oiseaux, qui semblait former une voûte mouvante entre la terre et le ciel.

J'ai visité cette demeure. Elle est habituellement louée à des étrangers puissants qui refusent de résider en permanence à Brasilia. Fanti me fit inviter à l'une des soirées de l'ambassadeur Parson et j'ai pu parcourir les salons en enfilade aux plafonds décorés de fresques bleutées et m'asseoir sur la terrasse qui domine une pièce d'eau.

Là on se sent isolé et protégé de la rumeur grasse de la ville, de sa chaleur moite, de cette crasse qui suinte entre les buildings comme l'eau boueuse qu'on n'arrive pas à étancher et qui coule d'un tuyau fendu, malodorant. Peu à peu des flaques noirâtres apparaissent, qui ressemblent aux étangs de ces faubourgs où habitait Klaus Stucki.

Mais ni Lucie Mortain, ni Bernard de Carouge ne connaissaient ces maisons de tôle et de bois, de boue séchée et de carton qui s'élèvent en une nuit sur des tas de détritus où grouillent les rats. Ils n'avaient jamais emprunté les passerelles de bambou qui franchissent les marécages, d'une maison à l'autre, ni vu les pilotis grêles qui soutiennent ces masures où s'entassaient les frères et les sœurs d'Adriana.

« *Papai Stucki, Papai do Ceu.* »
Cette langue était inconnue des Carouge.
Je l'ai apprise à nouveau. J'ai voulu revoir Belém, où avait vécu Klaus Stucki à son arrivée au Brésil. J'ai eu peur en circulant seule dans ces quartiers qui vivent au-dessus de l'eau boueuse. J'ai rencontré Don Lerico, l'un de ces

prêtres qui confessent souvent les pauvres et s'en vont
célébrer des messes dans la forêt, au milieu des *poseiros,* ces
paysans qui défrichent, défrichent, machette à la main dès
l'aube ; leurs corps luisant de sueur, leurs yeux crevés par la
fatigue et la malaria. Ils croient que la terre qu'ils ont
arrachée à la forêt leur appartient.

Don Lerico n'est pas de ces prêtres calmes et souriants
qui acceptent le martyre et la souffrance. Il consulte des
dossiers, donne des dates. « La Somebra, dit-il, vous
connaissez la Somebra ! » Il lève la tête. Je pourrais croire,
tant son visage est rond, ses joues pleines, qu'il est l'un de
ces hommes bien nourris dont l'apparence révolte dans les
zones de la faim. Mais le surmenage, l'alimentation trop
lourde, de haricots noirs et de manioc, font grossir,
trompeuse opulence des hommes épuisés et sous-alimen-
tés.

Je connais la Somebra.

Il fait chaud dans la pièce où Don Lerico me reçoit.
J'aperçois le fleuve qu'un bac chargé d'un camion et d'une
cinquantaine d'ouvriers traverse lentement. Sur la rive un
homme courbé vers les eaux, deux bidons d'essence
attachés à une barre. Il se redresse lentement, la barre de
bois sur l'épaule gauche, les bidons en équilibre à chaque
extrémité, le corps luisant, le teint cuivré, comme celui de
M. Molinas Helder.

Je connais la Somebra.

Ils ont obtenu d'abord, m'expliqua Don Lerico en me
tendant des photocopies de documents officiels, le droit
d'acheter deux cent dix-neuf mille hectares de forêt et
quelques mois plus tard un territoire grand comme la
moitié de la Suisse. « La moitié de la Suisse », répète Don
Lerico, les yeux écarquillés. Il se tait quelques minutes, le
temps que je lise ces papiers couverts de tampons, puis il
dit :

— Et les hommes, les hommes qui vivaient sur ces

terres, qui croyaient que ces terres leur appartenaient, vous imaginez ?

J'imagine.

Klausi Stucki avait tenté de les défendre. Il allait dans leurs villages, il les rassemblait. Il leur parlait du droit de celui qui cultive. Il entrait dans une cabane de boue séchée, les enfants derrière lui. Il se penchait, prenait une poignée dans le tas de riz qui occupait le centre de la pièce unique. « C'est à toi, disait-il, si tu acceptes de partir, tu recommenceras à mourir de faim. »

Les *poseiros* écoutaient silencieusement, un peu voûtés. Stucki, *papai Stucki, papai do Ceu,* parlait juste, comme ils disaient. Mais les hommes de la Somebra venaient avec des fusils. La première fois ils se contentaient de tirer en l'air ou de percer toutes les casseroles.

— Qu'est-ce qu'une casserole pour vous ? demande Don Lerico. C'est un objet presque ridicule. On ne le voit plus. Mais dans la forêt, quand il coûte une semaine de travail, deux parfois, imaginez !

J'imagine, Don Lerico.

Les contrats passés entre le gouvernement brésilien et la Somebra sont signés par Bernard de Carouge, Simon Garelli et Julien Vanco. Ils n'ont pas imaginé ce que signifiait ce paraphe d'encre noire. Ils n'ont jamais suivi cette route rouge, mamelonnée, poussiéreuse, sous un ciel vaste comme l'océan. La forêt de part et d'autre est défrichée. Le périmètre dénudé est consacré aux recherches minières de la Somebra. Des hangars et des miradors remplacent les arbres. Des hommes armés veillent sur le matériel. Les *poseiros* ont été chassés depuis longtemps et Klaus Stucki le bavard a cessé de jacasser.

Bernard de Carouge ne se souvient certainement pas de lui avoir expliqué, lors d'une brève conversation dans les salons de l'ambassade, que la politique d'investissement pratiquée par les sociétés multinationales était le seul moyen permettant de briser le cycle de la faim.

Que savaient-ils de la faim, Lucie Mortain-Carouge et Bernard de Carouge ?

Le déjeuner offert par monsieur l'ambassadeur de Suisse au Brésil était ainsi composé :

> *Poissons du lac grillés beurre blanc*
> *Caneton à la pêche*
> *Pommes neuchâteloise*
> *Salade*
> *Fromages*
> *Casino sauce framboise*

> *Vins suisse et français*
> *Perle du Mandement, 1963*
> *Château Bronat Saint-Emilion, 1962*
> *Champagne Dom Ruinart, 1959*

Ils parlaient surtout de la faim.

Klaus Stucki savait que le riz et les haricots, malgré le piment rouge qui déchire le palais, ont un goût de poussière et de terre et sentent le sac.

Il répétait après Ferreira Gullar :

« *La diarrhée est une arme qui blesse et tue, qui tue plus que le couteau, plus que les balles des fusils.* »

Mais ils avaient aussi des fusils.

J'ai parlé longuement avec Paco de Faria. Le président d'une société de protection, la S.L.P.D. (Société Libre de Protection et de Défense). Le siège de la société est à São Paulo, dans l'un des gratte-ciel du centre. Paco de Faria est un homme petit et nerveux. Il rit brusquement, passant alors, dans un geste machinal, l'un de ses doigts sur ses dents qu'il a très blanches. Il me reçoit dans un bureau long et étroit. Dès les premiers mots, il retire sa veste en s'excusant, faisant jouer ses épaules, signifiant qu'il est un homme d'action. « Nous fournissons tout, dit-il, les hommes entraînés, les chiens dressés, les protections électriques, tout ce qui est nécessaire. La vie aujourd'hui est dangereuse, vous le savez sûrement puisque vous êtes une grande journaliste, l'anarchie est une gangrène contre laquelle l'Etat doit se défendre. Mais l'Etat ne peut pas tout protéger. Nous complétons son action en accord avec lui, dans le respect de la loi. »

Il répète ces derniers mots le pouce et l'index joints formant un cercle, une cible.

Peut-être connaît-il mon passé. De temps à autre, il s'interrompt, hoche la tête en riant, comme s'il s'étonnait de me voir ici, dans son bureau, entrée librement dans la souricière et durant quelques minutes j'ai peur, puis il recommence à parler. Ses hommes sont des professionnels, précise-t-il, d'anciens policiers, des cadres. Ils entraînent les gardiens des grandes propriétés. « Vous connaissez les *fazendeiros.* »

Ce sont eux qui tendent des guets-apens aux paysans, eux qui saccagent les maisons et versent de l'essence sur les réserves de riz. Eux qui trouent les casseroles.

Stucki les a dénoncés.

Il commençait à être célèbre. Il associait l'intelligence, l'obstination et le courage, ce qui n'est pas fréquent. Il n'était plus seulement le bon docteur, *papai Stucki, papai do Ceu,* qui sauve les enfants. Il accusait et voulait tenir des conférences de presse, rencontrait Don Lerico et créait un Comité de défense des paysans et des travailleurs de la terre.

Je pense que c'est à ce moment-là que la Consultores Industrias Associados a pris contact avec Molinas Helder, puis Bernard de Carouge. Je ne sais qui représentait la Consultores lors de l'entretien qu'elle eut avec le directeur et le président de la Somebra. Mais il est facile de reconstituer les termes de la conversation et les conditions de l'accord. « Vos investissements au Brésil sont considérables, disait l'employé de la Consultores. Comme Brésiliens nous savons ce que représente pour le développement de notre pays la confiance que vous lui manifestez. Nous approuvons les cessions des terres que le gouvernement a consenties à la Somebra. Et nous sommes révoltés par les oppositions que vous rencontrez. Nous pouvons les résoudre. Nous avons déjà pour d'autres sociétés trouvé rapidement les solutions. Si vous nous en donnez les moyens matériels, qui ne sont qu'une goutte d'eau en comparaison des sommes que vous avez investies, nous réglerons dans un bref délai les problèmes qui se posent à vous. »

La Somebra a versé les sommes que réclamait la Consultores Industrias Associados. Et les professionnels de Paco de Faria ont commencé leur travail de chasse à l'homme. Plus de paysans sur les terres de la Somebra.

Mais Stucki, le bavard, l'intelligent, l'obstiné, le courageux, le désintéressé *papai Stucki* s'entêtait.

Je ne crois pas que Bernard de Carouge ait voulu savoir que l'argent que la Somebra versait à la Consultores servait à payer des tueurs, ceux de la Société Libre de Protection et de Défense et ceux, plus cruels, de l'Operacao Bandeirantes.

Ce sont ceux-là qui m'ont arrêtée après Stucki. Ceux-là qui l'ont torturé et abattu. Comme ils ont martyrisé et fait disparaître cinq mille personnes, dit-on.

La Somebra payait. La Somebra achetait un territoire aussi grand que la moitié de la Suisse.

Bernard de Carouge, Simon Garelli et Julien Vanco signaient les titres de propriété.

Qui oserait établir une chaîne de responsabilités entre ces actes notariés et la mort de centaines d'hommes, la torture infligée à des milliers d'autres, et la disparition de Klaus Stucki ?

Qui oserait mettre côte à côte ces raisons sociales prestigieuses :

Société Genevoise de Finance
Société de Mécanique Mortain
Société de Mécanique Brasil
Société Internationale de Banque et d'Industrie

et cette inscription peinte en lettres noires sur une pancarte de bois plantée au milieu d'un terrain vague constitué de détritus et d'éboulis :

PROHIBIDOS BUTAR
MUERTOS AQUI
MULTAS DE $ 3

Moi, Clara Becker, je rapproche les mots, j'entrelace les noms, celui de Carouge, de Garelli, et de Paco de Faria, je croise la Société Internationale de Banque et d'Industrie avec « *Muertos aqui* », j'associe la Société Genevoise de Finance et la Somebra avec Operacao Bandeirantes.

On dira, on a dit déjà que je ne suis pas une journaliste, mais une femme exaltée, une provocatrice qui exagère et simplifie.

Je pense que la vérité est simple.

LE COURAGE
ET LA LÂCHETÉ

64

Clara avait dit : « La vérité est simple et tu la connais. »

Elle était assise sur un rocher surélevé, face à la mer, et Julien Vanco se trouvait en contrebas, un peu à gauche. Elle racontait son voyage au Brésil, l'enquête qu'elle y avait menée, lisait le récit qu'elle avait écrit. Il voulait l'écouter. Il tentait de retenir ces noms, Molinas Helder, Paco de Faria. Il voulait imaginer cet homme qui puisait de l'eau dans le fleuve et la route rouge qui se dirigeait vers la forêt.

Parfois Clara se tournait vers lui et le dévisageait, puis elle regardait à nouveau vers la mer. Il la voyait alors de profil, le nez peut-être un peu petit, comme écourté, les rides du cou profondes, les épaules trop rondes, la peau entre les seins fripée, formant de minuscules losanges bruns, presque des écailles. Souvent elle rejetait la tête en arrière, les yeux fermés, la bouche entrouverte comme pour aspirer la lumière, la brise, l'odeur et le goût de la mer que les embruns portaient jusqu'à eux. Elle s'appuyait sur les paumes, les bras tendus en arrière, peut-être tentait-elle ainsi en se cambrant de gonfler ses seins.

Il voulait l'écouter et ne l'écoutait pas.

Depuis le retour de Clara du Brésil, hier, quelque chose s'était glissé entre eux qu'ils ne réussissaient pas à briser, l'épaisseur de l'absence sans doute, Clara qui avait retrouvé la trace de Klaus Stucki, Julien qui téléphonait à Saint-Cloud, souhaitait parler aux enfants, Martine ne le lui permettant que rarement. Ou peut-être étaient-ils l'un et l'autre trop vieux pour que se gravent profond leurs sentiments. Ils avaient trop éprouvé, qui sait ? Ils étaient devenus comme des roches qui après avoir été tendres, où chaque événement laisse son empreinte, sont vitrifiées par le temps. Plus rien ne s'inscrit dans leur épaisseur même si à tenter de les rayer, un son aigu naît qui fait croire qu'une marque va demeurer. Mais rien ne s'est inscrit.

Ils avaient cru, ils avaient voulu croire, mais il avait suffi de quelques semaines de séparation pour qu'ils ne réussissent plus, quand ils se retrouvaient, à se rejoindre.

Julien Vanco en était honteux. Quand Clara le fixait, il fuyait son regard. Il craignait d'y lire une accusation méprisante ou un reproche silencieux. Il se sentait ridicule. Lui qui avait écrit le récit de sa passion, qui en avait revécu à chaque mot les étapes, l'obsession, qui avait choisi de mêler l'histoire de sa vie privée à la dénonciation des méthodes bancaires et industrielles, lui qui, page après page, avait répété : « J'aime Clara », et qui s'était complu à parler de lui bien plus que de Garelli ou de Carouge, voilà qu'il n'osait même plus tendre sa main vers l'épaule de Clara, incertain des sentiments qu'il éprouvait pour elle.

Il la savait perspicace et chaque fois qu'elle cessait de parler, il s'attendait à ce qu'elle l'interroge brutalement et s'étonne de son attitude. Mais les questions qu'elle lui posait concernaient les dossiers de la Sibani, le texte qu'il écrivait, les archives qu'elle pourrait utiliser contre Carouge et Garelli, ces complices des tueurs de l'Operacao Bandeirantes. Par l'intermédiaire de la Consultores Industrias Associados, expliquait-elle, ils avaient délibérément financé les bourreaux.

Mais la force qu'elle mettait dans cette dénonciation gênait Julien, l'inquiétait, comme s'il était maintenant sensible à la grandiloquence de Clara, aux poses qu'elle prenait, aux ambiguïtés de son courage. Elle prenait des risques mais refusait l'anonymat des simples militants qui disparaissent comme une pierre tombe dans la mer. Elle voulait le déferlement de la vague et son nom répété dans les pages des journaux. Il composait déjà le titre des hebdomadaires : « *Le sang versé en commun. Sociétés multinationales et répression. Une grande enquête de Clara Becker.* » Elle savait vendre son courage et son intelligence.

Elle se rengorgeait, riant d'un mot qu'elle prononçait, du souvenir de son entrevue avec Molinas Helder, de la manière dont elle l'avait dupé. « Les hommes tombent tous dans le piège », disait-elle.

Julien se sentait menacé. Le sentiment désagréable d'avoir été lui aussi joué corrodait peu à peu la confiance qu'il avait en elle et en lui. Peut-être Clara avait-elle, dès leur première rencontre, su ce qu'elle attendait de lui, ces dossiers, ces documents, le témoignage qu'il apportait. Ainsi elle réalisait un exploit journalistique de plus.

Il voulait l'écouter et ne l'écoutait pas.

Il avait peur. Elle avait l'habitude du risque. Elle le monnayait. Saurait-il l'affronter ? Lors du dernier coup de téléphone qu'il avait donné chez lui, à Saint-Cloud, Martine, avant de laisser Julien parler aux enfants, avait dit de sa voix égale qu'elle voulait être sûre qu'il ait bien pesé toutes les conséquences de ses actes, non seulement pour lui, ce qui, après tout, n'était que secondaire puisqu'il avait choisi, mais pour ceux qui dépendaient de lui. Elle, sa femme, peu importait, elle saurait se battre, mais les enfants, Serge et Nathalie, étaient-ils protégés ? Julien pouvait-il l'affirmer ? Martine ne l'avait pas laissé répondre. Si tel était le cas, tout allait bien. Sinon, qu'il sache qu'elle ferait tout ce qui était en son pouvoir pour les défendre, tout, avait-elle répété. Même s'il fallait agir contre lui, qu'il s'en persuade. Puis elle avait exigé de Julien qu'il lui communique son adresse et son numéro de téléphone. « Cette histoire de clandestinité est ridicule, avait-elle dit. Après je te passerai les enfants. »

Il avait été saisi de panique comme si Martine allait définitivement le priver de Nathalie et de Serge et il avait cédé. Il s'était livré, confiant qu'il habitait la villa de Jean Zorn, proche de Lourciez. Depuis, il se sentait vulnérable. Et peut-être était-ce là l'origine de cette impossibilité où il était d'écouter Clara, de lui répondre même quand elle l'interrogeait sur les dossiers, ceux qu'il avait déjà utilisés. Le regard de Clara se fixait sur lui. Elle s'étonnait, fronçant les sourcils. Il ne pouvait se dérober. Il devait l'affronter, parler lui aussi, dire ce malaise, cette gêne entre eux.

— Bon, dit-elle tout à coup.

Elle se leva, croisant les bras, debout devant lui à l'observer. Pour fuir, il commença à raconter sa vie dans la villa, les arrivées de Jean Zorn, les jeunes femmes, chaque fois différentes, qui l'accompagnaient. Julien les décrivait, disait en riant maladroitement qu'elles troublaient son travail, qu'il les apercevait depuis la fenêtre de sa chambre d'angle. Elles s'installaient là, montrait-il, dans les fissures des roches, à l'abri du vent

— Jeunes, disait-il, très jeunes, toujours belles.

Il aurait voulu arrêter ces mots, dont il sentait qu'ils l'éloignaient de Clara plus encore, mais il les prononçait avec une fausse désinvolture, une sorte de méchanceté aussi qui crispait les traits de son visage.

Clara marchait, un peu voûtée, les bras toujours croisés, la tête penchée. Ils allaient l'un derrière l'autre vers le bout du promontoire des rochers rouges que battait régulièrement la mer.

Brusquement, elle se retourna, les lèvres serrées, ce qui gonflait ses joues et lui donnait une expression de tristesse et de résolution.

— La vérité est simple et tu la connais, répéta-t-elle.

65

Au bout du promontoire des rochers rouges, le dos à la mer, et les vagues qui se dressaient semblaient devoir submerger Clara alors qu'elles déferlaient quelques mètres plus bas sur les récifs déchiquetés, celle-ci avait parlé sans que Julien pût l'interrompre.

— Tu as peur, disait-elle. Tu voudrais reculer. Tu m'accuses. Tu doutes. Je devine tes questions. Tu es devenu procureur. Tu me reproches d'être vieille et prétentieuse. Je vois tout cela dans ton regard. Tu voudrais que rien n'ait eu lieu. Ni entre nous. Ni entre toi et ta banque. Toute ta vie tu as refusé de savoir. Tu as avancé les yeux fermés. Les autres, Garelli, t'ont guidé. Tu as voulu être conformiste pour ne pas avoir à penser et à choisir. Et puis, interroge-toi sur les raisons de tes actes. Tu as décidé de m'aimer. Tu as voulu rompre avec ton passé. Mais tu es encore ce que tu étais, et tu n'es pas devenu ce que, quelques jours, quelques heures seulement, tu as décidé d'être, passionnément. Tu es en l'air comme cette vague.

Clara se tournait, tendait le bras.

— Tu ne peux pas aller jusqu'au bout, reprenait-elle. Rentre si tu veux. Personne ne te demande rien. Tu m'as dit une fois que tu étais lâche. Je t'ai détrompé. Je t'ai raconté comment je m'étais tue aussi après mon arrestation et la mort de Klaus. La vie n'est pas une ligne droite. On s'élance et on retombe. On fait un pas en avant et on s'enfuit. Il y a des moments pour le courage et d'autres pour la lâcheté et l'hésitation. Ce qui compte, c'est, à la fin, le bilan. Essaie de rester en accord avec toi-même. Arrange-toi pour ne pas trop souffrir. Tu es mal à l'aise en ce moment. Rentre. Ou bien enfuis-toi plus loin, disparais. Tu dois peut-être te taire encore. Tu parleras plus tard. Ou jamais. Personne ne doit t'imposer un chemin, ni moi, ni Garelli. Sois libre, Julien. Sois toi, seulement toi. Moi je souffre si je me tais, si je n'agis pas, si je n'écris pas. Je dois être fidèle à mes amis, à mes fils, et avant eux, plus profond encore, à ma famille. Mais je n'exige rien de toi. De quel droit ?

Clara s'approchait de Julien, lui prenait le bras.

— Je n'exige rien de toi, même pas que tu me fasses l'amour.

Elle riait d'un rire exagéré, les lèvres ouvertes sur ses dents, petites et pointues, très blanches.

— Elles sont très belles, les jeunes femmes de Zorn, très jeunes ? Pourquoi ne les partages-tu pas avec lui ?

Elle recommençait à rire puis, grave, ajoutait :

— Tu dois penser que je t'ai joué la comédie de la passion. Mais cette pièce a besoin de deux interprètes. Tu as tenu ton rôle et moi le mien. Cela a été intense et bref, comme toujours à nos âges. Pourquoi en déduis-tu que notre amour était truqué ? Nous ne sommes plus, ou pas encore, à l'heure des lents, des longs sentiments qui s'étirent. Tu le découvres ? Je le savais. Les femmes sont toujours lucides, Julien.

Ils s'approchaient de la villa, elle parlait plus bas.

— Si tu le veux, je ne publierai rien, rien qui puisse faire penser que j'ai utilisé tes dossiers. Tu peux rentrer. Mais ils ne te pardonneront pas, parce qu'ils craindront toujours que tu n'aies transmis les documents à d'autres, à moi. Si tu étais sage, tu irais jusqu'au bout parce que tu es déjà allé au bout pour eux, mais tu ne le sais pas, tu crois que tu peux revenir au point de départ. Seulement...

Elle serrait le bras de Julien.

— Je vais passer deux ou trois jours ici, Julien. Lire ces documents, je me rendrai à Lourciez pour les photocopier. Je ne les utiliserai que si tu m'y autorises ou bien — elle s'arrêtait, posait ses mains sur les épaules de Julien — si tu meurs. Ce sont des choses auxquelles tu dois penser. Ils n'aiment pas qu'on les trahisse. Mais ils ne te tueront pas, je crois, parce que si tu te rends à eux, tu es comme mort. Ils te surveilleront et si tu recommences, alors... Je t'en veux de ne pas avoir su ce que tu déclenchais en t'enfuyant.

Elle recommençait à marcher, silencieuse maintenant. Et Julien eut besoin de lui dire qu'il avait plusieurs fois téléphoné à Martine parce qu'il voulait parler aux enfants et qu'il lui avait donné hier son adresse, son numéro de téléphone. Sa femme savait maintenant où il se cachait.

Clara s'écarta de lui, elle le regarda longuement, le visage inexpressif, et Julien remarqua qu'elle avait la peau tendue et de toutes petites rides, des cicatrices plutôt le long des oreilles. Il pensa que son visage avait été remodelé et il lui sembla avoir découvert la preuve qu'elle lui avait menti.

— Tu as déjà choisi, dit-elle. S'ils ne te tuent pas, et ils ne te tueront pas puisqu'ils te savent faible, tu vas rentrer avec ton paquet de dossiers sous le bras. Tu as fait ce que tu as pu. Ils ne tireront pas. Ils seront moins indulgents avec moi. Je vais partir demain. Mais — elle lui touchait la joue du bout des doigts — avant tu vas me montrer tout ça. Tout.

Elle l'entraînait vers la villa.

Ils commencèrent à téléphoner peu après minuit.

Julien Vanco ne dormait pas. La chaleur irritait sa peau. Il se frottait la poitrine et les épaules, l'intérieur des cuisses, comme s'il était recouvert d'une mince couche grasse et brûlante qu'il eût pu décoller du bout des ongles. Il transpirait et respirait mal, le bas de la nuque et le cuir chevelu traversés par de brutales et brèves piqûres. Il se grattait nerveusement, se levait.

Il restait longtemps debout devant la fenêtre, puis ouvrait une porte afin de créer un souffle d'air, sans réussir pourtant à fissurer cette chaleur qui l'ankylosait et l'oppressait. La mer paraissait assoupie, le ressac étouffé.

Tout à coup il avait entendu Clara. Elle avait emporté les dossiers dans le salon, au rez-de-chaussée. Elle devait les feuilleter, noter les éléments essentiels, puis recommencer à lire. Elle tapait à la machine par courtes périodes, les lettres crépitant sèchement, formant un son continu fait de saccades qui se chevauchaient.

Vanco fermait la fenêtre et s'allongeait, mais le bruit s'infiltrait jusqu'à lui. La chaleur était devenue ce martèlement intermittent, aigu, comme le chant obsédant d'un insecte contre lequel on ne peut rien. Julien devait subir cette chaleur, ce bruit, comme il avait dû accepter que Clara se penche sur la table, glisse sa main sous le paquet

de dossiers, les serre contre elle, dise d'une voix calme :
« Je descends, je les rapporterai demain matin. »

Dès cet instant, Julien sut qu'il était redevenu cet homme
passif auquel les autres imposaient leurs choix. Il n'empê-
cherait plus rien. Il s'était illusionné quelques semaines. Il
se souvenait de cette période comme d'une époque déjà
lointaine de sa vie, un temps d'exaltation, un rêve qui lui
avait permis d'éprouver une passion pour Clara, de s'emparer de ces dossiers, d'aimer Erica, de s'installer ici. Mais il
avait le sentiment d'avoir toujours su que cette période
serait brève, qu'il voulait simplement se donner la preuve
qu'il aurait pu, toute sa vie, être un homme volontaire, sûr
de ses choix, quelqu'un de la trempe de Simon Garelli et de
Clara Becker ou de ce Klaus Stucki dont elle parlait encore
avec émotion.

Seulement, il était parti du mauvais pied, trop tard,
comme ces sauteurs dont l'élan est maladroit, qui se hissent
au-dessus de la barre. On croit qu'ils vont la franchir mais
ils chutent lourdement sur elle, épuisés par la course,
incapables du coup de reins qui leur eût permis de la
passer.

Julien acceptait cet échec. Il guettait le moment où Clara
recommencerait à taper à la machine. Il savait maintenant
ce que c'était que de choisir contre les autres. Et il se
persuadait qu'il n'avait ni assez de détermination, ni assez
de courage pour s'obstiner et supporter toutes les conséquences de son choix. Il resterait couché dans le sable ou
accroupi, les petites meurtrissures de chaque grain brûlant
sa peau.

Peut-être s'il s'était abstenu de téléphoner, de parler à
Serge et Nathalie, eût-il pu aller jusqu'au bout. Mais il
avait eu besoin de leurs voix. Il s'était constamment
retourné dans sa course.

A moins — il le pensait parfois —, à moins qu'il n'ait
recherché qu'un alibi, n'ayant appelé Martine que pour
laisser à d'autres, à elle d'abord, la responsabilité de le

livrer ; lui, refusant de choisir, se donnant déjà de bonnes
raisons pour expliquer son retournement, sa chute.

Le téléphone sonna une première fois et Vanco décrocha
aussitôt.

Il attendait cet appel. Depuis qu'il avait quitté ses
enfants, il les imaginait en danger. Les premiers jours, il
avait refusé de s'avouer cette peur sourde, comme le
soubassement lourd et grave de toutes ses pensées. Puis il
leur avait parlé. La gaieté de leurs voix, l'insouciance de
Nathalie, la joie de Serge l'avaient d'abord rassuré. Mais il
avait le désir de toucher leurs joues et leurs bras. Il voulait
les voir courir dans le parc. Il lui manquait de saisir leurs
mains, de les faire tourner autour de lui, qui devenait l'axe
de ce jeu qu'ils aimaient. Ils riaient ensemble, Julien
chancelant, eux qui s'accrochaient à lui. « La tête me
tourne », disait-il. Eux criaient. Martine brusquement les
faisait taire. Elle condamnait ce jeu dangereux. Elle
accusait Julien d'imprudence. Et elle avait interrompu leur
conversation au téléphone. Il l'avait entendu leur dire :
« Cela suffit. N'ennuyez pas votre père. » Elle avait parlé
fort pour lui aussi, puis elle avait ajouté : « Ces appels, je
ne suis pas d'accord. Il faut choisir, Julien. » Et elle avait
raccroché.

Les fois suivantes, il avait dû insister, supplier presque
pour obtenir le droit de leur dire quelques mots. Dès que la
conversation était terminée, il pensait qu'il ne réussirait
plus à les joindre. Martine l'interdirait. Il oubliait cette
angoisse le temps d'écrire une page, de se souvenir de
Clara, mais la peur s'insinuait. Qu'allait inventer Martine
pour se venger ? Et Garelli ? Ils s'en prendraient à Serge et
Nathalie, Julien le craignait tant qu'il était sûr qu'ils
utiliseraient contre lui ce chantage. Sa crainte était si
bruyante en lui qu'ils la devineraient.

Et maintenant cet appel au téléphone, ce silence qui suivait, cette respiration pourtant que Julien entendait, qui ne s'interrompait pas quand il interrogeait, répétait : « Mais parlez, parlez, que voulez-vous ? »

Il reposait l'appareil. Presque aussitôt la sonnerie retentissait à nouveau, laissant le même silence. Il parlait plus fort, raccrochait. Et l'on recommençait. Au bout de plusieurs communications, il ne sut plus si on lui avait dit une fois : « T'as deux gosses, Vanco », ou bien s'il avait seulement déduit cette menace de ces appels qui ne cessaient pas, le harcelant. Il se reprochait de raccrocher trop vite par crainte peut-être d'entendre cette phrase, ce marché qu'on lui proposait ou qu'il imaginait au moment où Clara entrait dans la chambre. Elle observait Julien, le questionnait d'un simple regard, le front plissé. Elle posait les dossiers sur la table, devant la fenêtre, murmurait : « J'ai fini... »

Le téléphone sonnait à nouveau. Elle décrochait d'un geste vif, écoutait, puis tendait l'appareil à Julien en secouant la tête. Rien encore.

— Maintenant, ils vont continuer, disait-elle en s'asseyant près de Julien, entourant ses épaules de son bras.

Du bout des doigts elle lui caressait l'oreille.

— Tu devais le prévoir, reprenait-elle. Je t'avais mis en garde. Personne n'est sûr.

Il se laissait bercer. Elle ajoutait qu'il valait mieux débrancher la ligne. A quoi bon se prêter à leur jeu ? Ils ne diraient rien. Ils ne menaceraient pas. Pas encore. Ils sapaient seulement la base d'un mur qu'après, dans un ou deux jours, ils heurteraient. Julien devait se préparer à ces coups de boutoir, savoir quoi répondre. Etre prêt. Il se leva, repoussant le bras de Clara avec violence, la déséquilibrant tant son mouvement était brutal, inattendu. Il hurla qu'ils avaient menacé ses enfants, qu'il était un irresponsable de ne pas avoir prévu qu'ils pouvaient aller jusque-là, qu'il était un con, pas assez égoïste ou trop lâche pour entraîner ses enfants dans ses folies. Il allait leur rendre les dossiers. Qu'en avait-il à foutre ? Qui pouvait croire changer le monde avec quatre petits scandales, alors que, elle le savait, elle, des millions d'enfants mouraient chaque année ? Julien criait qu'il voulait sauver les siens. Les sacrifier serait inutile. Quel con il avait été, quel naïf !

Il s'approchait d'elle et la menaçait du poing. Il interdisait à Clara de publier une seule ligne de ces archives. Si elle passait outre, il lui ferait un procès — il s'interrompit tant la phrase était ridicule. Il hurla qu'il dénoncerait Clara, qu'il la tuerait.

Il se tut, épuisé, baissa la voix. Ils avaient menacé ses enfants, entendait-elle ?

Il ne réussissait plus à retrouver les mots qu'ils avaient employés. Les avaient-ils vraiment utilisés ? Il ne savait plus. Mais peu importait, car ils le feraient, il en était sûr. Il répéta, comme une excuse dont on veut se persuader, qu'ils étaient prêts à tuer Serge et Nathalie.

— Rentre, dit seulement Clara. Rentre et ne crains rien pour eux ni pour toi.

Elle s'était levée, lui tapotait la joue, mais il fit un pas en arrière. Elle secoua la tête. Elle aurait pu dire : « Tu es un pauvre type et j'ai pitié de toi. » Elle se contenta de le dévisager, répétant : « Julien, Julien », les doigts qu'elle avait longs sur ses lèvres, comme pour s'interdire de prononcer d'autres mots que ce prénom.

Ils se firent face quelques secondes et Julien baissa les yeux, murmurant qu'il s'excusait, invoquant l'énervement, la chaleur, ce silence, l'inquiétude, ces appels, la peur pour Serge et Nathalie. Elle comprenait, n'est-ce pas ?

Il avait tendu la main vers Clara, mais lentement, sans aucune nervosité, elle le repoussa, l'invitant une nouvelle fois à débrancher la ligne, à regagner Paris demain, avec les dossiers.

Il avait fait, disait-elle, ce qu'il avait pu.

Une autre fois, qui sait, il irait plus loin, il sauterait plus haut.

— Il va rentrer, dit Calzi.

Il attendit un commentaire de Simon Garelli, puis, le silence se prolongeant, il dit :

— Voulez-vous que je vous rappelle ?

Garelli fut contraint de répondre. Il écoutait, disait-il, il souhaitait que Calzi poursuive.

— Je ne m'étais pas trompé, n'est-ce pas ? interrogea Calzi avant de s'interrompre à nouveau.

Il devinait que Garelli ne voulait toucher l'affaire que du bout des doigts. A lui, Calzi, la merde jusqu'aux coudes. Eux, Garelli, Jalard, les mains parfumées. Mais Calzi les connaissait trop pour les laisser se dérober.

— J'attends, dit Calzi. Je ferai ce que vous voudrez. Vous êtes le premier concerné, non ?

Calzi alluma une cigarette, le téléphone bloqué entre sa joue et son épaule.

— Voulez-vous que je vous rappelle ? répéta-t-il avec ironie. Vous devez réfléchir, peut-être ?

Il aimait bien Garelli, mais une salope qui vous filait entre les doigts. Les types qui ont des vices sont comme ça, tordus, dangereux, prêts à vous baiser.

— Il rentre quand ? demanda Garelli.

Calzi rit bruyamment, se renversant dans son fauteuil, répondant qu'il ne connaissait pas les horaires de vols

Lourciez-Paris et que Vanco ne l'avait pas chargé de la réservation de sa place.

— Il rentre, ça c'est sûr, conclut-il.

Il toussota, essaya de susciter encore une réaction de Garelli, puis il dit, à regret, d'un ton bourru :

— Il rentre avec ce qui vous inquiète. Notre journaliste était avec lui, mais elle ne publiera rien, j'en suis convaincu. Elle a peur. Elle se taira, pour lui. Vous êtes satisfait ?

Remercier, féliciter n'était pas dans leurs usages. Mais il faudrait bien que Garelli et M. Jalard n'oublient pas ce nouveau service qu'on leur rendait. En une dizaine d'années, Calzi en avait réglé des affaires pour les uns et les autres. Cela faisait une lourde addition dont Calzi connaissait chaque terme.

— On le prend ? On le sermonne ? On le punit ? Qu'est-ce qu'on en fait ? demanda-t-il.

Ils n'aimaient jamais répondre clairement : celui-ci : tuez-le, celui-là : cassez-lui la gueule, à cet autre : faites-lui si peur qu'il ne s'arrête plus de courir et qu'il en devienne muet jusqu'à la fin de ses jours. Ils restaient dans le vague. Ils jouaient à ceux qui ne savent pas, c'est si commode.

— On peut tout, continua Calzi sur le même ton ironique. Cela dépend de vous, mon cher Garelli. Sa femme, expliquait Calzi, puis il baissait la voix pour ajouter : Mais vous la connaissez bien, je crois, ça nous rappelle le tout début, non ?

Il fallait toujours leur faire comprendre qu'on se souvenait, qu'on les tenait, sinon ils se croyaient intouchables alors qu'ils étaient vulnérables comme tout le monde.

— Laissez-le rentrer, dit Garelli.

Il avait un ton de commandement presque brutal.

— Ah bon, dit Calzi d'une voix amusée. Ah bon, parce qu'il reste bien sûr votre petit camarade, même s'il vous fait un croc-en-jambe ?

Puis il se redressa dans son fauteuil, appuyant les avant-bras au rebord du bureau. Calzi n'aimait pas qu'on adopte ce ton autoritaire avec lui.

— Mais, Garelli, attention, reprit-il sèchement. Je suis dedans aussi. Vous me liez les mains, d'accord. Mais vous réglez l'affaire. Et pas d'éclaboussures pour moi, pas plus que pour vous, nous sommes d'accord ?

— Je règle l'affaire, murmura Garelli d'une voix lasse.

— Parfait, parfait, répondit Calzi conciliant. J'ai totalement confiance en vous.

Il souriait, puis il ajouta :

— Je suis un client fidèle de votre banque, mesurez ma confiance.

Il proposa à Calzi un déjeuner, ces prochains jours ou dans quelques semaines.

— Comme vous voudrez, cher ami, pour faire le bilan.

Il attendit une réaction de Garelli et comme elle ne venait pas il dit :

— Je vous laisse faire.

Pour toute réponse Garelli raccrocha.

68

Garelli n'avait pas envie de lever la tête. Il regardait ses mains, ses ongles tachetés de blanc, et il pensa : des nuages dans un ciel rose ; il vit les veines, gonflées, bleutées, ces rides qui se croisaient, ces doigts gonflés aux phalanges, ces plis de la peau, toute cette géographie du corps qu'il n'aimait pas découvrir mais qu'il connaissait, parce qu'il en souffrait chaque matin au moment où il tendait difficilement le bras pour saisir ses lunettes, posées près de sa montre sur la table basse à gauche du lit.

En déplaçant le bras, il poussait une touche de la radio et les voix, ce matin celle d'un prédicateur, noyaient les questions qu'il se posait malgré lui, cet à quoi bon, ce pourquoi dont il ne pouvait se débarrasser, comme d'une toux qui recommençait au moment où il ouvrait les yeux. Il fumait encore trop. Il pensait encore trop. Il se souvenait encore trop.

Il s'asseyait sur le bord du lit à peine défait. Marie-France dormait au premier étage de la villa.

Au prédicateur avait succédé la voix du journaliste qui lisait l'un des premiers bulletins d'information. Heureusement le monde était cette fourmilière en forme de volcan, et chaque jour une éruption, des explosions, un attentat, les événements comme des jets de pierres, cette lave toujours brûlante qui coulait dans la gorge avec le café pris dans la cuisine.

Quand il se savait plus calme, Garelli cherchait sur l'une des fréquences une voix lente, un discours savant ou un quatuor à cordes. A ce moment-là, son corps était déjà dissimulé sous la chemise, le gilet, la cravate. Garelli pouvait oublier ce qu'il était devenu, cette masse de chair flasque, ce visage empâté, une caricature impitoyable de sa jeunesse.

Marie-France l'attendait sur le perron. La voiture stationnait devant la grille du parc. Dorel, penché, tenait la portière. Les journaux étaient disposés sur le siège arrière avec leurs gros titres noirs, et parfois Garelli demandait à Dorel d'ouvrir la radio, n'importe quoi, un peu de bruit encore pour atteindre le bureau du boulevard Haussmann. Là, Gottlieb, Lederman, Rouvet, Elisabeth, ces dossiers, le dernier protocole entre le Groupe Carouge-Mortain et la Sibani, ces visages, ces mots, ces décisions, ces illusions, ces rumeurs, tout ce qui forçait l'intimité de Garelli, enfin, le contraignait à agir, à ne plus penser, ou simplement à se satisfaire d'un coin de silence et de paix, ces inquiétudes d'un poète, comme un écho, mais assourdi, comme le spectacle lointain dans un miroir un peu terni de ses propres pensées.

« *More and more*
I want to die »

Traduisait-il Emmanuel Chaves en anglais, Garelli, pour mieux se tenir loin du danger de ce désir de mourir, ou bien se souvenait-il d'un écrivain, Allen Roy Gallway, ou, le regard sur ses mains immobiles, inventait-il dans une autre langue, pour trouver enfin des mots neufs ?

> *« More and more*
> *I want to die*
> *I hope*
> *A hole*
> *In a black day*
> *Where I will sleep and play*
> *With the broken sky*
> *As an old child*[1] *»*

Et il ne voulait pas lever la tête, voir Julien Vanco qui était entré dans le bureau, qui se tenait debout, sûrement, les mains derrière le dos ; vieil enfant lui aussi, auquel Garelli par bouffées avait envie de hurler : petit con, petit conard, je vais te montrer ! Et ce serait comme autrefois dans la cour du lycée de Lourciez, une raclée pour Vanco, à coups de pied, de genou, de tête, les phalanges qui deviendraient douloureuses à force de frapper, là, dans le menton, sur les tempes, et Julien qui se laisserait faire, qui tenterait de se protéger avec le bras, en plaçant son coude devant son nez, en se mettant tout à coup à pleurer, en demandant grâce, pardon, en criant : « Assez, Simon, assez, Simon, je te jure, je ne recommencerai plus. »

Ils étaient devenus des adultes. Ils ne se battaient plus. Mais Garelli pourtant n'osait pas lever les yeux, continuant de regarder ses mains comme pour se prouver qu'il avait vieilli, que ces stries de la peau étaient celles de l'âge. Alors pourquoi cette intuition, cette sensation qu'entre Julien et lui ce n'était qu'une querelle d'enfants, pourquoi cette émotion aussi, ces élans de rage aveugle, l'envie de frapper Julien, et non pas de l'intimider ou de l'humilier comme Garelli savait le faire avec Jeumont ou de Sarte ? Mais Julien Vanco demeurait un frère cadet, ou même un fils.

1. « De plus en plus/Je désire mourir/J'espère trouver un trou/Dans une journée noire/Où je jouerai et dormirai/Avec le ciel brisé/Comme un vieil enfant. »

Ridicule. Vanco n'était qu'un collaborateur médiocre qui commençait à parler.

— Je voulais, disait-il — il hésitait — je voulais...

Garelli leva la main gauche pour l'interrompre, mais sans le regarder, les yeux fixés sur sa main droite, ses doigts qu'il tenait écartés et posés à plat sur le bureau.

Les premiers mois, quand il jouait avec son fils, Garelli était fasciné par cette volonté de saisir, déjà, de serrer, qu'il découvrait chez Pascal. Garelli caressait avec son majeur la main de son fils et Pascal aussitôt s'accrochait au doigt de Garelli. Cette pression, cette main si petite qu'elle tenait tout entière autour d'un doigt bouleversaient Garelli. Il lui semblait qu'il avait accompli le même geste étant enfant et qu'il s'en souvenait.

Depuis la mort de Pascal, Garelli n'avait pas osé regarder des photos de son fils. Il avait bien fallu survivre, se battre, gagner cette guerre dans laquelle Pascal était mort, écrasé comme l'une de ces victimes civiles ensevelies dans les décombres des villes bombardées.

La guerre si ridicule, la guerre qu'il continuait de faire, sous ses doigts ce dernier protocole que Bernard de Carouge avait signé et qui faisait passer la totalité du Groupe Carouge-Mortain sous le contrôle de la Société Internationale de Banque et d'Industrie. Bernard de Carouge ne serait plus qu'un directeur en poste à l'étranger, administrateur d'une filiale du groupe, la Somebra. Garelli l'avait totalement emporté. Et il s'en foutait.

Si coûteuse, la guerre...

Il se souvenait des bras et des mains comme des branches mortes le long des châlits, quand il était entré dans les baraques des camps et qu'il savait que son père avait connu ce dessèchement et ce pourrissement du corps. Dans chaque regard, dans ces yeux comme des trous creusés

entre les pommettes et le front, Garelli avait cru reconnaître le regard et les yeux de son père, tous ces hommes
décharnés se ressemblant, la faim et la torture comme un
laminoir qui les avait réduits.

Il avait à nouveau un mouvement de haine contre Vanco,
qui l'obligeait à fouiller parmi tous ces corps du passé qu'il
s'efforçait chaque matin d'ensevelir sous les sons en
désordre, Vanco, ce frère cadet, ce témoin de l'enfance qui
bégayait les souvenirs.

Vanco que Garelli avait pourtant recruté parce qu'il était
la main tendue vers le passé.

Vanco qui s'excusait d'une voix larmoyante. Il ne
comprenait pas ce qui l'avait poussé à agir comme il l'avait
fait, disait-il, une folie, une bêtise qu'il ne cherchait pas à se
faire pardonner.

Vanco qui employait les mots pauvres de l'enfance :
pardon, bêtise.

N'étaient-ils pas tous, à jamais, toute leur vie, seulement
des enfants ?

Garelli se leva, mais tourna le dos à Vanco, se dirigea
vers la bibliothèque, prenant un livre, le feuilletant quelques minutes, le replaçant dans les rayonnages, cependant
que Vanco continuait de parler, d'expliquer qu'il avait
commis un acte suicidaire, peut-être à ce moment où l'on se
sent devenir vieux. Vanco insistait, reconnaissait qu'il
devait sa carrière à Simon Garelli. Il savait qu'il avait trahi
la confiance qu'on lui avait témoignée. Mais il avait pris
conscience de son erreur.

— Vous avez été heureux avec elle ? demanda Garelli
tout en continuant de choisir des livres.

Vanco ne répondit pas. Quand il lui fit face, Garelli vit
cette main que Vanco avait placée devant ses yeux, comme
un enfant qui pleure. Il avait envie de hurler, d'insulter

Vanco et en même temps il se sentait proche de lui, fraternel.

— Vos enfants ? dit Garelli en se retournant enfin.

Comme Vanco ne bougeait pas, dissimulant toujours ses yeux, Garelli ajouta :

— Et Martine ?

Il était perfide mais les mots venaient, poussés par l'instinct qui à la fin l'emportait sur tous les sentiments. Vanco lui avait fait mal et Garelli avait appris à rendre coup pour coup.

Julien retira sa main. Il avait le regard voilé et fixe de quelqu'un qui ne comprend plus ni ce qu'il est, ni ce qu'il fait.

— Vous les avez retrouvés, c'est l'essentiel, n'est-ce pas ? dit Garelli.

Il fit un pas, s'approchant de Julien Vanco à le toucher et il dit, les lèvres tout à coup serrées, le menton en avant :

— Vous vous souvenez de mon fils, Vanco, vous vous souvenez de Pascal ? Mon fils, Vanco. J'espère que vous avez compris qu'on me l'a tué ? Vous l'avez compris ?

Ces derniers mots avaient écorché sa gorge. Garelli s'en voulait de les avoir prononcés mais ceux-là seuls pouvaient exprimer sa douleur, sa rage, son émotion et sa haine, sa nostalgie de l'enfance, la sienne et celle de Julien, et celle de Pascal. Et le sentiment d'échec qu'il avait, ce goût morbide qui emplissait sa bouche avec une salive amère.

Vanco avait reculé.

Il fallait lui dire qu'il n'avait pas compris que la guerre entre les hommes était impitoyable, qu'on ne pardonnait rien, que les enfants aussi mouraient.

— J'espère qu'elle ne publiera rien, dit Garelli en revenant à la bibliothèque. Elle ne publiera rien, vous êtes sûr ? demanda-t-il encore.

— Rien, je vous le jure.

Julien employait une nouvelle fois ces expressions enfantines. Il prêtait serment. Qu'avait-il appris en cinquante ans de vie ?

— Un jour, Clara Becker fera état de vos confidences, dit Garelli calmement. C'est une journaliste. Elle connaît son métier.

— Elle m'a promis, dit Vanco.

— « *As an hold child* », « comme un vieil enfant », murmura Garelli. Vous croyez toujours jouer aux gendarmes et aux voleurs dans les terrains vagues derrière l'hippodrome, Julien, ajouta-t-il, en s'asseyant à son bureau, les mains posées à plat à nouveau.

Il voyait sous ses doigts le texte de l'accord entre le Groupe Carouge-Mortain et la Sibani, les signatures de Bernard de Carouge et la sienne.

— Ce jour-là, reprit-il en détachant chaque mot, quand elle publiera ce que contiennent les dossiers, ce jour-là...

— Je me tuerai, dit Vanco.

— Une confirmation de ce qu'elle aura écrit. Bravo ! Garelli ferma les yeux.

Il ne réussissait pas à chasser ce poème de son esprit, comme un de ces airs de blues qu'il aimait à fredonner, avant, dans les années qui avaient suivi la guerre, quand il préparait son premier livre, qu'il travaillait au côté de Mendès, qu'il ne savait pas encore ce qu'était le pouvoir, qu'il n'en décrivait que les rouages et le spectacle.

« *More and more*
I want to die »

Il ressentait le besoin d'espace. Il irait retrouver Thierry de Carouge à Bergwald. Ils mettraient au point ensemble les derniers transferts de fonds et d'actions.

Au-dessus des sommets, souvent le ciel paraît brisé.

« *I will sleep and play*
With the broken sky »

Garelli tendit à Vanco le protocole d'accord entre le Groupe Carouge-Mortain et la Sibani.

— Nous y sommes parvenus, dit-il. Etudiez-le. Vous viendrez à Bergwald, chez Carouge.

Vanco remercia, la voix sourde, s'éloignant les mains derrière le dos, voûté.

« As an old child. »

69

Quand Garelli poussa les volets de bois, le premier matin
de son séjour à Bergwald, quand depuis le balcon étroit il
suivit la variation des teintes sur les faces anguleuses des
sommets, qu'il vit le bulbe du clocher émerger lentement,
noir, du brouillard, comme un rocher, il retrouva le mot
« polyèdre ».

Polyèdre.

Il l'avait employé ici, dans une chambre semblable.

Il tenta d'oublier ce mot, ne voulant pas se souvenir.

Il avait désiré ces heures de solitude, avant sa rencontre
avec Thierry de Carouge, pour le silence, alors qu'à
l'habitude il le fuyait, la tête bourrée de bruits et de
questions à résoudre. Ou bien de mots.

Dès son arrivée au milieu de l'après-midi, il avait marché
entre les arbres, vers les limites du parc, emprunté un
sentier qui s'élevait dans la pénombre en direction des
alpages et au-delà des lacs circulaires et des rochers
arrondis. Puis se dressaient les falaises à demi ensevelies
par les éboulis.

Garelli marchait avec difficulté, le souffle court, les
jambes douloureuses, mais cette fatigue tout en l'inquié-
tant le rassurait. Il ne pensait plus. Il avançait, attentif aux
inégalités du sol, aux roches qui affleuraient, aux fondriè-
res, aux branches que l'orage avait brisées et qu'il fallait

franchir. Il affrontait enfin des choses. De la pierre et du bois.

Il dîna tôt. La salle à manger de la maison de repos était encore déserte. Les pensionnaires du Dʳ Georgewitch s'attardaient dans le parc, sur la terrasse, et la rumeur de leur voix s'émiettait, indistincte, couverte le plus souvent par le bruit régulier de la cascade. Georgewitch avait salué Simon Garelli, puis s'était étonné : « Seul, monsieur le président ? »

Garelli savait d'un sourire écarter les importuns et Georgewitch, intelligent, ne s'attarda pas, donnant même l'ordre aux garçons de servir rapidement Garelli.

Le dîner achevé, Garelli avait à nouveau parcouru le parc. Il faisait déjà froid et il avait dû marcher vite vers la cascade, l'un des sites qu'il préférait. L'eau surgissait de la falaise, blanche, tumultueuse, vivante. On avait creusé des marches afin de pouvoir atteindre la vasque naturelle où les eaux s'apaisaient, bleues et vertes selon les couleurs du ciel. Garelli s'assit malgré l'humidité. Il aimait ce froid qui le saisissait comme un souvenir, cette cascade au-dessus de Lourciez où si souvent ils allaient ensemble, le père, la mère et parfois Julien Vanco. Des grottes artificielles avaient été aménagées sous la chute d'eau et quand on y pénétrait la fraîcheur et l'ombre laissaient naître chez Simon une inquiétude. Il criait d'une voix forte pour que Julien le rejoignît. Vanco répondait et leurs voix s'unissaient dans l'écho qui résonnait sous les voûtes.

Ce soir-là, en remontant vers le bâtiment principal, Garelli décida de convoquer Julien Vanco dès le lendemain. Il le voulait ici, près de lui, même si la négociation avec Thierry de Carouge était achevée. Il téléphona à Vanco quelques mots seulement, un ordre, puis renonçant à prendre l'ascenseur, il monta l'escalier. Il avait besoin de cette fatigue supplémentaire. Dans la chambre, le lit était ouvert, la veilleuse allumée et le pyjama étendu sur la couverture et l'oreiller, comme une silhouette couchée, un corps mort.

Garelli resta longtemps dans l'eau brûlante du bain, la tête appuyée au rebord de la baignoire, les yeux fermés, avec la sensation qu'il se vidait de son sang, que l'eau était rouge et qu'il trouvait enfin la paix dans cette hémorragie régulière et silencieuse.

Il espéra s'endormir là. Mais l'eau peu à peu se refroidissait, semblait devenir gluante et Garelli sortit difficilement. Son dos était raide, ses jambes ankylosées. Il avait trop marché. Il cria instinctivement en posant le pied sur le sol, parce qu'il avait mal, la douleur courant le long de sa cuisse. Il dut s'appuyer aux murs, à la table, pour atteindre la valise posée sur un coffre, à gauche de la fenêtre. Sous les dossiers, comme à chaque fois qu'il voyageait, il avait placé cet objet mat, dont il aimait le poids, la couleur bleutée et les formes lisses. C'était beau comme une pensée devenue métal et une sculpture qui prolongeait la main et Garelli fit jouer le cran de sûreté, sortit le chargeur de l'arme, l'engagea à nouveau. Il traversa la chambre, le bras pendant le long du corps comme si le revolver, lourd, le contraignait à cette attitude rigide.

Il se sentait mieux. Dans chaque situation, depuis l'enfance, il avait veillé à ne pas être pris, acculé dans un coin de la cour ou dans une pièce. Pendant la guerre, quand il entrait dans un café, il en cherchait déjà l'issue de secours. Et plus tard il eut pour chaque affaire une solution de repli. Ne pas se laisser prendre, jamais.

Un revolver était comme une porte ouverte pour fuir la vie, si besoin était.

Il le posa près du lit et s'endormit immédiatement.

Au matin, dès les volets poussés, au premier regard sur
la vallée et les sommets, ce mot « polyèdre » qui s'imposait, qu'il ne pouvait effacer.

Brusquement, il se souvint. Il avait dit : « Polyèdre aux
couleurs mouvantes », le matin où il téléphonait à Jalard, il
y avait plus de dix ans, quand il avait tenté de négocier avec
Thierry de Carouge, d'éviter que Calzi n'intervînt. Puis il
avait dû appeler Jalard et on avait enlevé Bernard de
Carouge.

Dix ans. Comment avait-il pu les traverser si vite et
réussir à les franchir d'imposture en subterfuge, de désir en
jeu, menant la guerre ?

Dix ans. Dans une chambre semblable à celle-ci, il y
avait dix ans, il avait cherché en vain la fin d'un poème de
Chaves :

> « *Quelqu'un a ouvert la porte*
> *Les papiers se sont dispersés* »

Dix ans déjà. Et déjà à ce moment-là, il sentait cette
fatigue qui l'écrasait, le forçait, lui semblait-il, à s'accroupir, à entrer dans la terre, un trou.

> « *A hole*
> *In a black day*
> *Where I will sleep and play*
> *With the broken sky*
> *As an old child.* »

Dix ans d'un poème à l'autre, et l'envie de mourir qui
n'avait pas cessé, seulement reculée, d'un jeudi à l'autre,
ces femmes, cette façon de tuer avec elles quelques heures
pour ne pas se tuer. Et puis la lutte contre Carouge, contre
Jeumont, avec Calzi et Jalard, la course d'une affaire à
l'autre, d'une haine à l'autre. Ces destructions qui lui
semblaient vaines, mortes elles aussi, car Garelli avait le
sentiment — une certitude — qu'il ne pourrait pas franchir

les dix prochaines années et même ce jour qui commençait, qu'il imaginait comme un polyèdre composé de facettes aux arêtes tranchantes.

Il s'habilla lentement et décida de marcher vers les arbres.

les dix prochaines années et même ce jour qui commençait
qu'il lui ait suffi ...

70

La Saga
de Simon Garelli

*En une dizaine d'années le président de la
Sibani, banquier, poète, a construit un empire
industriel et bancaire.*

Il vient de remporter son plus grand succès.

Combien de salariés dépendent de la Société
Internationale de Banque et d'industrie
(Sibani) ? Un million et demi ? Deux millions ?

Quand on l'interroge, le président de la
Sibani, Simon Garelli, ne répond pas...
....
....
....
....

« Un Etat dans l'Etat », affirment certains
commentateurs. Ils s'inquiètent même de l'avenir d'un aussi vaste conglomérat bancaire et
industriel.

« L'absorption du Groupe Carouge-Mortain
par la Sibani est un pain bénit, disent-ils, pour
les tenants de la nationalisation. »

Ce risque, Simon Garelli a dû l'évaluer. Mais

il est de ces « entrepreneurs » qui n'hésitent pas
à parier. Non pas à la manière de Bernard de
Carouge, dont la passion pour les jeux de hasard
est bien connue.

Mais comme les découvreurs et les « aventu-
riers ».

Garelli a l'habitude de dire à ses collaborateurs : « Un banquier n'est pas un comptable. »
Et il assure que rien n'est plus proche de la
banque que la poésie.

Paradoxe ?

C'est avec de tels paradoxes que Simon
Garelli a construit son empire.

Quand il avait vu le titre de l'article, barrant en haut, à droite et en diagonale la couverture de l'hebdomadaire — « la Saga de Simon Garelli » —, Julien Vanco avait éprouvé un sentiment de panique, son corps cambré comme si on appuyait sur ses reins une plaque brûlante. Il n'avait pas osé ouvrir le magazine déposé dans son bureau. Il avait fermé les yeux, s'était courbé, la tête et la nuque douloureuses. Maintenant, on vrillait dans sa poitrine une lame qui s'enfonçait si profondément que tout son corps souffrait.

Il était persuadé que Clara avait écrit l'article, seulement soucieuse de sa gloire, ne lui laissant aucune chance de recommencer. Déjà il avait découvert que ces quelques semaines passées loin de Paris ne s'oublieraient pas parce qu'il était revenu, les dossiers sous le bras, demandant son pardon. A chaque instant, il se sentait autre qu'il avait été. Plus lâche et plus déterminé. Décidé à toutes les abdications et sûr de ne pouvoir les accomplir. Partagé, fendu comme il ne l'avait jamais été. Vulnérable et indifférent.

Un acte avait suffi pour renverser le monde et il ne pouvait l'abolir.

Martine déjà exigeait le divorce, calmement. Elle aurait la garde des enfants, bien sûr. Elle conserverait la villa de Saint-Cloud. S'il refusait ces conditions, ce serait la guerre.

Elle l'avait dit sans hausser la voix, sûre de sa force et de son droit. Simon Garelli, expliquait-elle, témoignerait de l'instabilité de Julien, de l'influence dangereuse qu'il exerçait sur ses enfants, de cette fugue qui avait mis leur vie en danger. Que Julien réfléchisse. Le divorce par consentement mutuel était la solution honorable qu'elle lui offrait. Il avait rompu le contrat. Qu'il en supporte les conséquences.

Plus rien comme avant.

Garelli téléphonait de Bergwald, ne prononçait qu'une phrase : « Je vous attends », et raccrochait avant même que Julien ait pu répondre. Peut-être avait-il lu l'article ?

La sécheresse du ton et la brièveté du propos, et le silence quand il s'était présenté devant Garelli accablaient Julien. Il avait admiré et aimé Simon. Il l'avait trahi et n'obtenait ni estime ni pardon de ce retour. Au contraire. Peut-être Garelli lui reprochait-il cette indécision, ce courage corrompu par la lâcheté, ce comportement velléitaire. Seuls ceux que Julien avait méprisés, de Sarte, Jeumont, s'approchaient de lui, devinant la discorde, cherchant de nouvelles armes contre Garelli. Tous les autres — Lederman, Rouvet, Gottlieb — s'éloignaient, ignorant Julien, refusant toute conversation prolongée avec lui.

Plus rien comme avant, ce retour, un faux pas de plus. Un acte doit rester entier, dur comme un galet et ne pas pourrir, s'effriter par des tentatives vaines de le nier.

Puis Jeumont était entré dans le bureau de Vanco, vivement, le magazine à la main, s'en prenant à ces journalistes qui contribuaient à forger le mythe Garelli.

— Vous avez lu ces âneries ? avait-il lancé.

Il était ressorti en haussant les épaules, en marmonnant

qu'il faudrait bien un jour que les impostures soient dénoncées.

Vanco avait alors découvert que l'article était anodin, que l'auteur, un chroniqueur sans renommée, reprenait quelques allusions et n'apportait aucune preuve.

Clara eût pu citer les noms de Calzi et de Jalard. Elle eût pu expliquer ce qu'étaient la Consultores Industrias Associades et l'Operacao Bandeirantes. Et elle avait sans doute recopié les pièces du dossier concernant le service de la « gestion privée », qui donnaient la liste des clients de la Sibani possédant des comptes à l'étranger. Elle aurait pu aussi suivre le cheminement des fonds, d'un pays à l'autre, et nommer les partis et les hommes qui en étaient bénéficiaires.

Elle n'avait pas parlé. Mais l'inquiétude de Vanco ne se dissipait pas. Elle s'aggravait de l'attente. Un événement — l'article qu'écrirait Clara ? — devait se produire qui mettrait fin à ce moment intermédiaire, parce qu'on ne peut vivre divisé, que l'unité doit se reconstituer.

Peut-être serait-ce à Bergwald ?

72

Il avait garé sa voiture sur la place de Bergwald, regardé les maisons aux façades de pierre et de bois, puis il avait demandé la route de la maison de repos du Dr George-witch. On lui avait montré la forêt, dit qu'il trouverait dans environ deux kilomètres un grand parc, une demeure puissante, blanche.

Il avait décidé de marcher.

La route montait entre les arbres, des mélèzes dont les branches s'entremêlaient, fermant l'horizon, ne laissant que le ciel et les sommets. En se retournant Julien aperçut, au-dessus de la cime des arbres, le clocher à bulbe noir du village, puis, à gauche, les toits des chalets construits sur un replat qu'il avait dépassé. Le silence était souligné par la rumeur d'une cascade, en amont, et parfois l'écho d'une voix ou d'une détonation. Le ciel était strié de fines rayures blanches, nuages ou sillages qui sectionnaient l'immensité bleue.

Julien s'arrêta, surpris.

Il était tout à coup apaisé. Il se remit à marcher lentement, enlevant sa veste, la rejetant sur son épaule, respirant librement pour la première fois après des semai-nes, retrouvant une sensation perdue depuis l'adolescence, quand il marchait seul dans l'arrière-pays de Lourciez, remontant la vallée du Bergo, au-delà de Saint-Gaumat, quand il savait, par chaque parcelle de son corps, que le monde obéissait à un ordre, et que lui, Julien, y avait sa place. Le bleu du ciel le proclamait. La franche intersection de deux barres rocheuses l'affirmait, les arbres l'annonçaient.

Il avait voulu, lors de son retour à Lourciez, l'expliquer à Simon, lui faire partager cette foi — quel autre mot employer ? Mais Simon ne l'avait écouté distraitement que quelques minutes, puis, reprenant sa lecture, lui avait demandé de se taire. Penser, avait-il dit, cela supposait des moyens que Julien n'avait pas. Pas encore. Alors il ne fallait pas bavarder inutilement.

Et pourtant, cette même sensation, plusieurs dizaines d'années plus tard, sur la route qui conduisait à cette demeure blanche dont Julien apercevait maintenant la façade, les balcons étroits, puis la terrasse qui s'avançait au-dessus du parc.

Et la certitude qu'au bout de la route finirait la peur.

73

On me fit attendre dans le hall.

— Ces messieurs sont dans le parc, me dit-on.

Je m'avançai sur la terrasse cependant que l'un des employés d'un pas rapide traversait la pelouse en direction des arbres.

Je les vis, assis l'un en face de l'autre, à la lisière du soleil et de l'ombre, à quelques mètres des premiers mélèzes.

Simon Garelli tournait le dos à la terrasse, mais je reconnaissais ses épaules, son attitude un peu penchée, les avant-bras appuyés à la table. Thierry de Carouge parlait. Il semblait, mais la distance était trop grande pour que je puisse l'affirmer, argumenter avec vigueur, la main gauche souvent levée pour souligner une phrase, un mot, puis il s'écartait de la table, regardait les arbres, ignorant Garelli qui peut-être se taisait.

Ils se tournèrent l'un et l'autre vers la terrasse quand le serveur leur eut expliqué que j'attendais et Garelli d'un geste ample me fit signe d'avancer.

Je suis allé vers eux lentement, suivant l'allée couverte d'un gravier fin où mes pas s'enfonçaient comme dans du sable. Les arbres étaient beaux, altiers. Les falaises les dominaient de leur rigidité blanche.

Je me sentais si calme, à ma place dans l'ordre du paysage qui représentait l'ordre du monde.

Ils étaient loin.

Et même quand je fus debout entre eux, ils étaient encore loin.

Thierry de Carouge commença à parler. Je ne sais plus avec précision ce qu'il a dit. Il prononça, de cela je suis sûr, le nom de Clara Becker.

Les arbres étaient derrière eux, grande et haute vague immobile qui étendait son ombre vers nous au fur et à mesure que glissait le temps.

Simon m'observait. Je n'avais jamais à ce point retrouvé en lui son visage d'enfance, cette ironie que soulignait le sourire esquissé et cette gravité du regard, cette attention et le sentiment qu'il donnait de ne pas écouter, d'être absent ou spectateur de la scène.

— Tu te souviens, Julien ? dit-il interrompant Thierry de Carouge.

Sa question qu'il n'achevait pas me bouleversait. Elle avait suffi à faire surgir tous mes souvenirs, et je voyais à nouveau cette femme morte, couchée sur la piste cavalière. J'entendis le cri des mouettes.

Je me tournais, je regardais l'allée que je venais de parcourir, bande rectiligne de gravier comme là-bas, au bord de la mer, dans ce passé, lointain de Bergwald comme Lourciez l'était.

Il y eut deux détonations.

Je sais que j'ai hurlé.

J'avais tant à dire à Simon et, depuis nos courses dans les dunes et les roseaux, au-delà de l'hippodrome, nous n'avions jamais eu le temps de nous rejoindre.

Il avait le visage déformé par une grimace de mépris et d'orgueil, ou simplement de douleur.

Il s'était suicidé après avoir tué Carouge.

Le banquier genevois affaissé, son bras gauche appuyé au bord de la table, paraissait somnoler. Simon avait été rejeté en arrière et le revolver qu'il tenait dans sa main droite semblait posé sur la table.

Il avait accompli devant moi cet acte à deux faces, un défi qu'il me lançait, un appel à notre jeunesse.

J'ai pensé : « On ne résiste pas à la poésie. » Il m'avait dit cela souvent.

Il était mort et il avait tué comme on écrit. Peut-être parce qu'il avait renoncé à écrire.

J'ai pensé : « Il s'est réconcilié », et j'ai compris le sens qu'on donne, quand vient la mort, au mot paix.

Je me sentais si calme.

J'ai pris l'arme de Simon dans ma main, desserrant ses doigts qui se crispaient sur la crosse.

L'arme était pesante et tiède. Elle tirait mon bras vers la terre.

J'ai regardé Simon, puis Thierry de Carouge.

J'allais relever ce défi, répondre à son appel.

J'allais voler à Simon l'acte qu'il avait accompli.

Je m'affranchissais.

J'allais m'élancer haut et loin, comme un homme peut et doit le faire.

J'ai marché vers la demeure puissante et blanche, l'arme à la main, et j'ai dit : « C'est moi. Je les ai tués. »

74

Le meurtrier, Julien Vanco, a attendu l'arrivée de la police dans l'un des salons de la maison de repos du Dʳ Georgewitch.

Le personnel n'avait pu que constater la mort des deux victimes, Simon Garelli et Thierry de Carouge.

Tous les témoignages concordent.

L'assassin a parlé quelques minutes cordialement avec le président de la Sibani et le président de la Société Genevoise de Finance. Il avait paru calme au personnel de l'hôtel.

Il n'a pas voulu révéler les mobiles de son acte mais il a fait une déclaration sans équivoque qui a été communiquée à la presse par la police.

« Mon intention, a indiqué Julien Vanco, était de tuer Simon Garelli et Thierry de Carouge. Je me suis rendu à Bergwald pour mettre à exécution ce projet. Je regrette d'avoir été contraint d'agir ainsi, mais il n'y avait pas d'autre choix possible pour moi. J'accepte par avance le châtiment que la justice m'infligera. »

L'enquête, pour ce qui est de la matérialité des faits, a été fort brève, étant donné les aveux de Julien Vanco.

Il n'a pas été jugé nécessaire de procéder à

l'autopsie des victimes, l'examen des projectiles ayant confirmé qu'ils provenaient bien de l'arme saisie sur Julien Vanco.

Ce revolver, un mauser de calibre 9 mm, appartenait à Simon Garelli, et Vanco, qui en connaissait l'existence, l'avait dérobé dans le bureau du président de la Société Internationale de Banque et d'Industrie au moment de quitter Paris pour Bergwald.

Très chère Erica,

Le procès s'achève. Peut-être as-tu été surprise de mon attitude. Mais je ne supporte plus le spectacle que les hommes se donnent à eux-mêmes.

C'est cela je crois qui m'a détaché de Clara Becker au point qu'il me semble impossible d'avoir éprouvé pour elle cette passion qui a fait dériver ma vie.

Je ne le regrette pas.

Pour la première fois, le croiras-tu, je suis en paix.

Si j'obtenais de voir régulièrement mes enfants, je serais heureux, si ce mot a un sens. Mais leur absence m'est cruelle. Un jour, si je me tue, ce sera parce que cette séparation d'avec eux m'est devenue insupportable.

Puis-je te demander de voir Martine ? Elle prend prétexte de mes aveux pour me priver de Serge et de Nathalie.

Agis, insiste. Tu sais bien que je ne suis pas indigne.

C'est là le seul objet de ma lettre, mais la solitude de l'enfermé est une curieuse expérience.

Je me parle sans trêve.

Je défais les mots et les pensées comme on brise et émiette le pain. J'écris. J'aime écrire.

Je t'enverrais, si tu m'y autorises, le texte que j'avais rédigé quand je me cachais chez Jean. Il raconte ma passion pour Clara. Je le polis et le modifie sans cesse.

Je te demande de le conserver et, s'il m'arrivait malheur, de le communiquer à mes enfants quand ils seront en âge de s'interroger sur la personnalité de leur père.

Je laisserai aussi un pli scellé — si l'administration pénitentiaire le permet — à n'ouvrir qu'après mon décès.

Je rétablirai là une vérité que j'ai choisi de présenter d'une certaine manière. Celle qui me procure cet apaisement, cette sérénité que ne vient déchirer que la pensée de mes enfants.

Je n'aurais pas cru être à ce point attaché à eux. Mais la vie donnée, l'affection — disons : l'amour et la générosité — me paraissent aujourd'hui, là où j'en suis de ma vie, la seule réalité qui compte.

La liberté m'est moins nécessaire que l'accord avec moi-même.

Le reste — la réussite, la puissance, l'argent qui les symbolise, tout ce à quoi j'avais voué mon existence — est spectacle et futilité.

Simon le savait.

La poésie était l'âme de sa vie. Sache qu'il y a tout sacrifié. J'en détiens seul la preuve.

Les poètes qu'il lisait me sont devenus familiers. Simon est dans ma solitude l'une de ces fortes présences qui empêchent de devenir fou.

L'autre est ma mère, dont la dignité modeste, l'amour obstiné qu'elle avait pour moi, les circonstances de sa mort continuent de me bouleverser.

Si je suis en paix entre ces murs qui me serrent aux épaules, c'est aussi qu'ici je peux librement et totalement, penser à elle, être avec elle et apprendre le sens des mots qu'aimait Simon.

Je pleure souvent alors que pendant la plus grande partie de ma vie j'ai refusé les émotions par avarice et par peur.

Mais je me suis débarrassé de cette armure qui est égoïsme et façon de vivre la vie comme un mort.

Quand je pense à ce que j'étais il y a seulement un peu plus d'un an, ce rouage que tu condamnais à juste titre, je ne peux qu'avoir de la gratitude pour Clara.

Sa mort m'a atteint. Mais je suis persuadé que si elle l'avait pu, elle aurait aimé cette façon brutale de disparaître.

Elle n'aurait pas accepté de devenir une petite vieille immobile que les hommes ne regardent pas.

D'ailleurs, quand le cœur s'arrête, est-on sûr qu'on ne l'a pas désiré ? Depuis quelques mois plus rien dans la vie ne me semble inattendu. Même la maladie.

Je pense à Clara sans tristesse, avec émotion et reconnaissance. Elle m'a poussé dans la vie.

Le prix est lourd, mais je l'ai choisi.

Embrasse mes enfants, essaie d'être auprès d'eux.

Je sais que tu n'es pas soucieuse de spectacle. Tu es simple et généreuse.

Essaie d'atteindre le cœur de Martine, si dissimulé et si étouffé qu'il est, peut-être solidifié comme était le mien. Mais j'espère encore, puisqu'elle aime, j'en suis sûr, Serge et Nathalie.

Envoie-moi des livres. Les tiens.

Et tous ceux qui disent le monde avec tendresse.

Je t'embrasse.

JULIEN.

Nice - Paris - Spéracèdes, juillet 1982.

TABLE

Le poème de la page 23 est cité par Robert Linhart dans *le Sucre et la faim*, éditions de Minuit (1980).

Achevé d'imprimer en mars 1983
sur presse CAMERON
dans les ateliers de la S.E.P.C.
à Saint-Amand-Montrond (Cher)
pour le compte des éditions Grasset
61, rue des Saints-Pères, 75006 Paris

Nº d'Édition : 6057. Nº d'Impression : 3018-2002
Dépôt légal : mars 1983.

Imprimé en France

ISBN 2-246-28-641-7